Bo
17,60 frs.

L'ANCIEN RÉGIME

Tome 1 : LA SOCIÉTÉ

Collection U

SÉRIE « HISTOIRE MODERNE »

L'esprit général de la collection U et les exigences propres à l'Histoire moderne justifient, dans cette nouvelle série, la rédaction de deux types d'ouvrages.

D'abord, une série de manuels de base qui donneront, à raison d'un livre par siècle, la trame et les cadres des événements, et qui ne craindront pas de fournir des faits assurés, logiquement ordonnés, présentés sobrement et clairement.

Ensuite, des ouvrages qui traiteront des grandes questions de l'Histoire moderne. Sans perdre de vue les données traditionnelles, on y tiendra compte des riches suggestions de l'histoire sociale. Les volumes prévus porteront sur la guerre et les relations internationales, les économies et les sociétés, l'histoire politique et institutionnelle, l'histoire religieuse et intellectuelle, ainsi que l'histoire coloniale.Une large part y sera faite aux documents. Les bibliographies seront conçues comme des guides pour des lectures fructueuses, des débats à orienter, des recherches à amorcer.

Collection U

Série " Histoire moderne " dirigée par Pierre Goubert

PIERRE GOUBERT Professeur à la Faculté des Lettres
et Sciences Humaines de Paris (Sorbonne)

L'ANCIEN RÉGIME

Tome 1 : LA SOCIÉTÉ

SECONDE ÉDITION

LIBRAIRIE ARMAND COLIN
103, Boulevard Saint-Michel, Paris V^e

SOMMAIRE

AVANT-PROPOS

René Rémond eut l'idée de ce livre, et me demanda de l'écrire. C'est pourquoi il lui est dédié, ainsi qu'aux cohortes d'étudiants de tous âges qui, à Rennes, à Paris, à Nanterre, en ont subi les premières ébauches, et ont contribué, sans s'en douter, à sa rédaction. Bien entendu, ce sera à l'auteur seul qu'il conviendra d'en imputer les faiblesses.

Ce livre ne se présente pas sous une forme théorique, car il ne désire pas se ranger dans les domaines à la fois voisins et distincts du droit, de la politologie, de la sociologie. Et pourtant il essaie d'appréhender des ensembles, vus de haut.

Il ne se présente pas non plus sous la forme d'un récit chronologique. D'autres livres, notamment dans la même collection que celui-ci, ont été écrits dans cet esprit, ou le seront bientôt. L'Ancien Régime s'inscrit difficilement entre des dates précises. Il est sorti tout naturellement du Moyen Age, comme l'homme mûr sort de l'enfant, ou plutôt le vieillard de l'adulte, entre la guerre de Cent Ans et les guerres de religion. Les circonstances de sa disparition sont plus resserrées, au moins en apparence : de 1789 à 1793, la construction principale s'est effondrée; mais des bâtiments annexes, et même quelques poutres maîtresses, ont longtemps résisté; certaines tiennent peut-être encore.

Cet ouvrage essaie aussi d'être un manuel. Il est communément admis qu'un manuel doive présenter des vérités établies, simples, bien classées, aisément assimilables. Le ton de la certitude et le plan en trois points sembleraient répondre à une partie de cette définition, si l'on pouvait se contenter encore de ces recettes. Or, l'artifice excepté, il est difficile de présenter simplement un régime qui n'a pas eu d'acte de naissance, même pas de constitution écrite, et qui a toujours cultivé la confusion. Il est même impossible, et peut-être malhonnête, d'apporter une lumineuse clarté là où elle n'a jamais régné, là où il lui fut refusé de pénétrer : en un sens, la méthode de Descartes, cet exilé volontaire, est l'antithèse probable de l'Ancien Régime. Il est difficile aussi de présenter avec une sécurité tranquille un régime dont les historiens, en fin de compte, connaissent assez mal le fonctionnement réel; et cela pour tout un faisceau de raisons, certaines à peine avouables.

Les unes sont sentimentales et politico-philosophiques : ce régime, que voulut détruire la Révolution, déchaîne encore les passions antagonistes, suscite plaidoyers et réquisitoires, à tout le moins attirances et répulsions, que trop d'historiens ne savent pas surmonter. D'autres raisons tiennent à des conceptions respectables, nécessaires et insuffisantes de la recherche historique. Cette dernière se limita longtemps aux textes juridiques, aux actes gouvernementaux, aux personnes en vue, aux institutions, aux idées politiques et religieuses de la mince pellicule alphabétisée et cultivée. L'Ancien Régime ainsi conçu semblait régir un désert. Enfin, bien des historiens, gens fort traditionalistes, se sont repassés, depuis plus d'un siècle, des formules toutes faites chapeautées de mots en « isme » — absolutisme, classicisme, capitalisme, féodalisme — dont le vague incite à la confusion; il faut les rejeter, ou les rajeunir en les repensant.

Depuis un demi-siècle environ, beaucoup de respectables travaux ont été remis en question, parfois sans mesure. Les sociologues, les géographes, le groupe Bloch-Febvre (dit « école des Annales ») ont mené l'assaut. Plus récemment, les démographes, les psychologues, quelques philosophes et ethnologues, les linguistes enfin, ont bousculé l'histoire traditionnelle, en même temps qu'ils en élargissaient enfin les horizons. Ce serait mépriser le lecteur que de lui offrir un « Ancien Régime » réduit à ses rois, à leurs ministres, et à quelques poignées de juristes, de théologiens et de « philosophes ».

Ce manuel voudrait n'être pas une œuvre de mépris, conçue au rabais pour un public vite satisfait. S'il présente fermement quelques certitudes indiscutables, il ne voile jamais les zones d'ombre, et essaie d'être une description complète, c'est-à-dire sociale et vivante, et même une explication. Voir vrai,

6

voir large, poser les problèmes, tenter de comprendre et de faire comprendre, critiquer pour comprendre mieux encore, serait-ce viser trop haut?

Enfin, cet ouvrage repose sur une triple gageure. Il a voulu considérer distinctement et en deux tomes successifs la Société et l'État, qui évidemment sont étroitement imbriqués. D'autre part, il est essentiellement centré sur la période 1600-1750, dates rondes, parce que l'avant 1600 est encore insuffisamment connu, et que l'après 1750 m'est apparu tout à fait différent, et justiciable d'une étude particulière. Il s'agit là de deux options, sinon de deux paris, qu'on pourra apprécier diversement. La troisième gageure est presque anti-historique : j'ai essayé d'embrasser d'un coup d'œil quatre règnes, trois régences, cinq générations, en supposant que les traits d'ensemble l'emportaient sur les différences, les évolutions, les contrastes peut-être. Ma seule réponse sera de tenter de dresser dans l'avenir, si je le puis, des tableaux chronologiques plus resserrés. J'ai déjà tenté l'aventure pour le temps de Louis XIV; j'espère pouvoir le faire aussi pour les décennies passionnantes qu'essayèrent de dominer les deux cardinaux-ministres. Et d'ailleurs, d'autres travaillent, qui y parviendront sans doute plus tôt, et mieux.

CHAPITRE I

DÉCOUVERTE ET DÉFINITION DE L'ANCIEN RÉGIME

Il existe présentement deux manières, complémentaires plus que contradictoires, de définir, donc d'expliquer l'Ancien Régime.

a) La conception la plus étroite se ramène à l'analyse d'une structure politique et juridique. Elle part des théories pour aboutir aux institutions, et ne va guère plus loin. Il est sûr que cette conception fut longtemps dominante, et que les constituants conçurent pour la plupart, au moins au début, leur travail de démolition et de reconstruction comme une tâche politique et juridique, en juristes et en penseurs politiques qu'ils étaient eux-mêmes.

b) La plupart des historiens vont beaucoup plus loin. L'expression d'« Ancien Régime » leur sert de dénomination globale pour désigner tout ce qui s'est passé en France entre le premier Valois et le dernier Bourbon, aux xvie, xviie et xviiie siècles. C'est vider le terme de toute signification, et en faire une simple étiquette.

Il paraît raisonnable de penser que la vérité gît quelque part entre ces deux extrêmes. Il est de meilleure méthode de demander l'avis des hommes compétents, et d'abord de ceux qui ont défini l'Ancien Régime en travaillant à le supprimer, ce qui revient à considérer d'abord la première définition.

1 — Les constituants définissent l'Ancien Régime —

L'originalité principale de la notion et du terme d'« Ancien Régime », c'est son **apparition tardive,** sa **naissance posthume;** c'est qu'elle n'a pu se dégager qu'après l'extinction du système, reconnue et ratifiée par la loi et une grande partie de l'opinion. L'Ancien Régime, sûrement le mot, en partie la chose, naquit en mourant.

Mais quand et comment est-il mort? (Laissons, pour le moment, le pourquoi de côté).

Il est mort très vite, si l'on confronte son **agonie d'une quarantaine de mois à une maturité de deux ou trois siècles,** et à **une gestation-enfance de plus d'un millénaire.** Il est mort entre 1789 et 1793. Il a pourtant survécu, comme beaucoup de morts de l'histoire, dans les âmes, dans les nostalgies, voire dans les usages de provinces lentes, conservatrices, aux rythmes mal accordés à l'évolution majoritaire du pays, dans les provinces-musées, bocages de l'Ouest et montagnes isolées; un peu partout aussi, dans quelques groupes sociaux pénétrés de passé, que nous n'avons pas à présenter.

Il importe de bien marquer les étapes de cette agonie, qui jalonnent en même temps les étapes d'une naissance : celle d'un « régime nouveau », qui s'affirme en s'opposant au précédent, donc en le définissant.

Juin 1789 : émergence de la Nation

Cadre : les États généraux, réunis à Versailles depuis le 5 mai.

Après six semaines de résistance royale et d'attente impatiente, les députés du Tiers, auxquels vont vite se joindre tous les curés — adhésion décisive et significative — et quelques nobles libéraux, déclarent qu'ils représentent « les quatre-vingt seize centièmes au moins de la Nation », et que « la dénomination d'assemblée nationale est la seule » qui leur convienne (17 juin).

Le même jour, la même assemblée déclare illégaux les impôts royaux qu'elle n'a pas consentis, mais accepte sagement qu'on continue de les lever, par raison d'État. La première phrase de sa déclaration invoque « le pouvoir dont la Nation recouvre l'exercice sous les auspices d'un Monarque... » dont l'adhésion est espérée.

Trois jours plus tard, lors du serment du Jeu de Paume, l'Assemblée nationale considère qu'elle est « appelée à fixer la constitution du royaume, opérer la régénération de l'ordre public et maintenir les vrais principes de la monarchie » (20 juin 1789).

10

Ces textes brefs et pleins appellent plusieurs remarques.

La première est négative. Dans la pensée de ceux qui vont instaurer un « nouveau régime », **le fait de la monarchie n'est pas mis en question.** Comme tous les témoignages (y compris ceux des cahiers de doléances) conspirent à le prouver, la personne et l'institution royale sont hors de conteste; vers le roi et la monarchie montent toujours le respect, la confiance, presque l'adoration. Il faudra les lourdes fautes politiques de Louis XVI, résumées et concentrées dans la tentative de fuite arrêtée à Varennes (juin 1791), pour provoquer un divorce grave entre une partie des Français et leur roi, sinon leur royauté. La notion d'Ancien Régime n'est donc pas étroitement liée au caractère monarchique du gouvernement; à preuve, d'ailleurs, les rois du xixe siècle.

La seconde remarque concerne la nation. **La nation s'affirme, certes « sous l'égide », « sous les auspices du Monarque », mais distincte de lui,** séparée de lui, bien que respectueuse de ses prérogatives. Un long courant de pensée, puis d'opinion, a préparé cette remarquable affirmation, qui va s'exprimer, deux mois plus tard, plus nettement encore, dans l'article 3 de la Déclaration des droits de l'homme et du citoyen (26 août 1789) :

> Le principe de toute souveraineté réside essentiellement dans la Nation. Nul corps, nul individu ne peut exercer d'autorité qui n'en émane expressément.

Ce principe si fortement exprimé est nouveau. Il doit être mis en face du principe antagoniste. Il faut rappeler d'abord la proclamation si claire de Louis XIV : « La Nation ne fait pas corps en France, elle réside tout entière dans la personne du Roi ». Cent ans plus tard, le 3 mars 1766, dans la séance dite de la « flagellation du parlement de Paris », Louis XV s'exprimait en termes presque semblables :

> Les droits et les intérêts de la Nation, dont on ose faire un corps séparé du Monarque, sont nécessairement unis avec les miens, et ne reposent qu'en mes mains.

Avant de combattre, les armées de l'Ancien Régime criaient « vive le roi! »; celles de la Révolution crieront bientôt : « vive la nation! » (le cri de « vive la France! » est fort postérieur). Ces cris et ces textes conspirent à montrer que l'émergence de l'idée de nation a constitué l'un des facteurs et l'un des caractères de la Révolution et des régimes qui suivirent. **L'idée de nation est habituellement étrangère à la nature de l'Ancien Régime, ou du moins représentée, confondue, abîmée dans la personne et la fonction royales.** (On laissera de côté la question de savoir si les constituants intégraient dans la « nation » tous les Français, ou seulement les élites de la fortune et du mérite.)

La troisième remarque concerne **la constitution.** L'Assemblée nationale se donne comme but de « fixer la Constitution du Royaume », crée dans son sein un « Comité de Constitution » (7 juillet), se proclame « Assemblée nationale constituante », et s'attache à la rédaction de ce qui sera la constitution de 1791, le premier grand texte constitutionnel français. Une telle conception et une telle volonté supposent que **l'Ancien Régime « n'avait pas de constitution »**. Formule qui présente au moins deux acceptions, non contradictoires d'ailleurs :

a) La France n'avait pas de texte constitutionnel écrit d'un seul tenant, ou pas de textes juridiques épars (à la manière anglaise) dont la succession et le rapprochement puissent avoir valeur de constitution. Les anciens juristes, et beaucoup d'historiens à leur suite, ont longuement discuté pour savoir si le royaume n'avait pas au moins une « constitution coutumière », et ont allégué des « lois fondamentales », en nombre fort variable. Leur évident désaccord montre bien que la France (comme les États-Unis, qui venaient de donner l'exemple) avait besoin d'un grand texte législatif d'ensemble, établi par la nation ou ses mandataires, qu'on appellerait aussi et enfin « constitution » ;

b) Seconde acception, qui renvoie à Montesquieu et à quelques autres : une véritable « constitution », claire, solide, incontestable, doit répondre à un certain nombre de principes, auxquels souscrit d'avance la majorité des députés : souveraineté de la nation, droits naturels, égalité de naissance des citoyens, séparation des pouvoirs.

Quoi qu'on pense du magma de textes épars, de conventions tacites et d'habitudes discutées que des juristes et des historiens ont baptisé « constitution du royaume », il est évident qu'il ne répondait pas à ces principes simples, acceptés par l'opinion éclairée, et déjà inscrits en partie dans la Constitution américaine de 1787.

Août-septembre 1789 : l'entière destruction du régime féodal

Après les révoltes municipales et campagnardes de juillet — fort inattendues —, l'Assemblée nationale constituante (tel est désormais son nom) franchit un pas supplémentaire, qui aide, par antithèse, à définir le régime qu'elle est en train de démanteler rapidement : par les décrets du 4 au 11 août 1789, elle « détruit entièrement » le « régime féodal ».

De vives discussions ont opposé des historiens et des théoriciens de l'histoire autour de l'expression « régime féodal ». Il faut les rejeter, puisqu'il est clair que les constituants employaient couramment le terme, qu'ils en connaissaient parfaitement la signification, et que, en l'abolissant (sauf rachat partiel) comme partie intégrante du régime agonisant, ils démontraient que **ledit régime féodal constituait l'un des fondements de l'Ancien Régime.**

Mais qu'appelaient-ils « régime féodal »? L'analyse des décrets discutés, acceptés et promulgués à partir du 4 août le montre clairement. Sont classés par l'Assemblée constituante comme parties intégrantes du « régime féodal », donc de l'Ancien Régime :

1. Toute trace de **servitude personnelle**, résidu de l'ancien servage, habituellement désignée sous le nom de « mainmorte ».

2. Tous les **droits féodaux** (ou seigneuriaux) et, par priorité, les droits de colombier, de fuie, de garenne et de chasse, — ce qui peut surprendre au xxe siècle, mais ne souffrait aucune discussion à la fin du xviiie , comme le prouvent abondamment les cahiers de doléances.

3. Toutes les **justices seigneuriales,** — les « tribunaux de villages » — tenues par le seigneur et ses agents.

4. Les **dîmes** de toute espèce; cette inclusion, qui nous paraît étrange, d'une institution proprement ecclésiastique dans le régime « féodal », répond pourtant à l'esprit du temps et à l'esprit des constituants : la dîme est l'un des fondements de l'Ancien Régime.

A cette condamnation de la dîme doit être jointe la condamnation des « casuels » (honoraires des curés) et des deniers de toutes sortes envoyés au Saint-Siège. Ces manières de rémunérer les prêtres et de pensionner Rome sont donc considérées comme parties intégrantes du « régime féodal », donc de l'Ancien Régime.

5. Tous les **offices vénaux** « de judicature ou de municipalité ». La vénalité et l'hérédité des offices — le commerce des fonctions administratives — entrent donc également dans la nature du « régime féodal » — ce qui ne surprend que les historiens du xxe siècle — et donc de l'Ancien Régime — ce qui ne surprendra personne.

6. Tous les « **privilèges pécuniaires...** en matière de subsides », c'est-à-dire d'impositions. Le privilège, de nature fort variée (noblesse et clergé sont loin d'être les seuls privilégiés), constituait l'un des principes fondamentaux de l'Ancien Régime, peut-être le premier de tous. Désormais est au moins proclamée l'égalité devant l'impôt, qui sera perçu « sur tous les citoyens et sur tous les biens, de la même manière et dans la même forme » (article 9 du décret du 4 août).

7. Les **inégalités de naissance et d'aptitude aux emplois.** Point capital, point de départ aussi de la grande machine de guerre contre la noblesse (qui cependant n'est pas encore condamnée en tant que telle). La première phrase

du premier article de la Déclaration des droits de l'homme et du citoyen précisera pourtant, dès le 26 août :

« Les hommes naissent et demeurent libres et égaux en droits. »

Ce principe, ni le régime féodal ni l'Ancien Régime ne l'a jamais accepté.

8. Dans des articles peu remarqués du décret du 4 août (les nos 17 et 18), l'Assemblée proclame le roi « restaurateur de la liberté française » — ce qui lui force la main avec quelque habileté — et décide qu'elle ira, en corps, présenter son décret à Sa Majesté, « lui porter l'hommage de sa plus respectueuse reconnaissance, et la supplier de permettre que le Te Deum soit chanté dans sa chapelle, et d'y assister elle-même... ».

On le voit : **le caractère chrétien et catholique du régime d'avant 1789 n'est pas contesté ;** pas plus que son caractère royal, il n'apparaît alors fondamental et condamnable. Ce qui le marque et le condamne, pour les constituants, c'est son caractère seigneurial, décimal, vénal dans ses charges, inégal dans sa fiscalité, son droit, sa conception de l'homme.

Le glas de l'Ancien Régime et sa définition posthume : le préambule de la constitution de 1791

D'août 1789 à septembre 1791, un travail acharné et des discussions passionnées aboutirent donc à la constitution « jurée » par le roi le 14 septembre 1791. De ce long texte, il faut dégager le préambule, qu'on relira, entendra, analysera :

> L'Assemblée nationale... abolit irrévocablement les institutions qui blessaient la liberté et l'égalité des droits. Il n'y a plus ni noblesse, ni pairie, ni distinctions héréditaires, ni distinctions d'ordres, ni régime féodal, ni justices patrimoniales, ni aucun des titres, dénominations et prérogatives qui en dérivaient, ni aucun ordre de chevalerie, ni aucune des corporations ou décorations pour lesquelles on exigeait des preuves de noblesse, ou qui supposaient des distinctions de naissance, ni aucune autre supériorité que celle des fonctionnaires publics dans l'exercice de leurs fonctions. Il n'y a plus ni vénalité, ni hérédité d'aucun office public. Il n'y a plus, pour aucune partie de la Nation, ni pour aucun individu, aucun privilège, ni exception au droit commun de tous les Français. Il n'y a plus ni jurandes, ni corporations de professions, arts et métiers. La loi ne reconnaît ni vœux religieux, ni aucun autre engagement qui serait contraire aux droits naturels ou à la Constitution.

Cette solennelle et vibrante proclamation de décès et de victoire tout à la fois résume admirablement la conception des constituants. Le régime qu'ils venaient de détruire était, pour eux, un régime féodal dont ils conservaient pourtant le respect de la propriété et celui de la monarchie; un régime ecclésiastique, ou lié à l'Église, dont ils gardaient pourtant le respect de la religion; un régime de vénalité et d'hérédité administrative, d'origine royale, dont ils ne gardaient rien; un régime d'inégalité de naissance, et de privilèges de toutes sortes, dont ils ne gardaient rien. Mais tout cela était pratiquement acquis dès l'automne 1789.

Deux années plus tard, des accents nouveaux et des condamnations nouvelles s'ajoutaient aux précédentes. Elles intégraient au régime condamné au moins trois éléments :

a) les « **jurandes et corporations** de professions, arts et métiers », exorbitantes du droit commun, de la liberté individuelle, de la liberté du travail, sont intégrées aux « corps privilégiés » dont le nouveau régime ne veut plus; elles sont rejetées dans le passé;

b) la seconde nouveauté témoigne d'une attaque grave contre un aspect important du catholicisme : l'**interdiction des vœux religieux,** jugés contraires au « droit naturel ». Ce qui traduit, au-delà des principes, la piètre estime dans laquelle on tenait couramment le clergé régulier, depuis longtemps d'ailleurs, puisqu'on la trouve chez Colbert et même chez Louis XIV (qui condamnait dans ses Mémoires « ce grand nombre de religieux dont la plupart, étant inutiles à l'Église, étaient onéreux à l'État »);

c) l'essentiel, c'est pourtant la nouvelle, furieuse et redondante **condamnation de toute noblesse,** condamnation absente des textes de 1789, et répétée ici sous les formes les plus précises et les plus brutales. Les constituants finissaient donc par intégrer le fait de la noblesse parmi les caractères fondamentaux du régime qu'ils démantelaient.

Ainsi, les hommes de la Constituante définissaient l'Ancien Régime par ses caractères sociaux, juridiques et psychologiques bien plus que par ses caractères politiques et religieux. Ils condamnaient une société, des lois, des usages, des mœurs. Ils ne condamnaient pas la monarchie, ils ne condamnaient pas la foi, ce qu'a bien vu Tocqueville, sauf des formes extérieures qui, pour eux, n'en faisaient pas partie.

Il leur restait à nommer cette société dont ils sonnaient le glas; ce qu'ils firent assez vite.

L'Ancien Régime : la naissance posthume du terme, en 1790

Ferdinand Brunot, à qui rien n'échappait, fut sensible à ce petit problème : la naissance d'un terme dont la fortune fut aussi grande. Au tome IX de son *Histoire de la langue française*, il écrivait :

> Un régime, c'était un ordre, une règle, par exemple une règle de santé; c'était aussi un mode d'administration... Que le nom s'appliquât au système séculaire de gouvernement de la France, rien que de naturel. La hardiesse

était de lui accoler l'épithète d'*ancien*... On tâtonnait. Les décrets de la Constituante disent souvent « le régime précédent ». On trouve aussi « régime ancien », « vieux régime », mais bientôt « ancien régime » prévalut, et devint une expression toute faite.

« Bientôt », mais quand? Une analyse attentive de l'immense production législative de l'Assemblée constituante permettrait de serrer la date de naissance; à quoi il faudrait joindre une analyse de vocabulaire journalistique, épistolier, courant, etc. Faut-il aller si loin, quand Tocqueville nous fournit la solution, en citant Mirabeau?

> Moins d'un an après que la Révolution était commencée, Mirabeau écrivait au Roi : « Comparez le nouvel état de choses avec l'Ancien Régime... »
> (TOCQUEVILLE, *L'Ancien Régime et la Révolution*, Livre I, chap. 2).

Apparue dans le courant de l'année 1790 [1], l'expression fut très vite adoptée, continuellement et couramment utilisée, transportée telle quelle dans des langues étrangères, qui l'utilisent toujours. Une étude comparée de son domaine, de ses voyages, de ses extensions et de ses gauchissements de signification, offrirait sans doute un vif intérêt.

L'important, en ce qui nous concerne, est pourtant de bien saisir sa signification, au moment où elle apparaît et se répand. Il faut encore revenir à Tocqueville :

> La Révolution française n'a pas eu seulement pour objet de changer un gouvernement ancien, mais d'abolir la forme ancienne de la société.
> (TOCQUEVILLE, I, 2).

L'essentiel a été prononcé : **l'Ancien Régime, c'est d'abord une forme de société.** Et Tocqueville de préciser encore : pour abolir cette ancienne société, la Révolution a dû

> s'attaquer à la fois à tous les pouvoirs établis, ruiner toutes les influences reconnues, effacer les traditions, renouveler les mœurs et les usages, et vider en quelque sorte l'esprit humain de toutes les idées sur lesquelles s'étaient fondés jusque-là le respect et l'obéissance.

L'Ancien Régime est une société tout entière, avec ses pouvoirs, ses traditions, ses usages, ses mœurs, donc ses mentalités aussi bien que ses institutions. Ses structures profondes, étroitement liées, sont sociales, juridiques et mentales. C'est pourquoi, même condamnées et légalement supprimées, elles disparurent si difficilement, si lentement.

Nous venons d'interroger les élites. Est-il possible d'interroger les masses?

---

[1]. Cependant une brochure d'origine nobiliaire et beaujolaise datée de 1788 contient le terme d'« Ancien Régime ». Il s'oppose au nouveau et magnifique régime que ne manqueront pas d'instituer les États Généraux (information due à M. DAVIET); même acception dans quelques cahiers de curés (F. FURET).

2 — Les paysans définissent l'Ancien Régime _____

Dans les « années vingt » du xxe siècle, en des campagnes encore peu pénétrées par la vie moderne, il n'était pas rare de rencontrer des vieillards, nés sous le Second Empire ou plus tôt encore, qui, par leurs propres aïeux, avaient été en contact vivant avec la Révolution et avec ce qui l'avait précédée; ce régime d'avant Quatre-Vingt-Neuf, ils l'appelaient volontiers « le temps des seigneurs », expression que les manuels d'histoire de la Troisième République reprenaient souvent.

« Le temps des seigneurs », expression souvent entendue, dans leur jeunesse, par l'auteur de ces lignes et nombre de ses contemporains, suffit presque à caractériser, en milieu rural courant (mais avec des exceptions), ce que les constituants, et des foules à leur suite, avaient baptisé « Ancien Régime ». Dans « les seigneurs » (et le mot, dans leur bouche, contenait à la fois de la haine, du soulagement, de la crainte et un certain respect), les patriarches ruraux des « années vingt » confondaient allègrement tout ce qui avait jadis dominé les campagnes et perçu des « droits féodaux », dîme toujours comprise : grands et petits nobles, évêques, moines, chanoines, bourgeois et leurs agents, receveurs, meuniers, hommes de loi. Deux catégories de documents — ceux-là contemporains des faits décisifs — permettent de confirmer et de préciser ces données de la mémoire collective.

Les doléances paysannes en mars 1789

Longuement publiés et fréquemment utilisés, ces milliers de documents présentent habituellement (et plus encore pour notre dessein) deux défauts majeurs.

D'une part, ils rassemblent, comme on leur demandait d'ailleurs, des « doléances », qui se réduisent souvent à une collection mal ordonnée de récriminations. Et cependant, presque tous multiplient envers le roi les formules sincères de fidélité et d'amour; et pourtant aussi, les cahiers « modérés » forment la majorité.

D'autre part, il est sûr que les paysans pauvres, les plus nombreux, furent presque toujours écartés de leur rédaction, soit par leur analphabétisme, soit par la composition de l'assemblée de paroisse (dominée par les riches), soit par l'influence acceptée ou subie d'un « esprit éclairé », habituellement bourgeois, notaire, curé, receveur, qui tint la plume à la place des campagnards.

Malgré ces deux obstacles, l'analyse systématique du contenu des cahiers (que des équipes essaient actuellement de mener à bien par des méthodes sémantiques et statistiques) donne des indications massives qu'il est impossible de récuser :

a) Fidélité et amour montent vers le roi et la royauté;

b) Mais l'hostilité au système financier de la monarchie est profonde; pourtant on espère que le bon roi et les États généraux le réformeront;

c) On proteste majoritairement contre certains droits féodaux, ou contre tous, ou contre leur principe (le mot « féodal » est continuellement employé, il faut donc le reprendre);

d) L'hostilité est au moins aussi forte, non pas contre le principe de la dîme, mais contre les réalités de sa perception, son inégalité, ses exagérations, ses bizarreries, et surtout le fait qu'elle ait été détournée de son but primitif, presque aucun cahier n'étant hostile à la religion;

e) Fréquemment, mais non majoritairement, et peut-être en écho des protestations « bourgeoises », on se plaint amèrement du mépris dans lequel tous les nobles, y compris le haut-clergé, rarement ménagé, tiennent les roturiers et les « paisans ». Cet extrait d'un cahier angevin donne le ton habituel, plus digne que vraiment âpre :

> Il serait à souhaiter que quelques droits de seigneurs fussent abolis. Ils regardent leurs fermiers qui font valoir leurs biens comme de vrais valets, le laboureur qui les nourrit comme un esclave; si un journalier à leur service succombe sous le faix, ils en sont moins touchés que l'un de leurs chevaux qui périt dans l'écurie. Il est incompréhensible de connaître le mépris de la noblesse pour la roture. (Gastines, Bas-Anjou).

Ce texte modéré souligne calmement l'une des déchirures fondamentales de l'Ancien Régime, celle qui sépare roture et noblesse; par surcroît, il montre la confusion fréquente et significative que faisaient beaucoup de petites gens entre noblesse et seigneurie.

Pour les paysans, qui ignoraient qu'ils témoignaient sur un régime tout près de mourir, il est trop évident que **ni la royauté, ni la religion, ni la propriété ne sont en cause**; et donc qu'elles n'appartiennent pas fondamentalement au système et à la société qu'ils condamnent le plus souvent, bien qu'à des degrés variables. Sont en cause les injustices du système fiscal, les droits seigneuriaux, la dîme, la plupart des privilèges, et la conduite habituelle de toute la noblesse.

Mais les paysans — les trois quarts au moins du peuple français — se sont exprimés mieux encore que dans des grimoires en partie contestables. Ils se sont exprimés par des actes dont on ne peut douter qu'ils furent révolutionnaires.

Les révoltes paysannes des années **1788-1793**

Georges Lefebvre, sans doute le plus grand historien de la Révolution, s'était attaché à en décrire les vagues successives.

La première vague : hiver et printemps 1788-1789

La montée des jeunes, la stagnation des techniques, la « réaction féodale », la cherté soudaine de l'hiver 1788-89 et de vieilles traditions s'étaient conjuguées pour pousser à l'« émotion », à la révolte encore locale ou larvée, un certain nombre de paysans, un peu partout dans le royaume. La convocation des États généraux (29 janvier), puis la réunion des assemblées chargées d'élire les députés et de rédiger les cahiers, provoquèrent dans les campagnes une espèce de surprise heureuse, qui déchaîna des espérances presque folles :

> Le roi voulait entendre la voix même de son peuple et connaître exactement ses souffrances, ses besoins et ses vœux, évidemment pour redresser tous les torts. Quelle nouveauté surprenante! Le roi, oint de l'Église, lieutenant de Dieu, était tout-puissant : ainsi, la misère allait finir! Mais en même temps que l'espérance prenait l'essor, la haine s'exacerba contre le noble : sûrs de l'appui du prince, les paysans, invités à parler, ressassent avec une amertume croissante les griefs du jour et réveillent au fond de leur mémoire le souvenir assoupi des injures passées... « Nous n'avons, grâce à Dieu, point de nobles dans cette paroisse », constate Villaine-la-Juhel, dans le Maine. « Ils ont quatre seigneurs, sans cesse occupés à leur sucer le sang », déclarent les paysans d'Aillevans, en Franche-Comté...
>
> (G. LEFEBVRE, *La Grande Peur de 1789*, p. 44).

Au-delà des cahiers, dont beaucoup sont exclus, les paysans manifestent autrement leur espoir en un âge nouveau, leur détestation de celui qu'ils croient condamné. Autour de Paris, ils commencent à tuer le gibier; en Alsace, ils croient les impôts abolis; au cœur de la pieuse Bretagne, le subdélégué de Ploërmel s'attend à des émeutes sur les dîmes, et écrit :

> Tous les paysans de nos environs et de mon département s'apprêtent à refuser les gerbes aux décimateurs, et débitent même hautement qu'il ne s'en fera aucun enlèvement sans effusion de sang.

Dès mars 1789, ceux du bailliage de Saumur sont persuadés qu'ils ne paieront plus ni dîmes ni droits seigneuriaux, et qu'ils peuvent chasser. Dès le début du printemps, l'émeute paysanne s'empare de cantons entiers de la région parisienne, de la Picardie, du Hainaut, du Dauphiné, du Midi. Dans la seule Provence, on s'en prend au haut-clergé et aux monastères plantureux, d'abord; puis aux nobles seigneurs et à leurs affidés : pillage du palais épiscopal de Toulon, rançon aux Ursulines de Barjols, dévastation des châteaux de Solliès et de Besse, destruction des moulins banaux de Pertuis, injonction à l'évêque de Riez, à des notaires, à des agents seigneuriaux d'avoir à livrer leurs papiers, à détruire leurs terriers, à rendre des amendes abusivement perçues; des nobles fuient; M. de Montferrat, qui résistait, est massacré à Aups (26 mars). Quelques semaines plus tard, les puissants chanoines de Saint-Victor de Marseille, tout comme la grande noblesse parlementaire du Dauphiné voisin, écrivent à la fois leur stupeur et leur résignation :

> Depuis l'insurrection du peuple arrivée à la fin de mars dernier, la dîme et les autres droits féodaux ne sont plus considérés que comme des obligations volontaires dont on est libre de s'affranchir... la dîme a été refusée par la plus grande partie des bergers ; à l'égard du droit de four, presque tous les habitants des campagnes s'en sont affranchis en faisant cuire leur pain dans des fours particuliers... On n'entend journellement parler que de projets destructeurs contre la noblesse, de porter la flamme dans les châteaux pour y brûler tous les titres...

(Textes cités par G. LEFEBVRE, *La Grande Peur...*, p. 50)

La première flambée de révoltes rurales visa donc principalement les dîmes, les droits féodaux et ceux qui les percevaient : essentiellement la noblesse, tonsurée ou non, d'épée ou de robe; mais, habilement et naïvement à la fois, leurs archives et leurs titres « féodaux » plus que leurs châteaux et leurs personnes. Décidément : **l'Ancien Régime, pour les paysans, c'était les seigneurs et la féodalité.** Les vagues suivantes de révoltes le montrent encore mieux.

La seconde vague : juillet (1789)

Les États généraux réunis, mais tardant à répondre à des espoirs libérateurs, et la moisson venue, la plus grande partie des paysans décida, spontanément et simplement, de **ne plus payer ni le décimateur, ni le seigneur, ni même le collecteur des impôts du roi.** Des minorités coléreuses et bien connues s'en sont prises, fourches et torches au poing, aux chartriers et aux châteaux. Plus sagement et plus efficacement, la majorité a pratiqué la résistance passive : elle a refusé de s'acquitter. Même dans le Léon, terre des prêtres s'il en fût jamais, le prince-évêque en personne annonce, dès juillet, que ses ouailles se sont mises d'accord pour ne plus payer la dîme, au moins au taux habituel, pourtant modéré. Presque partout, les paysans ont « anticipé sur la nouvelle loi à venir », comme l'écrivait le curé de Moreille, en Beauce. La Nuit du 4 août peut bien déclencher sa séance à grand spectacle : les sacrifices qui s'y firent, dans un enthousiasme apparent, n'avaient plus aucun objet. Les décrets futurs étaient déjà appliqués par les paysans eux-mêmes.

Passée la fameuse Nuit, les députés essayèrent de rattraper ce qu'un peu de générosité et beaucoup de frayeur leur avaient arraché. Ils revinrent sur leur élan. Étant presque tous légistes, receveurs, feudistes ou seigneurs, ils s'attachèrent à distinguer et à biaiser. Certains droits « féodaux », peu nombreux, demeureraient supprimés; la grande majorité seraient à « racheter », par les paysans naturellement; et, en attendant ce rachat, on ordonna aux paysans de continuer à payer.

Ce qui provoqua **la troisième vague,** beaucoup moins violente, mais définitive. Sauf exceptions locales, les paysans ne rachetèrent rien, et ne payèrent rien. **Ils détruisaient ainsi l'essentiel de l'Ancien Régime — la féodalité — en l'oubliant, en le niant.** Que faire contre la résistance passive, la plus forte de toutes?

Pendant ce temps, la Révolution suivait son cours, et s'en prenait à l'aristocratie, puis à l'Europe, puis au roi, puis aux timorés. Après le 10 août 1792, elle décida que seraient supprimées sans indemnité les redevances « féodales » dont le seigneur ne pourrait produire les « titres primitifs »; ceux-ci ayant été perdus, ou brûlés, ou leurs détenteurs ayant fui, l'entêtement paysan fut aux trois quarts récompensé. La Convention montagnarde fit le reste : par la loi du 17 juillet 1793, l'abolition devint totale et sans réserve.

Même la Restauration ne revint jamais, du moins officiellement, sur ces actes officiels de décès d'un régime séculaire, que les paysans avaient tué eux-mêmes, bien avant les juristes, simples ratificateurs, comme il est d'usage.

3 — Les historiens définissent l'Ancien Régime —

Un régime, c'est-à-dire une société, un droit, des institutions, des pratiques de gouvernement, des mentalités, presque une « civilisation » (mais ce vocable a-t-il aujourd'hui encore un sens?), tout cela ne se définit pas seulement par la voix et l'action de ceux qui l'ont rejeté, puis remplacé. A deux siècles de distance, l'historien a pris du recul, accumulé les monographies, multiplié les recherches, les essais d'interprétation, les tentatives de synthèse. Sans reprocher quoi que ce soit aux hommes de Quatre-Vingt-Neuf — position anti-historique s'il en est —, il aperçoit dans leurs conceptions à la fois des confusions et des anachronismes; les uns et les autres s'expliquant d'ailleurs par les origines très anciennes, bien qu'inégalement anciennes, du régime condamné.

Des origines millénaires

Qu'on incorpore la dîme, institution plus que millénaire et de nature ecclésiastique, à la féodalité, institution civile moins que millénaire, peut constituer une erreur de principe. Sa gravité s'atténue, si l'on songe que l'Église s'insinua dans la féodalité (et vice versa) et que les modes de perception, comme l'identité même des percepteurs, furent souvent parents. Il n'empêche que l'assimilation complète des dîmes aux droits « féodaux », qui peut s'expliquer économiquement, socialement, et surtout mentalement, fait bon marché de la nature des choses.

Paraître mêler, dans une énumération il est vrai oratoire comme le préambule de la constitution de 1791, l'hérédité des offices, institution royale assez tardive (1604) aux « justices patrimoniales », institutions seigneuriales fort anciennes, et à la pairie, institution à la fois ancienne et récente, chargée de merveilleux haut-médiéval et de polémiques toutes fraîches : voilà qui témoigne sur la mentalité d'un important groupe d'hommes à une date basse du xviiie siècle, mais non pas sur la nature du régime qu'ils condamnaient.

Rassembler, en les opposant systématiquement au tout neuf « droit commun de tous les Français », un bric-à-brac de privilèges dont les uns viennent de l'onction sacrée (le clergé), les autres de la race (les noblesses), ceux-ci de traités anciennement signés par un roi avec une province (le contrat de mariage de la reine Anne, pour la Bretagne) et même avec une ville, et ceux-là de « franchises » accordées, vendues, revendues, confirmées à deniers comptants à telles catégories d'officiers, à tel corps, à tel métier, à telle bourgade, à telle lignée, — quel hétéroclite, et pourtant quel caractéristique compendium !

Assimiler continuellement, comme c'est presque toujours le cas, droits « seigneuriaux » et droits « féodaux » (avec une préférence marquée pour la seconde expression), serait-ce donc confondre la « féodalité », simple survivance si on la définit avec Marc Bloch comme un ensemble de liens d'homme à homme dans une société militaire, avec la « seigneurie », plus vivante quoique sans doute plus ancienne, qui serait seulement un mode d'exploitation de la terre ? Les historiens du xxe siècle, en d'homériques controverses (d'objet en réalité philosophique et politique), ont rompu des lances sur la réalité du « féodalisme » (système qui en langage marxiste aurait précédé le « capitalisme »), et apporté des distinctions formelles là où les contemporains n'en voyaient guère. Ces termes auront besoin d'être clarifiés.

Identifier enfin « nobles » et « seigneurs », comme les paysans le font fréquemment, et surtout « noblesse », cette affaire de sang, avec « seigneurie », cette notion d'abord territoriale, jusqu'à quel point accepter ou refuser de telles assimilations ?

En réalité, l'Ancien Régime n'est clair que par opposition à ce qui l'a suivi. Il n'est clair que par sa mort légale, qui le définit et le nomme. **Le propre de l'Ancien Régime, c'est la confusion,** contre laquelle les constituants ont réagi.

C'est même au nom de la Raison et des Lumières — qui lui manquaient — qu'ils ont cru l'anéantir.

La confusion qui marque l'Ancien Régime découle de sa nature. Il est **un magma de choses habituellement séculaires, parfois millénaires,** dont il n'a jamais supprimé aucune. Il fut profondément conservateur, et souvent conservateur de vieilleries; ou, si l'on préfère, d'antiquités, à la fois respectées, vénérées, déformées, oubliées, ressuscitées, fossilisées. La netteté de son acte de décès, de sa définition posthume, a pour évidente contrepartie l'inexistence de son acte de naissance. Ses composantes ont tous les âges, réels ou supposés. L'hérédité systématique des offices n'a pas deux siècles; les cens et les champarts en ont de trois à huit; la dîme a plus de mille ans, la pairie en prétend plus encore, et la noblesse est de tous les âges. L'Ancien Régime est une sorte d'immense fleuve bourbeux, qui charrie des troncs morts et encombrants, des herbes folles arrachées à tous les rivages, des organismes vivants de tous âges et de tous volumes; il a recueilli sans perte grave les grandes rivières du Moyen Age, les ruisseaux des temps barbares et même de l'Empire romain (aux lois duquel il se reporte sans cesse), sans oublier des sources plus lointaines encore, telle cette trilogie des « ordres », qui vient peut-être du vieux fonds indo-européen, comme l'a presque prouvé Georges Dumézil; un énorme fleuve qui débouche, d'un seul coup, dans l'océan des « nouveaux régimes », mais y laisse longtemps encore sa trace, sa couleur, ses alluvions.

Mais les « nouveaux régimes », qu'on les date de 1789 ou de 1815, suffisent-ils à rendre compte de la fin de l'Ancien Régime? Les civilisations ne meurent pas brutalement, d'un seul texte, d'un seul coup de tonnerre — du moins en ce temps-là. Certes, l'Ancien Régime ne s'est pas instauré, quelque part entre Louis XI et Henri IV, par des séries de ruptures, mais par de lents glissements. Les ruptures furent, non vers l'amont, mais vers l'aval; et, malgré la brutalité de la Révolution, ce furent des ruptures successives, échelonnées sur presque un siècle. Nous aurons l'occasion de les évoquer dans les derniers chapitres de ce livre[1]. Il est peut-être utile, ou commode, de les apercevoir, de les énumérer dès maintenant.

Une mort lente, par ruptures successives (1750-1850, dates rondes)

N'hésitons pas à sortir du serment du Jeu de Paume et de la Nuit du 4 août, étapes essentielles, mais non pas seules étapes. Pour simplifier, considérons

---

1. Voir tome 2.

neuf ruptures, vives ou lentes, par lesquelles mourut progressivement l'Ancien Régime :

a) **L'accélération des transports** : en un siècle — de Trudaine à Guizot, des premières grandes routes royales à l'étoile nationale des chemins de fer — les échanges furent facilités, les prix de transport abaissés, des provinces entières désenclavées, l'économie et le pays enfin unifiés.

b) **L'industrialisation** : amorcée à la fin du xviiie siècle, perturbée par deux décennies de guerre révolutionnaire et impériale, elle triompha vers le milieu du xixe siècle, peut-être même un peu plus tard ; elle retira à la production agricole, aux producteurs de la terre et surtout à ses rentiers leur rôle jusqu'alors prédominant ; et cette industrie avait pour « signes » la vapeur et la sidérurgie, très secondaires auparavant.

c) L'établissement d'un solide **réseau bancaire**, vaguement esquissé (mais mal connu) avant 1789, démantelé par la Révolution, repris avec la Banque de France (1800-1806), amorce de banque d'État (un siècle après l'Angleterre, deux après la Hollande !), installé puissamment un demi-siècle plus tard.

d) **L'unification linguistique du pays** : dans le vieux royaume, la langue du Nord — de la Touraine et de Paris — n'était pas parlée majoritairement. François Ier l'imposa dans les actes écrits (1539), les rois poursuivirent lentement son dessein, la Révolution l'accéléra, et l'école primaire de Guizot commença son parachèvement.

e) **L'instauration et l'acceptation du service militaire.** La milice royale, instaurée par Louvois, reprise au xviiie siècle, fut impopulaire, détestée, disqualifiée par un lourd taux de désertion. La Révolution rapprocha l'armée d'une partie de la nation, avec les premières mesures de conscription, ratifiées par la loi Jourdan (1798), et des enthousiasmes réels, mais fugitifs. La plaie de la désertion, puis du remplacement, fut très longue à disparaître ; l'acceptation du service militaire, tardive.

f) Œuvre lente, **l'unification juridique du pays**, esquissée par Louis XIV, fut vraiment l'œuvre de la Révolution, que couronna cet admirable instrument de l'unité nationale, le Code Napoléon, qui remplaçait des douzaines de codes provinciaux.

g) Longtemps recherchée par les rois, spécialement avec l'institution des **intendants, la simplification et l'unification administrative** furent l'œuvre de la Constituante d'abord, du Consulat et de l'Empire ensuite ; les premiers préfets la symbolisent.

h) Ce qu'on a appelé **« révolution démographique »** — diminution lente de la mortalité, diminution rapide de la fécondité — s'est à peine esquissé avant

1789; ce ne fut que par la suite que la France devint le premier pays du monde qui contrôla systématiquement ses naissances, sans qu'on sache encore pourquoi, ce qui freina très tôt son expansion démographique.

i) **Le recul de la piété,** l'avènement, probablement majoritaire, non pas de l'athéisme, mais d'une certaine indifférence religieuse, apparut vraisemblablement dès le XVIIIe siècle, dans les villes, les pays viticoles et même certaines provinces. Mais le phénomène est encore mal connu, et ses manifestations n'éclatent guère avant la seconde moitié du XIXe siècle.

De ces neuf ruptures, en partie liées, les origines et les imbrications n'apparaissent pas toujours nettement. Les signaler et les souligner aide à comprendre, à délimiter, peut-être à définir l'Ancien Régime : **il est exactement à l'inverse de cette série de lentes et décisives nouveautés,** même si quelques-unes s'esquissent avant 1789. Économiquement, il se caractérise par la lenteur des liaisons, la prédominance de l'agriculture, l'insignifiance de la métallurgie dans une industrie elle-même secondaire, la quasi-nullité du système bancaire. Démographiquement il demeura longtemps médiéval (et ce terme reviendra comme un leit-motiv) par les hauts niveaux conjoints de la nuptialité, de la fécondité et de la mortalité, comme par la persistance de grandes crises, épidémiques ou disetteuses. Politiquement, et malgré de grands efforts, il resta le régime de la diversité juridique, linguistique, administrative, de la complication et du privilège. Mentalement, il est marqué par un mélange de merveilleux et de ferveur chrétienne, un fréquent analphabétisme, une vie provinciale et locale extrêmement cloisonnée, une conception habituellement faible et parfois nulle de l'État, de la nation, de la patrie, sauf l'adoration du monarque ou la présence physique du danger. C'est le temps des patois et des sorcières, des bergers et des meuniers, des seigneurs et des dîmeurs, des gabelous et des sergents, du troc et des petits marchés, au rythme de la mule et du piéton, des saisons et des signes du Zodiaque, avec le Roi et Dieu bien loin, suprêmes juges, suprêmes recours, suprêmes consolations. Sentir, même confusément, ces présences anciennes et pesantes, c'est pénétrer déjà dans ce mode de vie, dans ce climat traditionnel et obsédant, que ne détruisirent que fort progressivement les ruptures fondamentales qui apparurent en ordre dispersé à la fin du XVIIIe siècle, et surtout au XIXe.

Tenter de voir clair, de comprendre un cosmos de cet âge, de cette complexité, de cette confusion entretenue, tel est l'objet de ce livre.

Dans un premier temps, il essaiera d'aller aux fondements, et sera bien obligé de remonter fort loin, même s'il se contente de décrire **la société** avec laquelle l'Ancien Régime paraît s'identifier, au moins dans ses grandes lignes.

Dans un second temps, il tentera de décrire **l'État** dans lequel l'Ancien Régime s'est cristallisé, en le saisissant surtout dans sa période abusivement appelée classique, entre Richelieu et Fleury.

Il tâchera d'expliquer enfin son vieillissement, comment en son sein la Société et l'État entrèrent peu à peu en conflit, comment il se trouva en quelque sorte « déphasé » par rapport à des conditions nouvelles, dans le demi-siècle qui précéda la seule Révolution qui compte, celle de Quatre-Vingt-Neuf.

TEXTES

1. Révolution et Ancien Régime : la thèse de Tocqueville

La Révolution n'a point été faite, comme on l'a cru, pour détruire l'empire des croyances religieuses; elle a été essentiellement, malgré les apparences, une révolution sociale et politique; et, dans le cercle des institutions de cette espèce, elle n'a point tendu à perpétuer le désordre,... mais plutôt à accroître la puissance et les droits de l'autorité publique... Quand on la sépare de tous les accidents qui ont momentanément changé sa physionomie à différentes époques et dans différents pays, pour ne la considérer qu'en elle-même, on voit clairement que cette révolution n'a eu pour effet que d'abolir ces institutions politiques qui, pendant plusieurs siècles, avaient régné sans partage chez la plupart des peuples européens, et que l'on désigne d'ordinaire sous le nom d'institutions féodales, pour y substituer un ordre social et politique plus uniforme et plus simple, qui avait l'égalité des conditions pour base.

Cela suffisait pour faire une révolution immense, car, indépendamment de ce que les institutions antiques étaient encore mêlées et comme entrelacées à presque toutes les lois religieuses et politiques de l'Europe, elles avaient, de plus, suggéré une foule d'idées, de sentiments, d'habitudes, de mœurs, qui leur étaient comme adhérentes. Il fallut une affreuse convulsion pour détruire et extraire tout à coup du corps social une partie qui tenait ainsi à tous ses organes. Ceci fit paraître la Révolution encore plus grande qu'elle n'était...

... Ce qu'il est vrai de dire d'elle, c'est qu'elle a entièrement détruit tout ce qui, dans l'ancienne société, découlait des institutions aristocratiques et féodales, tout ce qui s'y rattachait en quelque manière, tout ce qui en portait, à quelque degré que ce fût, la moindre empreinte... (La Révolution) a pris le monde à l'improviste, et cependant elle n'était que le complément du plus long travail, la terminaison soudaine et violente d'une œuvre à laquelle dix générations d'hommes avaient travaillé. Si elle n'avait pas eu lieu, le vieil édifice social n'en serait pas moins tombé partout, ici plus tôt, là plus tard; seulement il aurait continué à tomber pièce à pièce, au lieu de s'effondrer tout à coup...

A. de TOCQUEVILLE, *L'Ancien Régime et la Révolution*, Livre I, chap. 5.

2. Une conception dualiste de l'Ancien Régime : l'État face à la société

La Monarchie d'Ancien Régime est née des guerres civiles qui avaient ruiné la France pendant la seconde moitié du XVIᵉ siècle. Elle a accompli une œuvre considérable... (avec Henri IV... avec Louis XIII et Richelieu... avec Louis XIV...). A la monarchie d'Ancien Régime correspond l'une des périodes les plus brillantes de notre histoire.

Mais, bien qu'elle ait accompli une œuvre nationale, elle n'a pas su donner une base nationale à son autorité. Elle est restée prisonnière du passé. Elle a gardé le caractère ancien d'une Monarchie personnelle, et ne s'est développée qu'en vidant de leur substance les institutions qui auraient pu lui servir de soutiens. Elle a commis l'erreur irréparable de croire qu'il suffit à un gouvernement d'être fort. A la fin du XVIIe siècle, — pour emprunter à Lavisse l'image qu'il a lui-même empruntée à Lemontey — « les colonnes sur lesquelles la royauté s'appuie sont des colonnes creuses ». Les institutions administratives créées par Louis XIV et par Colbert n'y ont pas remédié : elles ont encore accru la force du pouvoir; elles n'y ont pas associé la nation. En face de la société, qui se transforme, la Monarchie d'Ancien Régime, isolée, est devenue incapable de se transformer avec elle. Elle est condamnée.

Georges PAGÈS, *La Monarchie d'Ancien Régime*, Coll. A. Colin, 1928, dernières pages.

3. Une conception dualiste de l'Ancien Régime : la société face à l'État

Frappés des vicissitudes des régimes politiques que la France a vus depuis un siècle et demi, et dont les appellations servent à marquer les divisions essentielles de son histoire, beaucoup de Français se sont accoutumés à penser que la forme du régime politique... est la question essentielle, dont tout le reste dépendrait. Certes, l'État, sous quelque forme que ce soit, exerce une énorme influence sur les destinées d'un pays; souvent même il se flatte de modeler la société à sa guise; mais il est certain aussi que l'État et sa politique n'ont point créé la société...

Des deux principaux moteurs de l'évolution historique, la Société et l'État, il semble bien que les historiens anciens n'aient mis en relief que le second qui, de leur temps, était si puissant. Peut-être les historiens modernes, imitant les Anciens, vivant dans des États centralisés ou même despotiques, ont-ils plus volontiers étudié les institutions imposées par l'État que la structure et le développement même des sociétés modernes... En France, la société fut toujours très vivante. Or c'est à peine si, pour la France moderne et contemporaine, quelques historiens ont présenté des tableaux de la société... C'est (son) évolution, pendant deux grands siècles, et étape par étape, que nous voudrions suivre, en marquant dans quelle mesure la société a agi sur l'État, et l'État sur la société, sous le régime de la monarchie absolue.

Philippe SAGNAC, *La Formation de la société moderne française*, P.U.F., 1945, t. 1, Préface, pp.VII-VIII.

4. L'Ancien Régime parmi nous

La France a bien plus de deux cents ans. Quiconque en douterait — séduit par les paradoxes brillants de certains journalistes — peut réfléchir aux traits originaux de la société d'Ancien Régime qui ont été dégagés par la récente historiographie. ... Les formes les plus mal supportées de la hiérarchie sociale traditionnelle ont survécu dans beaucoup de régions à la Grande Peur et à l'impatience paysanne, sous d'autres noms, d'autres formules. Des pays de métayage comme le Bourbonnais ont vu jusqu'au milieu du xxᵉ siècle se perpétuer les corvées dues au château et un statut du partage des fruits de la terre qui était le décalque minutieux des redevances payées avant 1789. Sans parler des marques extérieures de respect conservées à l'adresse du propriétaire du château : quel qu'en soit le titulaire, et plus encore si la Restauration a ramené sur ses terres la famille titrée d'autrefois. A plus forte raison, pouvons-nous retrouver des conduites exprimant les rapports qu'impliquait la hiérarchie sociale de l'Ancien Régime, et qui constituent les anachronismes les plus évidents d'une société prétendument démocratique. Le plus bel exemple en est sans doute fourni par la passion de hiérarchisation qui anime tous les rapports sociaux, codifie toutes les structures professionnelles, constitue le moteur de l'éducation, se retrouve partout au point de devenir un respect social fondamental, parfaitement contradictoire avec les ambitions déclarées de la société contemporaine... L'amélioration des niveaux de vie, la régression des signes extérieurs distinctifs paraissent réaliser plus largement cette égalisation des conditions, sinon des chances, dont les hommes de 1789 ont rêvé, parlé, légiféré. Cependant ces apparences sont plus que trompeuses : elles ont dissimulé — elles ont aussi été cultivées pour dissimuler — la permanence des conditionnements hiérarchiques omniprésents

dont l'Ancien Régime avait fourni les modèles. L'importance politique de cette continuité jusqu'à nos jours est évidente.

Dans le domaine encore mal exploré des mentalités, les conditionnements hérités de la France ancienne sont tout aussi sensibles. Le seul exemple de la culture populaire peut l'illustrer. Au cœur de celle-ci se retrouvent jusques aujourd'hui, sans discontinuité profonde, quelques traits d'une remarquable permanence : la pratique de l'astrologie sous la forme des horoscopes hebdomadaires, mensuels ou annuels; la prédilection pour le fait divers (et ses prolongements judiciaires) conté, commenté, illustré de dessins, complété d'une morale, tel que les feuilles volantes le représentaient autrefois; le récit biographique attendrissant ou pittoresque, transféré des vies de princes, de saints, de grands bretteurs qui ont défrayé la chronique autrefois, sur les vedettes du cinéma ou de la vie « parisienne ». Alors que les communications de masse du xxᵉ siècle pouvaient techniquement impliquer un renouvellement massif des contenus culturels, il est remarquable que des pans entiers de l'héritage se trouvent perpétués sans véritable mutation...

Robert MANDROU, *La France aux XVIIᵉ et XVIIIᵉ siècles*, Nouvelle Clio, nᵒ 33, P.U.F., 1967, pp. 301-302.

LECTURES COMPLÉMENTAIRES

Sur la conception de l'Ancien Régime

Des nombreux livres consacrés à ce sujet, nous excluons :

1. Les **ouvrages polémiques** consacrés à la glorification, ou à l'exécration de l'Ancien Régime; ils n'offrent avec l'histoire que des liens fortuits, même s'ils ont été écrits par des académiciens.

2. Les **ouvrages destinés au « grand public »**, qui n'ont pour objet que le récit des aventures héroïques ou amoureuses des grands personnages, de Diane de Poitiers à la Pompadour; il n'y a pas là de littérature différente par son objet de celle qui soutient les grands tirages des hebdomadaires scandaleux ou romanesques de la seconde moitié du XXᵉ siècle.

3. La plupart des **livres étrangers** consacrés à l'Ancien Régime français dérivent d'idées a priori, et ne s'appuient que sur une fréquentation fort courte des archives françaises. Ainsi, les idées de R.R. PALMER, reprises par J. GODECHOT, d'une Révolution française simple épisode d'une « révolution atlantique » qui se serait déroulée de 1770 à 1850, et ce qu'elles impliquent sur la conception de l'Ancien Régime, nous apparaissent inacceptables. Ainsi, l'analyse beaucoup plus fine de C.B.A. BEHRENS, dans *The Ancien Régime* (London, Thames and Hudson, 1967) est également à rejeter : l'Ancien Régime, pour cet auteur, ne commencerait qu'en 1748, contresens intolérable même chez un étudiant de première année.

Six ouvrages, au plus, peuvent être recommandés. Les deux premiers furent l'œuvre de très grands écrivains du siècle dernier, dont le talent fut tel qu'il ne saurait être périmé; deux autres sont l'œuvre d'historiens traditionnels, cons-ciencieux et précis, mais un peu courts de vue; les deux derniers sont tout à fait contemporains.

● TOCQUEVILLE, Alexis de, *L'Ancien Régime et la Révolution*, (Iʳᵉ éd., 1856, nombreuses rééditions, dont une dans coll. « Idées », N.R.F., 1965). Malgré son âge, ses lacunes et ses partis-pris, ce livre profond est un des rares dont on puisse dire qu'il porte la marque du génie.

● TAINE, Hippolyte, *Les Origines de la France contemporaine*, t. I, *L'Ancien Régime* (1ʳᵉ éd., 1875); systématique, discutable, un anti-Tocqueville; mais l'intelligence et le talent sont éclatants.

● PAGÈS, Georges, *La Monarchie d'Ancien Régime en France, de Henri IV à Louis XIV*, Coll. A. Colin, 1ʳᵉ éd., 1928; petit manuel clair, pénétrant, bien construit; mais abusivement chronologique, en partie périmé, et curieusement arrêté en 1715.

● SAGNAC, Philippe, *La Formation de la société française moderne*, 2 vol., P.U.F., 1945-1946; grand manuel, riche, toujours utile; mais morcellement chronologique excessif (5 périodes pour moins de 130 ans), vues souvent courtes, information vieillie.

● MÉTHIVIER, Hubert, *L'Ancien Régime*, coll. Que sais-je?, P.U.F., 1961; précis très dense, remarquablement documenté, initiation indispensable.

● MANDROU, Robert, *La France aux XVIIᵉ et XVIIIᵉ siècles*, P.U.F., coll. Nouvelle Clio, 1967; livre neuf, personnel, et exceptionnellement intelligent; malheureusement trop bref, et s'adressant à un public déjà fort averti (l'art de l'allusion est remarquable); on recommandera tout spécialement le chap. 2 de la IIIe Partie (l'Ancien Régime socio-culturel) et toute la 4e partie (direction de recherches).

Sur l'histoire chronologique de la France d'Ancien Régime et du début de la Révolution

D'une abondante production historique et littéraire, nous extrayons ce qui paraît important :

1. Pour la Révolution, tout ce qu'a écrit Georges LEFEBVRE, à commencer par son manuel de la collection « Peuples et Civilisations » (t. XIII, *La Révolution française*, P.U.F., éditions postérieures à 1950);

2. Pour la période antérieure, l'*Histoire de France*, dirigée par Ernest LAVISSE, (t. VI et suivants, 1903-1908) demeure le solide point de départ.

3. Des nombreuses collections d'histoire générale écloses entre les deux guerres mondiales, on utilise encore, à défaut de mieux :
— collection « Peuples et Civilisations » (P.U.F.), les tomes VIII et IX (les meilleurs), et aussi les tomes X à XII;
— collection Clio (P.U.F.), les volumes consacrés aux XVIe, XVIIe et XVIIIe siècles (avec de bonnes bibliographies, auxquelles on renvoie en bloc).

4. Parmi les ouvrages plus récents, qui apportent les résultats de la recherche nouvelle, on se contentera de citer :

● LAPEYRE Henri, *Les Monarchies européennes du XVIe siècle* (Nouvelle Clio, 384 p., P.U.F., 1967).

● TAPIÉ Victor-L., *La France de Louis XIII et de Richelieu*, Flammarion, 561 p., 1952 (rééd., 1967).

● MÉTHIVIER Hubert, *Le Siècle de Louis XIII*, P.U.F., Que sais-je?, 1964, 128 p.

● LEBRUN François, *Le XVIIe Siècle*, A. Colin, « U », 1967, 378 p.

● GOUBERT Pierre, *Louis XIV et vingt millions de Français*, Fayard, 1966, 252 p.

● MÉTHIVIER Hubert, *Le Siècle de Louis XV*, P.U.F., Que sais-je?, 1966, 128 p.

Il sera bon enfin de suivre la parution des deux principales collections françaises qui visent à renouveler la matière : la collection « Nouvelle Clio » (P.U.F.) et la collection « U-Histoire moderne » (A. Colin); et, en anglais, les collections de grande qualité publiées par les universités d'Oxford et surtout de Cambridge, y compris la *Cambridge Economic History*.

5. Un certain nombre de **revues** tiennent au courant des progrès de la recherche. Les principales **revues françaises** sont :

● *Annales (Economies, Sociétés, Civilisations)* (éd. A. Colin).

● *Revue Historique* (éd. P.U.F.).

● *Revue d'Histoire moderne et contemporaine* (éd. A. Colin).

En outre, de nombreuses revues régionales.

De nombreuses revues étrangères traitent désormais de sujets français; elles intéressent plutôt les spécialistes; citons au moins la *Revue belge de philologie et d'histoire* (excellents et nombreux comptes rendus) et *The Economic History Review*, sans doute la meilleure de tout le lot.

Textes concernant les préludes et les premières années de la Révolution

Beaucoup de textes ont été cités, de manière exceptionnelle, dans le corps du chapitre qui précède, parce qu'ils paraissaient s'imposer à cette place. On les retrouvera, avec de nombreux autres, dans trois volumes au moins de la collection « U » :

● VOILLIARD, CABOURDIN, DREYFUS, MARX, *Documents d'Histoire*, t. I, 1776-1850, A. Colin, 1964, pp. 20-65.

● G. DUPEUX, *La Société française,1789-1960*, A. Colin, 1968, 4e éd., textes joints au chap. I, p. 89-102.

● R. RÉMOND, *La Vie politique en France*, t. I, 1789-1848, A. Colin, 1965, textes joints aux premiers chapitres.

En ce qui concerne les cahiers de doléances, un choix a été offert par : P. GOUBERT et M. DENIS, 1789, *Les Français ont la parole*, coll. « Archives », Julliard, 1964, 270 p.

LA SOCIÉTÉ

Analyser une société, ce n'est pas lui appliquer des schémas préalables, exprimés dans des jargons abscons, empruntés à des systèmes anciens ou nouveaux, conçus en dehors d'elle. La société d'Ancien Régime n'a pas besoin de complications supplémentaires. L'historien n'a que faire de systèmes préétablis. Il regarde, il décrit, il essaie de comprendre et de faire comprendre.

Nous ne présenterons pas le bilan de cette société à la veille de son agonie : nous oublierons, pour le moment, et l'année 1789, et les deux ou trois décennies qui l'ont précédée. Nous essaierons de saisir la société d'Ancien Régime dans son ensemble et sa maturité, entre 1600 et 1750, dates « rondes ».

Toutes les classifications, scolastiques, juridiques ou mondaines, s'effacent devant l'essentiel : **cette société est d'abord une société rurale,** qui s'organise en fonction de la terre. Elle s'est coulée, depuis longtemps, dans **des cadres démographiques, économiques, juridiques** et mentaux, qui aident à la comprendre. Les deux premiers commencent à être bien connus, et méritent un examen prioritaire; les autres viendront en leur temps.

33

CHAPITRE II

LE MILIEU DÉMOGRAPHIQUE

L'Ancien Régime était solidement enraciné dans un territoire qui, vers 1700, atteignait le demi-million de kilomètres carrés, et pouvait alors porter une vingtaine de millions d'habitants, dont les quatre cinquièmes, pour le moins, étaient des paysans. Ce matériel géographique et humain mérite plus que des notations préliminaires, parce qu'il conditionne tout, et parce qu'il commence à être connu.

1 — Le royaume le plus peuplé et le plus dense d'Europe

Comment on sait : l'opération critique préalable

Sauf pour quelques villes et quelques bailliages, **il n'y eut jamais, avant 1789, de dénombrement du royaume** : les gens compétents l'ont souligné dès le xviiie siècle, et, pour finir, Necker lui-même. Par-là, la France marquait un lourd retard sur les pays mieux administrés, comme l'Espagne et la Suède (dont les premiers **recensements** datent de 1717 et de 1720), et même la plupart des États italiens, et quelques-uns d'Europe centrale.

Donc seulement **des estimations** d'ensemble, dont aucune n'est antérieure à 1697. Tous les chiffres imaginés et publiés pour des périodes antérieures se ramènent à de simples hypothèses.

Ces estimations d'ensemble sont de deux sortes :

a) **Les plus anciennes, et les plus nombreuses,** résultent de la trituration de **listes d'imposés,** soit aux tailles, soit aux diverses capitations, soit aux divers dixièmes et vingtièmes, soit même à la gabelle du sel. Ces listes donnent le nom et le nombre des chefs de familles soumis à l'imposition. Elles sont donc incomplètes puisque, en gros, les plus riches et les plus pauvres échappent. De plus, elles sont disparates, puisque la législation diffère d'un type d'impôt à l'autre et, qui pis est, d'une province à l'autre pour un impôt donné. Nous verrons en particulier à quel point la taille du Midi, qui ne touche que les propriétaires, peut différer de celle du Nord, qui englobe les non-proprié-taires, mais ignore souvent les plus gros propriétaires.

Ces documents incomplets et peu comparables ont été triturés, en leur temps, pour opérer le passage du nombre des chefs de familles contribuables au nombre réel d'habitants : c'est l'épineux problème du « coefficient ». Les admi-nistrateurs l'ont habituellement choisi entre 4 et 5; encore nous ont-ils rarement confié comment et pourquoi ils l'avaient choisi, et même quel il était !

Vauban, le premier, dans son *Projet d'une dixme royale* (1707) regroupa ses estimations hasardeuses. Il en déduisait que la France des années 1700 (sans la Corse et la Lorraine, ni évidemment la Savoie et Nice) aurait rassemblé un peu plus de 19 millions d'habitants. Sans reprendre ici la critique appro-fondie du document (pourtant travail réel d'historien), bornons-nous à souli-gner trois faits.

Le premier : en additionnant une trentaine de nombres, Vauban a commis et laissé imprimer deux erreurs de calcul. Elles n'affectent heureusement que le chiffre des milliers. Mais elles inquiètent : en effet, les erreurs d'addition sont monnaie courante dans les archives comptables de l'époque, et il est permis de se demander ce que valent les calculs effectués aux échelons subal-ternes, celui du bailliage, de l'élection, de la subdélégation et même de la généralité.

Seconde remarque : Vauban a simplement oublié une généralité, celle de Bourges; soixante-quinze ans plus tard, Necker constatait que le Clermontois [1] avait toujours été omis dans les « recherches » de population; il est donc

---

1. Région de Clermont en Argonne, appartenant aux Condé; plusieurs milliers d'habitants.

permis de nourrir des inquiétudes quant à la qualité des récapitulations, même aux niveaux subalternes.

Enfin, l'on sait que les évaluations fournies par certains intendants sont médiocres ou pires. Vauban lui-même s'est aperçu que Paris ne pouvait renfermer 720 000 habitants en 1694 (en réalité, moins de 500 000). Il a été démontré que l'évaluation pour la Bretagne (1 655 000) est trop faible d'un bon quart, parce que reposant sur les rôles de la première capitation. Il va bientôt être prouvé que l'intendant Bâville a surestimé la population du Languedoc en utilisant systématiquement le cœfficient 5, trop élevé.

Ces quelques remarques suffisent. En attendant d'autres vérifications, on en est réduit à espérer que les bévues des administrateurs ont pu se compenser. Faute de mieux, on acceptera les 19 millions de Vauban, avec une marge d'erreur en plus ou en moins (probablement en moins) qui a pu atteindre deux millions.

b) **Les estimations de la fin du XVIIIe siècle reposent sur des bases plus solides.** Elles reposent en effet sur une assez bonne statistique, celle de « l'état-civil », et sur des sondages peu nombreux, mais sérieux.

Grâce à Terray, la totalité des baptêmes, mariages et sépultures célébrés en France a pu être récapitulée, à partir de 1770 le plus souvent. Sauf pour les décès, où elle demeure incomplète (surtout dans le Midi), la statistique est bonne à partir de 1774 environ. Première base, bien connue.

Quelques villes et bourgs, et un certain nombre de groupes ruraux ont été d'autre part recensés maison par maison et tête par tête. Pour les régions « sondées » ainsi, on a pu aisément déterminer le rapport entre la population globale et la moyenne des naissances et des mariages qui s'y célébraient. Il suffisait ensuite de généraliser les résultats locaux pour obtenir des évaluations globales relativement solides. La plupart oscillent autour de 26 millions pour les dernières années de l'Ancien Régime. Pas de raison grave de mettre en doute cette évaluation, qui doit être exacte à 2 % près, ou environ.

L'esquisse critique qu'on vient de lire ne constitue pas un exercice vain. Elle enseigne la prudence, et montre la difficulté de la tâche de l'historien qui se veut quelque peu démographe. Mais elle permet tout de même d'avancer quelques certitudes.

Une certitude : la puissance démographique de la France d'Ancien Régime

Si l'on excepte la lointaine Russie, la France d'Ancien Régime fut en son temps **le pays d'Europe le plus peuplé, et de beaucoup.** Au moment où Vauban rassemblait ses dossiers, l'Angleterre comptait entre 5 et 6 millions d'habitants, l'Espagne entre 6 et 8, l'ensemble des possessions des Habsbourg de Vienne, peut-être 8. Deux à trois fois n'importe quel État, vers 1700! Mais cette écrasante supériorité s'atténua au xviiie siècle, la population européenne croissant plus vite que la française, et disparut au xixe.

Une telle masse de « peuples » (comme on disait alors) aurait pu assurer à la France une supériorité militaire considérable, à valeur technique égale, si la conscription avait été la base du recrutement des armées. Lorsqu'elle le devint, ou à peu près (loi Jourdan, 1798), l'Europe eut l'occasion de s'en apercevoir.

En fait, l'abondance « des peuples » assurait au roi de France des ressources matérielles fort substantielles, qui faisaient l'envie des monarques étrangers. Une vingtaine de millions de sujets, au moins douze millions de producteurs, et presque autant de contribuables, voilà une source de puissance à laquelle on n'accordera jamais trop d'importance. Il suffit que ces sujets ne soient pas misérables, et qu'ils consentent à payer l'impôt pour qu'à la fois les entreprises gouvernementales (guerre comprise) et l'avenir du pays ne donnent pas d'inquiétudes graves. Or, après bien des résistances, que nous évoquerons plus loin, le système fiscal finit par être toléré, tout pesant, inégal et médiocre qu'il nous apparaisse. Et les peuples, sauf certaines couches sociales, certaines régions, et certaines années, persistaient à vivre, à travailler et à payer. L'on pense même, à partir d'analyses locales serrées qu'on ne peut évoquer ici, que **le royaume, à frontières constantes, conserva plus ou moins sa vingtaine de millions d'âmes entre 1550 et 1750,** dates rondes, malgré des fluctuations dans les deux sens, alternées et complexes. Ce qui signifierait que **sa supériorité était plus marquée encore avant 1700 qu'après.**

Et cette constante vingtaine de millions conduit à soutenir que, malgré tant d'apparences misérables et d'épisodes tragiques, la relative richesse du royaume fut l'un des grands facteurs de sa solidité. De cette remarquable richesse — en son temps, répétons-le, et avec toutes les nuances provinciales —, l'explication la plus simple est sans doute la meilleure : on pourrait alléguer, comme les vieux auteurs, la variété et l'amabilité des climats, des sols et des eaux, aussi bien que le courage et l'ingéniosité des hommes. Il est plus frappant d'insister sur la notion de densité.

Pour un si grand royaume, **une densité moyenne de 40 habitants au kilomètre carré** constitue un résultat remarquable, même s'il paraît modeste à des esprits de la fin du xxe siècle. Mis à part quelques petits « pays » minuscules et mirifiques — des rivages, des vallées, des polders, des banlieues —, c'était un maximum dans le monde d'avant 1750. Les plus riches contrées d'Europe — Flandres et Pays-Bas surtout, mais aussi bassin de Londres, Allemagne rhénane, Italie padane et florentine — ne vont guère au-delà, pour des superficies bien plus réduites. Si une telle réussite témoigne des vertus conjointes de la nature et des hommes, elle exprime surtout qu'un équilibre fondamental a été atteint.

Cet équilibre optimum, c'est celui de l'économie et de la population. Il n'a pas dû changer beaucoup en deux siècles, entre 1550 et 1750. Quarante hommes au kilomètre carré, c'est ce que la France peut porter, étant donnés son type de production, son niveau technique, ses modes de consommation, ses habitudes physiques et mentales. Il s'accommode d'une économie où rien de fondamental n'a changé (cf. chapitre suivant) et d'un régime démographique plus délicat à exposer, mais qui commence à être assez bien connu.

Ce **régime démographique** pourrait être, avec de faibles variantes, celui des populations blanches et catholiques de la zone tempérée : mariages tardifs (au moins 25 ans en moyenne pour les filles), célibat rare (plus rare qu'au XIXe siècle), fécondité proche de la « nature »[1] (40 naissances pour mille habitants, un accouchement tous les deux ans environ, fécondité illégitime très faible), mortalité plus irrégulière, forte aux bas âges (un enfant sur deux n'arrive pas à l'âge adulte), mais souvent inférieure de quelques points au taux de natalité. On voit le danger : lors d'une période « heureuse » (ni guerres, ni épidémies, ni disette), la population tend à dépasser le seuil physiologique : l'économie, et surtout les subsistances, ne suivent pas — ce que Malthus, après tous les administrateurs, a clairement exprimé, mais un peu tard. Alors des « catastrophes » surgissent, qui ramènent brutalement la population au niveau que sa civilisation matérielle lui impose, et parfois bien au-dessous.

Ces catastrophes et ce niveau ne constituent peut-être pas les caractères les plus originaux de l'Ancien Régime; ou du moins il les porte en commun avec la plus grande partie du Moyen Age. Mais ils constituent l'enveloppe, le milieu, et presque le « plasma » dans lequel il a vécu, au moins jusqu'en 1710, et souvent plus tard encore. C'est pourquoi il est nécessaire d'y insister quelque peu.

2 — Le mécanisme régulier des catastrophes démographiques

Longtemps ignorées ou mal comprises, les « crises démographiques » sont désormais passablement connues, grâce au labeur de la dernière génération d'historiens démographes, et de démographes venus à l'histoire.

---

1. Ce caractère "naturel" de la démographie ancienne est de plus en plus contesté par la recherche de pointe.

Description

Ce qui frappait les esprits d'avant 1750, c'était le retour assez régulier — plusieurs fois dans une vie d'homme — de ce qu'on nommait habituellement « la mortalité ». Pendant plusieurs mois, parfois une année, exceptionnellement plus, le nombre des convois mortuaires doublait, triplait (parfois plus encore) dans une paroisse, un bailliage, une ou plusieurs provinces. Un à deux dixièmes de la population (parfois plus) allait au tombeau. On ne comprenait pas très bien, et l'on alléguait volontiers la colère divine, la punition de péchés accumulés, la vengeance des démons, l'effet horrible de quelque « signe » affreux, de quelque « sort » jeté.

Une observation plus attentive montre que **la multiplication des sépultures** s'accompagnait habituellement d'**une quasi-cessation des mariages** (qui s'explique aisément) et d'**une forte diminution des « conceptions »**, comme si la fécondité des couples baissait soudain. De plus, **une mobilité exceptionnelle** marquait les régions touchées, les pauvres, les craintifs, les sans-travail et beaucoup d'enfants se répandant sur les chemins en quête de secours, c'est-à-dire le plus souvent de pain.

Au bout de quelques mois ou d'une année, se déclenchaient **les phénomènes inverses,** apparemment compensateurs. Les convois mortuaires cessaient, les faibles ayant été éliminés; les mariages se multipliaient rapidement, puis les naissances, aussi bien dans les nouveaux couples que dans ceux qui n'avaient pas été rompus par la « mortalité ».

Des études presque innombrables ont essayé de comprendre ce phénomène obsédant. Leurs conclusions actuelles sont à peu près les suivantes :

Le problème des causes

Depuis des siècles et même des millénaires, on a traditionnellement attribué à ces crises trois causes distinctes : la guerre, la peste, la famine.

Le problème de **l'effet réel des guerres** sur la population civile française est obscurci par la littérature et le mélodrame. Les bilans réels (provinces épargnées, provinces ravagées, provinces traversées par les armées) n'ont jamais été dressés, année par année. Sauf dans de rares provinces (Languedoc, Bourgogne) on ignore les effets réels des guerres de religion, et les historiens ont émis à ce sujet des opinions tout à fait opposées. On connaît mieux ceux de la guerre de Trente Ans; mais les horreurs cent fois décrites (celles que grava Callot) furent strictement limitées aux provinces septentrionales et surtout orientales du royaume; tout le reste, l'énorme majorité donc, fut épargné. Après les Frondes, dont l'étude est à reprendre, et qui ne dévastèrent que quelques régions fort limitées, les armées sont réorganisées, mieux policées, et surtout la guerre se passe ordinairement hors des frontières. De toute manière, les guerres ne déclenchent qu'exceptionnellement, et de moins en moins, les crises démographiques typiques que nous avons décrites : elles provoquent surtout des exodes momentanés.

Endémique dans toute la France jusque vers 1650, **la peste,** bubonique ou pulmonaire, se réveille, de temps à autre, ici ou là, en d'épouvantables et brefs paroxysmes. En quelques semaines, toujours l'été (les puces des rats qui portent le virus ne supportent pas les premières fraîcheurs), un groupe de paroisses bien délimité, rarement une province entière, pouvait perdre le quart, le tiers, parfois la moitié de sa population. Après 1650, la peste recule et disparaît presque partout; ses dernières offensives, venues du Nord (1667) ou d'Orient (Marseille, 1720) seront cantonnées par un effort administratif efficace et admirable. Vaincue, et peut-être aussi naturellement affaiblie (mutation dans le peuple des rats?), la peste survit dans les esprits, qui la redoutent et la voient partout, baptisant « peste » toute épidémie grave. Et de fait de graves épidémies semblent la relayer. Elles apparaissent sous Louis XIV, persistent souvent en plein XVIIIe siècle. On croit reconnaître des varioles, des diphtéries, des typhus, des typhoïdes, en attendant le choléra du XIXe siècle. Mais ces épidémies-là n'offrent plus les caractéristiques bien connues de la crise démographique classique : elles sont brèves, frappent quelques classes d'âge (surtout des enfants et des jeunes gens) et n'abaissent évidemment pas la fécondité.

La véritable crise démographique, telle qu'elle a été surtout étudiée dans la France du Nord, de l'Est et du Centre, la plus dense et la plus céréalière, résulte d'une série d'accidents météorologiques (généralement des étés pluvieux) dans un contexte économico-social donné. Des récoltes successives ont été médiocres, et se sont mal conservées; les provisions se sont taries; le prix des blés, et donc du pain — aliments fondamentaux — n'a cessé de monter, doublant couramment, triplant et quadruplant souvent. Due à la cherté bien plus qu'à l'absence physique de nourriture, la disette paraît déclencher la « mortalité » et les phénomènes conjoints, qui semblent ainsi découler de la flambée des prix, et qui effectivement en découlent pour une large part. Les revenus populaires n'ont pas suivi les prix — bien au contraire —; le petit peuple s'est jeté sur des nourritures médiocres ou infectes (farines douteuses, charognes, herbes, etc.); des épidémies essentiellement digestives s'abattent sur lui; elles sont propagées par des mendiants, des colporteurs, des soldats, des parasites; plus souvent qu'on croit, c'est la famine pure et simple. L'espoir d'une meilleure récolte, la moisson, les premiers battages, l'hiver, ont raison, et de la cherté, et des séquelles d'épidémies qu'elle a facilitées ou provoquées... Comme aux temps bibliques, les « vaches grasses » reparaissent. L'importance de ces mécanismes est telle qu'on peut les considérer comme de véritables « révélateurs » des structures économiques, sociales et même mentales.

La « signification » multiple des crises démographiques

La vulnérabilité de la plupart des provinces aux mortalités, au moins jusqu'au début du XVIIIᵉ siècle, révèle en effet un assez grand nombre des traits fondamentaux de l'Ancien Régime (et aussi des périodes qui l'ont précédé). Enumérons simplement :

a) **L'insuffisance des moyens de transport.** Lorsqu'un groupe de provinces souffre de cherté, les secours en blés sont demandés tard, arrivent tard et souvent avariés, et à des prix trop élevés. Cette lenteur et cette cherté des transports, même par eau, constituent évidemment l'un des traits fondamentaux de l'économie du temps. Nous y reviendrons au chapitre suivant.

b) La vitesse et l'exagération de la montée des prix caractérisent des **marchés trop étroits, mal approvisionnés, inélastiques, sujets à la spéculation** (les prix montent **avant** la moisson), tous phénomènes en partie provoqués par des traits de **psychologie collective** : la peur panique de la cherté et de la disette, nourrie par des souvenirs collectifs (souvent exagérés) de famines anciennes, est tout de même aidée par les manœuvres d'habiles « monopoleurs » (le mot est du temps) qui ont parfois été identifiés, plus souvent aveuglément dénoncés. **Les paniques** sont l'un des traits fondamentaux de l'Ancien Régime, et lui ont d'ailleurs en partie survécu.

c) Le fait qu'une cherté presque exclusivement céréalière puisse déchaîner sous-alimentation, mauvaise alimentation et « mortalité » montre à quel point les blés constituent la nourriture trop exclusive de la majorité des Français, et combien **leur régime alimentaire est carencé, insuffisant, fragile** (sauf en de rares régions aux ressources plus variées, comme les côtes, la Bretagne, qui a d'autres déficiences, et le Midi). Cet impérialisme de la farine, quelle qu'en soit la couleur (grise ou noire le plus souvent) constitue un grave élément de faiblesse; et les grandes plaines de monoculture céréalières sont les plus menacées.

d) Le fait qu'assez rapidement, après une ou deux années difficiles, la plus grande partie du peuple en soit réduit à la maladie et à l'inanition révèle à l'évidence les défauts essentiels de cette économie et de cette société :

— Les exploitations rurales sont telles que la plupart des paysans ne sont assurés ni de récolter ni d'acheter leur blé quotidien en toute sécurité; **un grand nombre de paysans ne jouissent donc pas de leur indépendance économique.** Nous y reviendrons au chapitre V.

— Le petit peuple non propriétaire et non paysan n'a ni ressources assez régulières, ni épargne suffisante pour « tenir ». Le vide ou l'insignifiance des trésoreries populaires, comme l'inadaptation des ressources aux brutales « chertés », révèlent à la fois la médiocrité des mécanismes économiques et l'extrême inégalité des conditions sociales.

— Malgré quelques efforts, surtout après 1650, la charité privée comme la charité publique, à peine organisée, furent pratiquement impuissantes à secourir ces crises, contre lesquelles elles n'étaient pas armées.

e) Fait qui nous surprend aujourd'hui, les crises de cherté céréalière engendrent généralement la mévente des autres produits, notamment des étoffes, dont les prix fléchissent, et surtout dont la production baisse, provoquant ainsi du chômage (le « silence des métiers », disent les textes), qui aggrave à son tour la crise démographique. Ce qui signifie que **les secteurs économiques non agricoles dépendent du secteur agricole, surtout céréalier.** Autre trait économique longtemps fondamental (jusque dans la première moitié du xixe siècle) et que nous retrouverons souvent.

Aussi riche que se révèle cette analyse, elle ne doit pas conduire à supposer que ces crises répondent toujours à un modèle fixe, invariable dans le temps et dans l'espace. Les réalités sont toujours très nuancées.

Géographie et chronologie des crises démographiques

Jusque vers 1710, les grandes crises démographiques, les pestes aussi, ont paru se succéder selon des sortes de **« cycles » en gros trentenaires :** celles que jalonnent les années 1597, 1630, 1662, 1694 sont particulièrement nettes; d'autres apparurent dans les interstices de cette chronologie, selon un rythme du même ordre : 1584, 1618, 1649, 1677, 1710, 1741, et même 1771. On a avancé diverses hypothèses (climatiques, astronomiques, économiques) pour expliquer cette quasi-régularité; aucune ne convainc vraiment.

Mais ce qui est sûr, c'est que ces catastrophes fondent sur des **aires géographiques plus ou moins étendues,** et diversement centrées. Certaines ont dû affecter toute l'Europe : 1597, 1630. La grande famine de 1662, éloquemment dénoncée par Bossuet, affligea surtout les pays de la Loire et du Bassin parisien; la Bretagne et le Midi l'ignorèrent. La célèbre crise de 1693-1694 épargna le Midi méditerranéen, que favorisaient plutôt des étés pluvieux, qui empêchaient ailleurs le blé de mûrir, ou pourrissaient les épis. Même le « grand hyver » de 1709 épargna la Bretagne, surtout littorale. Enfin les pestes et les épidémies furent toujours localisées.

Mais il est certain que, **dans le cours du XVIIIe siècle, ces mécanismes fondamentaux commencèrent à se démanteler peu à peu,** prouvant à l'évidence que les conditions d'ensemble se modifiaient lentement, et de manière irréversible.

Après 1710, l'ampleur des chertés céréalières s'atténua : on ne vit plus qu'exceptionnellement le prix du pain doubler. En même temps, l'évolution amorcée dans les régions favorisées (Bretagne, Normandie, Midi tout entier) s'étendit peu à peu. Les « chertés » ne se transformèrent plus presque automatiquement en « mortalités »; les crises se larvèrent, et l'on devint plus attentif à l'épidémie pure (qu'on tenta de cantonner, de soigner et parfois de prévenir) qu'à la disette atténuée. La date « tournante » paraît se trouver dans la décennie 1740-1750. Une dernière « grande » crise apparut fortement dans quelques provinces (en 1741-1742), légèrement dans d'autres, pas du tout ailleurs. Toujours redoutée, la vieille malédiction périodique resurgit, faiblement ou vivement, ici ou là, vers 1770, sous la Révolution et l'Empire, et même après. Mais ce n'était plus le grand fléau redouté depuis le fond des temps.

Quelque chose avait changé, soit dans la production, sa nature, son niveau, son rendement ou son coût, soit dans la rapidité et le coût des transports, soit dans les ressources des consommateurs, et peut-être dans la politique gouvernementale. Certes, on apercevait et on dénonçait encore une liaison étroite entre la crise agricole, même larvée, et la crise industrielle, surtout textile. C'étaient là, déjà, des survivances. Des phénomènes qui expriment le fond même d'une civilisation matérielle ne disparaissent pas d'un coup. Mais, **avec l'atténuation des grandes crises démographiques, un monde pluriséculaire s'effaçait.** Il faisait lentement place à un monde nouveau, au sein duquel l'Ancien Régime allait s'affaisser peu à peu, puis s'effondrer. Et la population française, soulagée en partie, au moins après 1750, de ces grandes et régulières ponctions, commençait à se modifier, et à croître décidément. Ces grands freins atténués ou disparus, la France put enfin « décoller » de sa vingtaine de millions d'âmes, tandis que commençait aussi à « décoller » une économie trop longtemps stagnante, les deux « décollages » — pour reprendre cet américanisme heureux — s'unissant sans doute pour projeter le vieux royaume sur la voie de l'expansion. Mais ce fut seulement dans la seconde moitié du XVIIIe siècle, quand l'Ancien Régime approchait de sa disparition.

3 — Enracinement, sédentarité, stabilité —————

Trop sensibles sans doute aux catastrophes, aux mouvements, aux agitations de surface, les historiens ont tout de même fini par porter quelque attention aux forces profondes, aux grandes stabilités, aux structures; ils ont même su ne pas attendre des théories à sensation pour s'y intéresser. Les immobilités, si évidentes qu'on ne les apercevait plus, appartiennent aux paysages de l'Ancien Régime autant que les insectes qui y circulent. Et l'**Ancien Régime** — au moins avant 1750, une fois encore —, **c'est sans doute plus la stabilité que le mouvement.**

Le paysage français est fixé depuis longtemps

Dans la forêt ou la steppe défrichée depuis bien des siècles, les villages et les villes prolongent, dans les mêmes sites ou des sites voisins, les habitats et les clairières qu'ont taillés les ancêtres, depuis les lointains Celtes jusqu'au cœur du Moyen Age. Les pertes et les reculs du xive et du xve siècle ont été récupérés dès le début du xvie siècle. Désormais, il n'y aura plus en France de « villages désertés », sauf sur d'insignifiantes marges militaires. L'architecture précise des quartiers, des manses, des jardins, des champs, des pâturages, et des incultes même, ne subira plus de modification sérieuse. Tous les éléments d'un paysage organisé jusque dans ses détails sont à leur place, et ne bougeront plus avant la grande explosion urbaine et l'énorme remembrement rural des xixe et xxe siècles. Les modifications principales, longuement décrites par les historiens de l'infiniment petit, se ramènent à des assèchements de marais et de lacs — œuvre de Hollandais appelés par Henri IV, notamment —, à un lent recul de la forêt (que purent compenser, grâce à d'excellents sylviculteurs et à Colbert, des replantations et des mesures salvatrices), à des oscillations de la terrasse arborée et de la garrigue méditerranéenne, à quelques défrichements insignifiants, ou provisoires, même au temps des physiocrates. Sauf Le Havre, Richelieu et Versailles, on ne crée plus de villes. Durant les deux à trois siècles d'Ancien Régime, **l'architecture délicate du paysage francais est une permanence,** une immense et séculaire tapisserie que corrigent d'infimes retouches.

Stabilité des groupes humains

Il est certes très facile d'accumuler les mille détails pittoresques qui montrent que les Français se déplacent, errent, émigrent apparemment beaucoup. Dix ou vingt mille Méridionaux en Espagne (en 1637, en Catalogne, exactement 2 243); quelques milliers d'aventuriers aux premières colonies, un nombre beaucoup plus élevé de protestants un peu partout (100 000? 200 000?), et voilà pour l'émigration, avec la fioriture pittoresque d'une poignée de grands voyageurs. Un petit flux annuel des campagnes vers les villes : servantes, apprentis, aventuriers encore; plusieurs dizaines de milliers de mendiants, et moins encore de soldats (sauf après Louvois, que nous retrouverons); des montagnards qui vont et viennent, mais rentrent habituellement chez eux. Au même moment, pour l'ensemble du royaume, furent-ils jamais un demi-million, ceux qui errèrent, migrèrent provisoirement, ou se transplantèrent? [1]

Dix-neuf millions et demi sur vingt demeuraient attachés à la terre, au lopin, à la cabane, à la chaumière, au quartier où ils étaient nés. Ce ne sont pas les agitations, les brassages, les migrations d'hommes qui caractérisent l'ancienne France, mais bien la **sédentarité.** Sauf les aventuriers de toujours on ne migrait que sous la poussée de la nécessité, qui était souvent la misère.

Quelques millions d'actes de mariage, bien conservés depuis le XVIIe siècle, en fournissent la preuve la plus frappante. On peut l'illustrer ainsi : dans une paroisse rurale de quelque consistance — un bon millier d'habitants — au moins les trois quarts des nouveaux époux sont nés et résident au lieu de leur union; du dernier quart, la moitié vient des villages limitrophes, et les plus hardis voyageurs n'ont pas couvert quatre lieues pour aller à l'hyménée. Cette forte et majoritaire stabilité a souvent duré (tout en baissant évidemment) jusqu'au début du XXe siècle : les noms qui figurent sur les monuments aux morts de beaucoup de villages français sont, au moins pour la moitié, ceux-là mêmes qu'inscrivaient sur leurs registres paroissiaux les curés du « grand siècle ».

Stabilité et sédentarité comportent évidemment **des exceptions.** On ne les retrouve naturellement pas au même degré dans les villes et dans les ports, et bien sûr à Paris, qui pose toujours des problèmes spéciaux. C'est qu'elle est affaire paysanne, et que le paysan ne quitte pas volontiers sa terre, n'en tienne-t-il qu'un demi-sillon. Et l'on sait bien que la France est paysanne, à plus de 80 %, et qu'assez peu de paysans sont absolument dépourvus de terre.

Le farouche enracinement paysan des Français explique probablement leur habituelle hostilité à l'aventure maritime comme au service militaire, même sous sa forme enbryonnaire de la milice, qui les déconcertait et les dévoyait. **Cet enracinement commence à s'atténuer pourtant dans la seconde**

---

1. *Cf.* infra, chap. V, § 2. La recherche actuelle attaque fortement la notion de stabilité proposée ci-dessus.

moitié du xviiie **siècle,** époque toujours originale. En effet, la même étude des actes de mariages, et d'autres sources encore, révèlent une mobilité accrue, des déplacements plus fréquents, plus longs et plus nombreux, bien que toujours minoritaires. L'aire de recrutement pour l'hyménée s'élargit quelque peu, et l' « endogamie » paroissiale baisse de quelques unités pour cent. Dans les villes, les nouveaux venus sont plus nombreux, et arrivent de plus loin; de même les prostituées, les domestiques, et les enfants abandonnés, souvent des provinciaux « importés », dont le nombre passe de 2 000 à 6 000 à Paris. Mais nous sommes loin encore des migrations révolutionnaires et impériales, militaires ou non, loin des grandes migrations industrielles du siècle suivant.

Stabilité des paysages, stabilité des habitats, stabilité des habitants, stabilité probable du nombre des habitants, au-delà des mille nuances de la paroisse et du canton : tel fut l'un des aspects de la France d'Ancien Régime, entre le début du xviie et le milieu du xviiie siècle, — après lequel tout commence à bouger.

TEXTES

5. « Abrégé du dénombrement des peuples du royaume », présenté par Vauban en 1707

GÉNÉRALITÉ ET DATE	« NOMBRE DES PEUPLES »
Ville de Paris, 1694	720 000
Généralité de Paris, 1700 ..	856 938
Généralité d'Orléans, 1699 .	607 165
Généralité de Tours, 1698 .	1 069 616
Bretagne, 1698	1 655 000
3 généralités de Normandie, 1698	1 540 000
Picardie, 1698	519 500
Artois, 1698	214 869
Flandre flamingante........	158 836
Flandre wallonne, 1698	337 956
Hainaut, 1698	85 449
Trois-Évêchés.............	156 599
Champagne, 1698 .... (compris, Sedan, partie du Luxembourg...)	693 244
Généralité de Soissons, 1698.	611 004
Bourgogne, 1700 .... (compris, Bresse, Bugey, Gex)	1 266 359
Lyonnais	363 000

Alsace, 1697..............	245 000
Dauphiné, 1698...........	543 585
Provence, 1700...........	639 895
Languedoc, 1698..........	1 441 000
Roussillon	80 369
Auvergne, 1697	557 068
Généralité de Bordeaux, 1698 (y compris, Bigorre, Labour, Soule)	1 482 304
Béarn et Basse-Navarre, 1698	241 094
Généralité de Montauban, 1699	788 600
Généralité de Limoges, 1698.	585 000
Généralité de La Rochelle, 1698	860 000
Généralité de Poitiers	612 621
Généralité de Moulins	324 332
Total selon Vauban	19 094 146

D'après l'édition COORNAERT du *Projet d'une dixme royale*, Paris, Alcan, 1933, pp. 157-159.

6. Relevé des baptêmes, sépultures et mariages de tout le royaume, de 1770 à 1784

(nombres arrondis au millier)

	Baptêmes	Sépultures	Mariages				
1770....	950	710	185	1776....	939	741	235
1771....	913	770	173	1777....	998	752	233
1772....	906	865	186	1778....	933	744	204
1773....	901	841	204	1779....	957	967	232
1774....	940	775	216	1780....	989	914	241
1775....	934	817	215	1781....	970	881	237
				1782....	976	949	225
				1783....	948	952	229
				1784....	966	887	230

Moyenne 1770-1784 :

948   838   216

D'après P. Vincent, « French demography in the eighteenth century », dans *Population Studies*, t. I, 1947, p. 69.

Nota : Ces statistiques officielles sont inférieures à la réalité, parce que :

1. les données de 1770 et 1771 sont incomplètes;

2. des non-catholiques et de petits pays (comté de Clermont en Argonne) échappent à l'administration;

3. dans tout le Midi, le sous-enregistrement des sépultures d'enfants est probable.

7. Deux témoignages sur les catastrophes démographiques

1. Le registre paroissial de La Croix-du-Perche (Eure-et-Loir)

... Le 4ᵉ mars 1662 fut enterré l'enfant de deffunt un nommé Bignon mort de faim effectivement.

Le 2 janvier 1662 fut enterré en notre Eglise l'enfant de deffunt Hean Vedye mort de faim en une estable.

Le 20 janvier 1662 fut enterré en notre simetière un nommé David et sa femme morts de faim aux Charnois, comme aussy un nommé La Gravière mort de faim.

Le 1ᵉʳ jour de mars 1662 a esté enterré en nostre semittière Jacques Drouin mort de faim.

Le 26ᵉ mars 1662 a esté enterré en nostre semittière Anne Rochette qui est morte de faim avec ses deux enfants.

Le 28ᵉ april 1662 fut enterré en nostre semittière le fils à deffunt Jacques Drouin mort de faim comme son père.

Le 1ᵉʳ may 1662 fut enterré en nostre semittière la femme à deffunt Jacques Drouin qui est morte de faim comme son mary et son filz.

Le 30 april 1662 fut enterré en nostre semittière Jean Pelaleu dit le Cles qui est mort de faim.

Le 2ᵉ may 1662 fut enterré en nostre semittière la fille à La Pelaude morte de faim comme sa sœur et son frère.

Textes communiqués par Marcel Couturier maître-assistant à l'École Pratique des Hautes Études.

2. Le journal du curé de Rumegies (près Saint-Amand-les-Eaux, Nord).

(1693)... le dernier des malheurs, c'est que la moisson ensuivante fut entièrement manquée, ce qui fut cause que le grain fut d'un grandissime prix. Et, comme le pauvre peuple était épuisé tant par les fréquentes demandes de Sa Majesté que par ces contributions exorbitantes *(il s'agit de contributions de guerre)*, ils devinrent dans une telle pauvreté qu'on la peut appeler famine. Heureux ceux qui pouvaient avoir un havot *(mesure)* de seigle pour mêler avec de l'avoine, des pois, des fèves pour en faire du pain et en manger la moitié de leur soûl. Je parle des deux tiers de ce village, s'il n'y en a pas davantage...

On n'entendait parler pendant ce temps que de voleurs, que de meurtres, que de personnes mortes de faim. Je ne sais s'il y va de l'honneur du curé de Rumegies de rapporter ici une mort qui est arrivée dans sa paroisse pendant ce temps : un nommé Pierre du Gauquier qui demeurait vis-à-vis de l'image de la Vierge vers la Howardries. Ce pauvre homme était veuf; on ne le croyait point si pauvre qu'il était; il était chargé de trois enfants. Il devint malade, ou plutôt il devint exténué et faible, sans pourtant qu'on n'eusse averti le curé, sinon que par un dimanche, au dernier coup de la messe paroissiale, une de ses sœurs est venue dire au curé que son frère mourait de faim, sans dire autre chose. Le pasteur donna un pain pour lui porter incessamment; mais on ne sait si la sœur en avait besoin elle-même, comme il y a bien de l'apparence; elle ne lui a point porté et, au deuxième coup de vêpres, le pauvre est mort de faim. Il n'y a que celui-là qui est mort sitôt faute de pain, mais plusieurs autres, et ici et aux autres villages, en sont aussi morts un peu à la fois, car on a vu cette année une grande mortalité. Dans notre paroisse seule, il est mort cette année plus de personnes qu'il n'en meurt en plusieurs années... On était vraiment las d'être au monde. Les gens de bien avaient le cœur percé de voir les misères du pauvre peuple, un pauvre peuple sans argent, et le havot de blé au prix de neuf à dix livres sur la fin de l'année, les pois, les fèves à proportion...

On ne peut oublier ici l'ordonnance que fit Sa Majesté pour le soulagement de son pauvre peuple *(le 20 octobre 1693)*... Chaque communauté *devait* nourrir ses pauvres. Les pasteurs, mayeurs et gens de loi taxaient les plus riches et les médiocres, chacun selon leur pouvoir, pour subvenir aux pauvres, dont ils devaient aussi prendre connaissance. C'était le véritable moyen pour faire subsister tout le monde... Dans ce village, où il n'y a nulle justice, et où tout le monde est maître, le curé eut beau lire et relire cette ordonnance, les mayeurs et gens de loi, qui étaient les plus riches et ensuite ceux qui devaient être taxés le plus, s'y sont opposés de toutes leurs forces. Avec beaucoup de mal, on a enfin gagné l'août. Quinze jours auparavant, on abattait les seigles encore pleins de lait; on les mettait au four pour les durcir et, ce blé étant mal assaisonné et mal sain, cela a causé plusieurs grosses maladies. Que le Seigneur par sa Providence paternelle nous veuille dans la suite préserver d'une semblable cherté...

PLATELLE Henri, *Journal d'un curé de campagne au XVIIᵉ siècle*, Paris, éd. du Cerf, 1965, pp. 90-94.

8. Des « crises mortelles » aux « crises larvées »

« Par les différentes recherches qu'on a faites, on s'est procuré la preuve que les années où le blé a été le plus cher ont été en même temps celles où la mortalité a été la plus grande et les maladies plus communes. » Ainsi se trouvait posé, dès 1766, dans un mémoire intitulé *Réflexions sur la valeur du blé tant en France qu'en Angleterre depuis 1674 jusqu'en 1764* et publié à la suite des *Recherches sur la population* de Messance un problème capital : celui de l'incidence des crises de subsistances sur la démographie de la France d'Ancien Régime...

Comment saisir la mortalité due aux crises de subsistances? On remarquera la prudence toute scientifique de l'auteur des *Réflexions*. Il part d'une constatation de fait : la coïncidence des maxima des prix du blé et des maxima annuels de la mortalité; mais il la complète en ajoutant que ces années ont été aussi des années de morbidité maxima. Il serait donc assez vain de vouloir statistiquement déceler une différence spécifique entre des faits aussi étroitement associés : la mortalité par simple inanition, celle déterminée par une maladie mais imputable à la sous-alimentation, enfin la mortalité par contagion, cette contagion elle-même étant inséparable de l'état de disette qui contribuait non seulement au développement des maladies mais à leur propagation par le déplacement des pauvres mendiants...

Nous pouvons... définir avec précision des années de mortalité exceptionnelle pour lesquelles l'excédent de mortalité peut être rapporté à une crise de subsistances. Ces années sont faciles à repérer. L'ordre de grandeur des phénomènes est ici tel que les témoignages concordants abondent. Les historiens les moins orientés vers l'étude des réalités économiques et sociales ne peuvent ignorer des événements comme ceux de 1693 ou de 1709. Il existe d'ailleurs sur eux un nombre assez considérable de monographies qui ne laissent aucun doute sur la relation de cause à effet entre la hausse des prix, la misère et la mort...

... A l'époque Louis XIV, sévissent des crises de subsistances d'un caractère exceptionnel tellement net que ce seul caractère suffirait déjà à les différencier. Corrélativement, le rapport des décès aux conceptions manifeste des poussées qui... sont d'une intensité comparable et non moins exceptionnelle. Le caractère national de la crise ne fait pas de doute...

A l'époque Louis XV et plus encore à l'époque Louis XVI, tout change. Plus de corrélations apparentes entre les maxima des prix et les indices démographiques. S'il y a toujours un problème démographique des subsistances, il est d'un ordre de grandeur tout différent, et cette différence de quantité est déjà par elle-même une différence de qualité. Époque de crises mortelles, époque de crises larvées, entre les deux une révolution s'est accomplie...

MEUVRET Jean, « Les Crises de subsistances et la démographie de la France d'Ancien Régime », dans *Population*, 1947, pp. 643-647.

LECTURES COMPLÉMENTAIRES

Surtout depuis 1945, les problèmes de population ont été passionnément étudiés.

1. On citera d'abord les **livres de base** (la plupart ayant eu plusieurs éditions, il convient de prendre toujours la plus récente).

● SAUVY Alfred, *La Population*, P.U.F., Que Sais-je? n° 148 (plusieurs éd.).

● LANDRY Adolphe, *Manuel de démographie*, Payot (plusieurs éd.).

● ARMENGAUD (André), DUPÂQUIER (Jacques) et REINHARD (Marcel), *Histoire générale de la population mondiale*, Montchrestien, 3e éd. 1968.

● ARMENGAUD André, *Démographie et Sociétés*, Stock, 1966.

● HUBER, BUNLÉ, BOVERAT, *La Population de la France*, Hachette (plusieurs éd.).

2. **Plus difficiles** d'accès, les excellents ouvrages suivants :

● SAUVY Alfred, *Théorie générale de la population*, 2 vol. P.U.F. (plusieurs éd.).

● PRESSAT Roland, *L'Analyse démographique*, P.U.F., 1961.

● FLEURY Michel et HENRY Louis, *Nouveau manuel de dépouillement et d'exploitation de l'Etat-civil ancien*, Paris, I.N.E.D., 1965.

● GLASS et EVERSLEY, *Population in History*, London, Arnold, 1965 (recueil d'articles souvent excellents, dont plusieurs concernent la France).

3. Pour se tenir au courant, il convient d'abord de dépouiller les nombreuses **publications** de l'I.N.E.D. (Institut National d'Études Démographiques, Paris), dont la remarquable revue *Population* et sa collection de *Cahiers*, qui renferment les meilleures monographies; de savoir que la Société de Démographie Historique publie depuis 1964 un volume annuel, qui a pris en 1965 le titre d'*Annales de Démographie Historique* (Paris, Sirey); de fréquenter enfin les grandes revues de langue anglaise comme *Population Studies* et *Population Index*.

4. Depuis une dizaine d'années, bon nombre de **thèses** de doctorat consacrées à la France d'Ancien Régime comportent un ou plusieurs chapitres de démographie historique. Sur ces thèses, cf. *infra.* p. 75.

CHAPITRE III

LES FONDEMENTS DE L'ÉCONOMIE

On s'est parfois demandé si l'Ancien Régime — au sens étroit de système juridique et politique — n'avait pas été « déterminé » par l'économie dans laquelle il s'était développé. Comme tant d'autres, ce problème paraît relever de l'exercice rhétorique. Et pourtant, ce fut lorsque les structures économiques amorcèrent leur « décollage » vers l'expansion et l'industrialisation, après le milieu du XVIIIe siècle, que le système politique et social vieillissant s'apprêta à sombrer. Parallèlement, il apparaît que l'économie médiévale se transforma en économie « moderne », par de lentes transitions, en même temps que le régime politique et social prenait progressivement de nouveaux caractères. Le problème évoqué mérite donc d'être posé. Entre l'Ancien Régime politico-social et son « enveloppe » économique, des liens existent bien; ce qui surprendrait, d'ailleurs, c'est qu'ils n'existent pas; mais il reste à savoir, s'ils sont connaissables, le sens et la signification de ces liens. Beau programme, dont on n'aperçoit pas la conclusion, qui probablement n'offrira rien de péremptoire.

La tâche propre de l'historien consiste, plus simplement, à analyser honnêtement les données économiques du problème, en les isolant des autres données, fût-ce avec quelque artifice. Pour y parvenir, trois méthodes ont été proposées.

La première, fort ancienne, consiste à se placer résolument aux côtés des **théoriciens et des hommes de gouvernement,** à écouter et à reproduire les systèmes des premiers et les déclarations d'intentions des seconds. On parle alors de mercantilisme, de physiocratie, de bullionisme, de balance du commerce, etc. Points de vue longtemps dominants, toujours utiles, vraiment insuffisants : la théorie est d'abord un témoignage sur les théoriciens et leur entourage; les textes législatifs comme les papiers administratifs témoignent surtout sur les milieux qui les ont sécrétés, et risquent donc de présenter des millions de Français sous un jour partiel, oblique, voire partial.

J. **Marczewski** et ses disciples ont proposé récemment **une seconde méthode,** tentative hardie pour projeter dans le passé les techniques de **statistique et d'analyse économique** propres à la seconde moitié du XXe siècle. Il se trouve malheureusement que, pour les périodes antérieures à 1770-1780, ce sont les données de base qui manquent, ou qui supportent mal la critique; dès lors, les essais pour évaluer le « revenu national » vers 1700, même épaulés par les techniques mathématiques les plus raffinées, n'apportent à peu près rien, sauf l'illusion du chiffre. Pour l'Ancien Régime, tout au moins avant la seconde moitié du XVIIIe siècle, le bilan de l' « histoire économique quantitative » est nul.

La dernière méthode, plus humble et plus lente, est la seule acceptable. C'est l'**enquête au microscope, dans le cadre d'une petite région, dans une durée grossièrement séculaire,** effectuée à l'aide des archives les plus oubliées de cette région et de ce siècle. Grâce à quelques admirables comptabilités, surtout ecclésiastiques, dont les confiscations révolutionnaires ont heureusement institutionnalisé la conservation, il est possible de retrouver le quantitatif, et même un quantitatif exact, mais au niveau de la paroisse ou du groupe de paroisses. C'est dire que l'historien patient regagne en sécurité ce qu'il perd en étendue, et en prétention. Son but étant la recherche de la vérité, il accomplit donc sa tâche propre; en multipliant les micro-analyses, depuis une dizaine d'années, il finit même par construire une image suffisamment étayée de l'ancienne économie française pour qu'on puisse proposer la provisoire et élémentaire synthèse qui suit. Provisoire, parce que toujours susceptible d'être enrichie et corrigée par les recherches en cours et les recherches futures; élémentaire, au sens délibérément scolaire du mot, parce qu'elle s'adresse surtout à des jeunes gens de la fin du XXe siècle, qu'il s'agit d'abord de dépayser.

1 — Domination écrasante de l'économie agricole

Pour évidente qu'elle soit, cette domination ne doit jamais être perdue de vue. Rappelons seulement quelques données parmi les plus élémentaires :

a) **85 % au moins des Francais sont des ruraux**, à la fois par leur habitat et leurs occupations.

Paris mis à part, (mais qui ne rassembla jamais plus de 2 % de la population du royaume), on ne recense qu'une vingtaine de villes de quelques dizaines de milliers d'âmes, puis de nombreux gros bourgs que seuls leurs murs et leurs antiques privilèges élèvent au rang de « villes »; encore ces dernières sont-elles pleines de jardins, de prés, d'étables et de rente rurale, et se déversent-elles couramment dans la campagne au moment de l' « aoust », pour les grands travaux qui requièrent des suppléments de muscles. Et la campagne, inversement, est habituellement toute bruissante de métiers et de « manufactures » : la moitié des « ouvriers » de l'Ancien Régime sont en fait des ruraux et des paysans. L'un des grands articles du commerce extérieur français, la toile, provient presque exclusivement d'une « industrie » rurale, exercée par des « tixiers » qui sont **en même temps** des paysans.

b) **L'environnement matériel de la vie quotidienne**, comme le plus gros de l'outillage, a été constitué de substances végétales ou animales, cueillies, ramassées et manuellement transformées dans le fond des campagnes. Le bois et l'osier prédominent; le cuir est plus rare et accompagne souvent le cheval, animal coûteux et fragile; le fer, tout à fait exceptionnel, est de mauvaise qualité s'il provient du royaume. Sauf chez les riches, les repas se préparent et se consomment dans la terre et le bois. Sauf pour les riches encore, ou dans les provinces pierreuses, les maisons se construisent de bois, de terre et de paille : même en ville, le torchis est roi. Les instruments ruraux, et beaucoup d'outils artisanaux, sont « bricolés » à la ferme ou à l'atelier, de bois choisi, préparé, retaillé, — y compris les araires et les charrettes; pelles, rateaux, rouleaux, herses, même les grandes charrues (sauf leur soc) sont de bois. Sauf solutions strictement locales (houille, tourbe, bouses séchées), pas d'autre combustible que le bois. Remarques banales, mais lourdes de signification. Les produits de la métallurgie, de la sidérurgie sont réservés à d'étroits et riches secteurs, et le secteur guerrier n'est pas le moindre.

c) **La composition des fortunes françaises**, qu'une documentation abondante (papiers de successions, contrats de mariage) permet d'assez bien connaître, conduit à des observations du même ordre. Si l'on met soigneusement à part quelques milliers de prestigieuses exceptions (banquiers, **grands** marchands, armateurs), ces fortunes comportent presque toujours une écrasante majorité de produits ruraux stockés, de capitaux ruraux, de rentes rurales de divers types. Le budget de l'État lui-même est majoritairement alimenté par des ponctions directes ou indirectes sur la production rurale ou agricole, prise à la source ou en train de circuler.

d) **La structure du commerce extérieur français,** telle qu'elle est connue par quelques grandes œuvres « économiques » du temps, et par de rares statistiques, met habituellement au premier plan cinq grands produits : les blés, les vins (et eaux-de-vie), le sel, les draps, les toiles. Sauf pour une partie de la draperie, et pour le « finissage » des étoffes, tout cela sort du monde rural, des mains des paysans.

e) Rappelons enfin ce qui a été dit au chapitre précédent à propos des « crises démographiques », ou de la forme démographique de **certaines crises économiques « courtes ».** Elles dérivent généralement d'une série de mauvaises récoltes. Et **c'est toujours la crise agricole** (sous-production, mauvaise répartition, prix excessifs) **qui entraîne la « crise industrielle »** (baisse de la demande, baisse de la production, baisse de l'emploi, chômage peu secouru), et jamais l'inverse. Et cet enchaînement est vrai au moins jusqu'à la Révolution française. Ce n'est qu'à partir du milieu du XIXe siècle, ou environ (on en discute) que la chaîne des conséquences et des dépendances est exactement inversée. Les crises partent alors de l'industrie (surtout métallurgique), mais aussi du secteur financier (ce qui semble rarement le cas sous l'Ancien Régime, même au temps de l'affaire Law).

Cette écrasante prédominance agricole, elle s'exprime d'abord par la recherche presque angoissée des subsistances de base — le plus souvent, des « bleds »; mais aussi par la nécessité de troquer ou de vendre, afin d' « acheter » en quelque sorte l'indispensable monnaie — ne serait-ce que pour contenter les collecteurs d'impôts. Ces distinctions évidentes, mais essentielles, seront reprises constamment, dans ce chapitre et les suivants.

2 — Une « industrie » seconde, mais non secondaire, dominée par le textile

Le mot « industrie » est commode, mais il n'a pratiquement pas été utilisé avant 1750 dans son acception actuelle. On disait **« manufacture »,** et ce terme n'évoquait qu'exceptionnellement une concentration de bâtiments et de travailleurs, mais plutôt des nébuleuses d'ouvriers dispersés, bien que relativement spécialisés dans la transformation d'un produit naturel simple, comme la laine.

Après tant de travaux (il est vrai assez anciens) qui furent consacrés à la « grande industrie » et aux « corporations » — expressions parfaitement anachroniques d'ailleurs —, il est pourtant nécessaire d'insister encore sur **le caractère à la fois second et dépendant de toute la production « industrielle »** française durant l'Ancien Régime. Les pages précédentes, qui traitent de la domination du monde agricole, l'ont suffisamment établi : par la valeur de la production, par le nombre des producteurs, par la structure même des « crises » économiques, par bien d'autres traits encore, la position subordonnée du secteur industriel est évidente.

Il faut redire pourtant, mais aussi nuancer, l'affirmation courante que **la plupart des producteurs de ce secteur furent des ruraux,** et même des paysans restés en grande partie agriculteurs. Le nombre des tisserands de laine répandus dans les campagnes dépassa fréquemment, et sans doute de plus en plus, même en Picardie, ceux qui se groupaient dans les « ouvroirs » urbains. Et il a été attesté par de nombreuses études de détail que les tisserands de toiles, des Flandres à la Vendée, furent presque tous des paysans, d'ailleurs fort modestes. Même dans le secteur métallurgique, une main-d'œuvre saisonnière et mouvante, d'origine encore rurale, fut majoritaire, aussi bien pour l'alimentation des forges et fourneaux (y compris les indispensables et préalables charbonniers) que pour les fabrications de détail, comme les épingles de Normandie. Au niveau du blanchîment, de la teinture, des apprêts, du « finissage » et de la concentration avant commercialisation, les éléments urbains l'emportaient cependant. Il a même existé un certain nombre de **villes manufacturières** (souvent aussi grands centres commerciaux, mais pas toujours), comme Lille, Amiens, Beauvais, Rouen, Reims et Lyon, dans lesquelles vivait un véritable **prolétariat ouvrier,** désormais bien connu, dont la condition annonce quelque peu celle qui se répandra largement dans les « fabriques » du XIXe siècle; mais l'effectif de ces purs salariés atteignait-il cent mille personnes, avant 1750 ?

Seconde, l'industrie l'est inégalement; et secondaire, pas toujours.

Les charbonnages français, sauf particularités locales (région de Saint-Étienne, par exemple), sont à peu près inexistants avant la seconde moitié du XVIIIe siècle, alors que la houille anglaise a provoqué, dès 1600, une amorce de « révolution industrielle », et qu'elle est extraite, vers 1789, en quantité au moins décuple de la production française. Malgré quelques efforts, d'abord au xvie siècle, puis sous Colbert, efforts provoqués surtout par la demande militaire, **la métallurgie** française reste faible, très dispersée, de mauvaise qualité, fort coûteuse, ne se renouvelle qu'après 1780, par pure imitation des techniques anglaises, n'a jamais pu produire de véritable acier (sauf peut-être à Rives, en Dauphiné), et vit à la remorque de l'étranger, même pour les faux, importées de Styrie.

Si l'on met de côté le bâtiment, entreprise saisonnière, fluctuante, surtout urbaine, particulièrement active avant la Fronde et après la Régence — ou sur les chantiers de la magnificence royale —, c'est, de fort loin, **le textile** qui représente le secteur essentiel. Sa relative prédominance tient aux effectifs de ses travailleurs, à la valeur de la production consommée et même de la production exportée, à l'utile supplément salarial qu'il apporte à des centaines de milliers de ruraux, au début de concentration, d'abord commerciale, puis vraiment industrielle (avec les manufactures d'indiennes, mais encore dans la seconde moitié du xviiie siècle). Il faut cependant éviter de la symboliser par des créations prestigieuses, mais peu rentables, du type des grandes tapisseries royales, Gobelins ou Beauvais. Le textile français est majoritairement **un textile « commun »**, qui produit des étoffes à prix modérés pour des marchés très larges : c'est ce qui fit, en réalité, sa force, que les concurrents anglais connaissaient bien, et dont ils eurent parfois à souffrir. Y participaient un large million d'hommes, de femmes et même d'enfants, soit à plein temps, soit surtout à mi-temps. Des villes entières, surtout dans le Nord, vivaient au battement des métiers : Amiens en est le prototype le mieux connu et le mieux étudié. De la Lys à la Vendée, dans la France la plus humide, « murquiniers » et « texiers » ouvraient le lin, que blanchissaient et apprêtaient quelques grands négociants spécialisés, à Valenciennes, à Saint-Quentin, à Beauvais, surtout à Laval, et au xvie siècle à Vitré. Quant à la grosse toile, chaque village la tissait, comme chaque jardin, ou presque, laissait une place à la chanvrière. Au désir du petit peuple de fabriquer ses vêtements — et c'est un aspect de la « subsistance » —, et de se procurer quelques écus par la vente aux marchands « ramasseurs » — ce qui est déjà « le commerce » — se joignait l'intérêt général, l'intérêt de l'État, qui explique l'attention prêtée à tout le textile par la législation royale, avant Colbert comme après lui. C'est que les étoffes, surtout les toiles dont on habillait les Noirs et les Indiens, constituaient couramment, avant même les blés et les vins, le premier article d'exportation, celui qui permettait de faire entrer en France les métaux monétaires qu'elle ne produisait pas, ou les « piastres » américaines qui jouaient le même rôle.

Pour toutes ces raisons, cette forte manufacture textile, à la fois massive et dispersée, joua un rôle beaucoup plus important que ne le laisseraient supposer la valeur brute de sa production (même pas 5 % du produit national brut, semble-t-il) et le nombre de ses producteurs, qui ne dut guère dépasser 5 % de la population.

Enfin, ce fut par l'industrie, qui se concentrait, se renouvelait, se modernisait peu à peu, que l'économie française put préparer son « **décollage** ». Ce fut d'abord un progrès lent, surtout dans les secteurs traditionnels. Mais pourtant le taux global d'expansion dut atteindre 60 % pour l'ensemble du XVIIIe siècle; le modèle anglais, quelques secteurs « de pointe », dont l'expansion propre dépassait ce taux moyen (coton, toiles peintes, sidérurgie, papier, amorce d'industries chimiques) allaient provoquer et soutenir **ce démarrage décisif, qui paraissait devoir enfin marquer les dernières années du siècle, au moment précis où l'Ancien Régime politique et social s'entêtait à survivre,** ne se croyait pas au bord du naufrage. Naufrage qui, en fin de compte, dut retarder au moins en partie cette évolution vers l'industrialisation, s'il est vrai que la Révolution et l'Empire furent, économiquement, des « catastrophes nationales », comme tendent à le souligner des travaux récents, tels ceux de M. Lévy-Leboyer...

Une fois encore, nous venons de constater à quel point les dernières décennies, et même ici les dernières années du XVIIIe siècle, si dynamiques, s'opposent au quasi-immobilisme ou aux lentes fluctuations qui avaient marqué presque tout l'Ancien Régime. Et ce leit-motiv apparaît encore dans le domaine suivant.

3 — Des moyens de transport lents, incommodes et coûteux

Il aurait été assez logique, dans ce chapitre d'initiation, de mettre au premier plan le problème des transports, souvent décisif, si le monde agricole, encore dominé par l'auto-consommation, donc l'absence de transport, ne mobilisait à la fois tant de travail et tant d'hommes.

La constatation qui frappe, quand on vit dans le dernier tiers du XXe siècle, c'est **la lenteur.** Jusque vers 1760, les déplacements, quels qu'ils soient, dépassent rarement la moyenne horaire d'une lieue, quatre ou cinq kilomètres. Les plus rapides, qui sont le fait des chevaux « courant la poste » (le galop, réservé théoriquement aux services royaux) peuvent atteindre la vertigineuse allure de vingt kilomètres à l'heure; encore faut-il trouver des chevaux frais à chaque étape... En tout état de cause, les entreprises les plus rapides couvrent rarement plus de **dix lieues par jour.** La combinaison diligence-coche d'eau met Lyon à dix jours de Paris, au temps de Louis XIV; mais Bordeaux est à quinze jours, et Rouen à trois! Les marchandises vont encore plus lentement : le vin d'Orléans met quatre jours pour « monter » à Paris; les toiles de Laval, en plein XVIIIᵉ siècle, cahotent deux semaines avant de toucher Rouen, et les « rouenneries », un mois pour atteindre Lyon. La France d'Ancien Régime n'a pas vécu à un rythme sensiblement plus rapide que celle du Moyen Age; elle a vécu au rythme du piéton, de la mule, du cheval au trot rare. Les canaux (trois en 1700 : Briare, Orléans, Midi) et l'œuvre routière des Trudaine et de Perronet n'apporteront que des améliorations modérées et qui, une fois encore, ne commenceront à jouer vraiment qu'après 1750 (même en 1789, le réseau routier projeté vers 1750 est loin d'être achevé : il donne seulement des accélérations locales). La véritable « révolution » — et celle-là en fut vraiment une —, vint des chemins de fer, qui accélérèrent, désenclavèrent et unifièrent.

Chemins locaux

Les routes les plus fréquentées et sûrement les plus utiles dans le cadre d'alors, c'était cette multitude, aujourd'hui abandonnée, de sentiers, de chemins muletiers, de chemins locaux dont l'origine se perd dans la nuit des temps, et dont les plus rectilignes étaient généreusement attribués aux Romains. Pas de village qui ne soit lié au bourg et au marché voisin par quelque « sentier » (pour piéton seul), « carrière » (huit pieds de large, dit la coutume de Clermont, permise aux charrettes en file et aux bestiaux encordés), parfois même une véritable « voye », large en principe de 16 pieds (4 à 5 mètres). L'usage, s'ajoutant à la coutume, avait même spécialisé certains de ces chemins : ainsi, de la Manche septentrionale à Paris, serpentaient les « chemins de chasse-marée », parcourus par des bêtes bâtées plus souvent que par des « camions » (grosses voitures) de poissons, si demandés en un temps où l'Église imposait plus de 150 jours « maigres » dans l'année. Ici ou là, on trouve aussi des « chemins de potiers »; partout, des chemins de vignes, les plus étroits, et surtout des « chemins verts », c'est-à-dire clos de haies, par lesquels le bétail marchait de l'étable au pâturage communal, sans pouvoir vagabonder dans les labours ainsi protégés. Drailles des Cévennes, chemins de transhumance, portages, chemins du sel (et de la contrebande), on pourrait multiplier les exemples : il suffit de regarder de vieilles cartes d'état-major, ou celles qu'établit Cassini au XVIIIᵉ siècle. Cet admirable réseau était parfaitement adapté à la vie et aux besoins de **la majorité des Francais, paysans liés** à leurs terroirs, tâchant de « vivre du sien », ne se déplaçant guère au-delà d'un cercle d'une ou deux lieues : la parenté, le marché hebdomadaire, le notaire et le tribunal local, celui du seigneur ou celui du roi.

Les « grands chemins »

Les « chemins royaux », dont une partie devint « routes de poste » dès la fin du XVIᵉ siècle (galop permis, relations régulières, service royal de courrier et de petits paquets), étaient réservés, comme les rivières et les rivages, à un trafic tout différent, régional, inter-régional et même international : il y circulait des produits de plus grande valeur, expédiés par des personnages qui n'étaient plus des paysans, mais des marchands et des organismes gouvernementaux. Il est pourtant sûr que ce trafic-là était bien moins abondant que le précédent : dans tous les domaines, en ces siècles d'avant 1750, ce qui est local l'emporte toujours sur ce qui est national.

Le « pavé du Roy » et quelques pavages municipaux mis à part (route d'Orléans, avenues de châteaux, sorties de villes), les routes se réduisent à des chemins de terre un peu plus larges, avec leurs obstacles bien connus : poussière ou boue selon la saison, ponts de bois souvent effondrés et même simples gués, innombrables péages (en forte diminution cependant au XVIIIᵉ siècle), insécurité fréquente, qui caractérisait aussi bien la forêt de Fontainebleau que les lointaines montagnes, querelles et incapacité habituelle des trop nombreux organismes qui devaient assurer l'entretien, etc. La rupture d'un essieu, la perte de chevaux et de bagages ne sont pas des exceptions. Passée la distance de cinq ou six lieues, aucune denrée ou marchandise tant soit peu lourde ne peut supporter les frais de transport : ni les matériaux de construction, ni les vins même bourguignons, ni surtout les blés et les bois : leur encombrement et leur bas prix les destine à la voie d'eau, quand il y en a une. On trouve surtout sur les grandes routes les produits chers et peu volumineux, les voyageurs aisés, les lettres et les paquets; pour ces derniers, la Poste du Roi a acquis dès l'époque Louis XIII un monopole, exploité par des hommes d'affaires avisés, et même par des ministres, comme Louvois.

Domination des voies d'eau

Toute rivière qui pouvait porter bateau (dont le tonnage moyen oscillait entre 10 et 50 tonneaux), ne fût-ce que quelques semaines par an, était copieusement naviguée : même d'insignifiantes, comme le Clain et l'Orb. La raison en était simple, et fut ainsi soulignée par Vauban :

« Un bateau de raisonnable grandeur, en bonne eau, peut à lui seul, avec six hommes et quatre chevaux » (de halage)... « mener la charge que 200 hommes et 400 chevaux auraient bien de la peine à mener par des chemins ordinaires ». C'est pourquoi les régions favorisées et presque toutes les villes étaient des ports maritimes ou fluviaux, entourés d'une banlieue économique qui pouvait alors produire pour exporter. Ainsi Roger Dion a bien montré que les seuls vignobles qui comptaient alors étaient ceux qui avaient une bonne rivière ou la mer à proximité — ou une grande ville assoiffée, comme Paris.

Et pourtant ces liaisons favorisées apparaissent bien modestes. A Orléans, nœud de batellerie et de routes, sur une rivière alors l'une des plus naviguées de France, il passait en moyenne 400 bateaux par an sous Louis XIV : un par jour, deux ou trois si l'on tient compte des crues, des maigres et des glaces qui interrompent la circulation; la plupart à la descente, et qui ne « remontaient » jamais, puisqu'ils étaient « déchirés », et vendus comme planches ou bois de chauffage à leur arrivée d'aval. Les ports français, sur lesquels tant d'historiens se sont penchés avec une particulière dilection, s'estimaient « grands » lorsqu'ils parvenaient à armer une cinquantaine de navires de 100 tonneaux. En 1664, seuls Saint-Malo approchait et le Havre dépassait ce chiffre si modeste; en 1686, deux ports seulement (les mêmes) armaient une centaine de « grands navires ». Les fortunes mirifiques et millionnaires (en livres) de quelques grands armateurs — Danycan à Saint-Malo, Montaudoin à Nantes — n'offrent que des exceptions dans la **médiocrité générale** de la foule des moyens ou petits transporteurs, voituriers par eau ou par terre, souvent occasionnels et pourvus d'un second métier. Au cours du XVIIIe siècle cependant, dimensions et trafics progresseront, et les grands armateurs (et les petites compagnies de financiers qui les soutiennent volontiers) pourront jouer alors un rôle économique et parfois politique qui ne sera plus exceptionnel. Différence de degré bien plus que de structure, qui proviendra principalement du trafic des nègres et du sucre des Antilles, de Saint-Domingue surtout, perle de l'économie française et pilier de sa prospérité. Mais une fois encore, c'est l'Ancien Régime finissant qui s'illuminera des richesses des « Isles ».

La médiocrité, la discontinuité, la cherté, l'insécurité, l'inégalité des transports concourent à donner aux siècles d'Ancien Régime (sauf vers la fin), ce visage **d'une vie locale, dispersée, mal liée.** Elles entretiennent le cloisonnement ou le semi-cloisonnement de cette grande mosaïque paysanne, provinciale, irrégulière et mal unifiée qu'était la France d'alors. Elles concourent aussi, et de manière décisive, à expliquer la difficulté d'y régner, d'y voir les décisions centrales connues et écoutées. Malgré la Poste du Roi et les courriers exprès, les villages français sont à des journées et à des semaines de

Paris et de Versailles; y aller ou en venir demeure souvent une aventure. **Le goût de l'indépendance provinciale et la passivité individualiste étaient bien protégés.**

4 — Un système monétaire compliqué et vétuste —

Les questions de monnaie et de crédit offrent une telle complexité, et surtout une telle ancienneté apparemment périmée lorsqu'on vit dans la seconde moitié du xxᵉ siècle, qu'on est contraint de les présenter ici avec une simplification presque scandaleuse.

La monnaie

Du xvıᵉ au xvıııᵉ siècle, furent frappées en France des pièces d'or (écu soleil, puis louis après 1640), d'argent et de billon (alliage de cuivre et d'argent). L'unité monétaire était **la livre tournois** (de Tours), qui supplanta au xvıᵉ siècle la livre parisis (de Paris). On exprime assez souvent la valeur de la livre en grammes d'argent : elle en contenait 18 grammes vers 1500, 11 vers 1600, 8 de Richelieu à Colbert, et 4,5 à partir de 1726, **date à laquelle elle fut enfin stabilisée, pratiquement pour deux siècles** (car le franc « de germinal » du Consulat et le franc-or d'avant 1914 contenaient sensiblement le même poids d'argent fin). L'Ancien Régime, on le remarque immédiatement, pratiqua donc assez couramment les **dévaluations en cascades,** sauf après 1726.

Il faut maintenant énumérer quelques-uns des facteurs qui venaient compliquer ce tableau simpliste.

a) **Aucune pièce de monnaie ne portait de valeur faciale :** on y voyait le buste du roi, un peu de latin, et quelques éléments décoratifs (ainsi, un soleil sur la plupart des écus d'or d'avant 1640, d'où leur nom). La valeur de chaque pièce était fixée **par ordonnance royale.** Moyen commode pour les dévaluations : il suffisait d'ordonner que tel écu compterait désormais pour 4 livres au lieu de 3. Cette « augmentation », comme on disait, correspondait bien à une dévaluation : une livre tournois serait censée contenir désormais le quart du métal de la pièce, au lieu du tiers!

b) Jusque vers 1640, les pièces furent mal frappées; d'habiles artisans les « **rognaient** » ou les « **trempaient** » (dans de l'acide) pour prélever du métal précieux; d'où les fines balances des marchands, popularisées par la peinture du temps. Mais de réelles améliorations de la frappe se produisirent vers le milieu du xviie siècle.

c) Pendant longtemps, des petits princes plus ou moins indépendants continuèrent à battre monnaie (ils en avaient le droit), et à imiter en fait les monnaies de France, ce qui confinait à la fabrication de **fausse monnaie.** A Sedan, à Charleville, à Orange, dans les Dombes, des ateliers monétaires de ce style fonctionnèrent jusqu'en plein xviie siècle.

d) Il circulait couramment en France de la **monnaie étrangère,** surtout espagnole, mais aussi anglaise, impériale, italienne, etc. Cette circulation était **admise légalement,** et chaque monnaie étrangère était pourvue d'un cours légal (et souvent aussi d'un cours clandestin).

e) La production d'or, d'argent, de cuivre (le tout importé) variant fréquemment, et dans des proportions changeantes et discordantes, et, de plus, aucun des types de monnaies circulant n'étant de même composition, **toute une spéculation** était possible, et fréquente, même contre la monnaie du royaume. Elle aboutissait à « chasser » de la circulation la meilleure espèce monétaire, à provoquer des jeux compliqués, qui ne favorisaient pas toujours l'économie française.

f) La fixation du cours des diverses monnaies par les ordonnances royales était souvent **en retard** sur la réalité économique internationale, sur les variations réciproques du cours des métaux, sur l'état des échanges et des changes, etc. Si bien qu'**un cours « parallèle » des espèces** existait fréquemment en même temps que leur cours officiel. Les marchands, surtout de classe internationale, avaient leur propre cote des monnaies, qui n'était pas forcément celle du roi de France. Une sorte d'écu fictif de 3 livres représentait la monnaie française sur les marchés étrangers, principalement à Amsterdam. Sa cote était habituellement au-dessous de la cote officielle et intérieure française, pendant presque tout le xviie siècle notamment.

g) Enfin, certaines **petites monnaies** sans valeur réelle, comme les liards, abondaient, et étaient parfois refusées dans les paiements entre particuliers éclairés (mais on les répandait dans le peuple, qui se révolta parfois à ce sujet).

Autrement dit, la manipulation quotidienne des monnaies dans l'ancienne France requérait une compétence que ne possédaient peut-être pas deux hommes sur cent. De ce point de vue, une fois encore, la situation se clarifia beaucoup après 1726. Il est vrai que, pour la plupart des Français, le problème demeurait fort simple : la monnaie les gênait plus souvent par son absence que par ses complications.

La monnaie dans la société : circulation, thésaurisation, substitution

Comme il est fréquent, les analyses économiques restent quelque peu abstraites si on les coupe de leur support social. Les phénomènes monétaires ne se comprennent que replacés dans des cadres sociaux, qui n'ont pas encore été définis. A leur propos, il n'est ni téméraire ni prématuré d'avancer qu'il se trouvait en France des niveaux de fortune assez contrastés, au sein desquels les problèmes monétaires se posaient de manière fort différente.

a) **La masse du peuple** est constituée par de petits paysans qui ont bien du mal à récolter leur suffisance. Pour eux, **la richesse, ce sont les récoltes** sous toutes leurs formes; ce qui peut leur manquer, ils se le procurent, soit par troc, soit par travail supplémentaire. Dans le **troc**, la monnaie n'intervient que comme appoint, et pas toujours. Dans le gain d'un « **salaire** » (par des journées ou une tâche à façon), la « récompense » du travail, comme on disait alors, n'est pas forcément monétaire : beaucoup de paiements se font en nourriture, en nature (les moissonneurs sont au pourcentage), en autres services (comme de prêter un attelage), ou en dettes remboursées. Dans ce dernier cas, on se contente de détruire ou de modifier ces petits bouts de papier griffonnés que sont les reconnaissances de dettes des petits paysans envers leurs créanciers. Leur abondance et même leur circulation en firent une sorte de monnaie locale, de monnaie **réelle** exprimée en livres et sols tournois, plus claire même que ces pièces métalliques médiocres dont la valeur put longtemps être discutée. Dans les modestes milieux ruraux, soit la majorité des Français, le troc, l'échange de services, la rédaction, la circulation et le retrait des obligations privées ont sûrement joué un rôle plus grand que les écus et les louis; pour les suppléments et les appoints, le billon suffisait souvent.

Mais tous ces petits paysans étaient soumis à diverses obligations fiscales. Si le décimateur et souvent le seigneur se contentaient d'impôts en nature, prélèvements directs sur les récoltes, le roi, qui ne pouvait véhiculer des gerbes dans tout le royaume, réclamait des espèces sonnantes. Il fallait donc se les procurer, c'est-à-dire les « acheter » par divers moyens, déjà énumérés : vente des produits du petit élevage domestique (fromages, miel, veaux, porcelets, toisons, chapons...), vente de produits recherchés dont le paysan se privait (froment, vin), vente de produits du filage, du tissage, d'un quelconque artisanat à domicile, hivernal ou vespéral, journées aussi...

En somme, dans les masses rurales essentielles du royaume, une manière d'économie-nature atténuée, reposant sur l'auto-consommation, le troc et un élémentaire système de créances, jouait encore un rôle considérable, mais qui allait tout de même en diminuant, spécialement dans les régions manufacturières, le long des côtes et des rivières, les plus « ouvertes » de toutes. La monnaie n'intervenait, en partie pour des raisons fiscales, que sous les formes les plus viles et les moins bonnes : billon, piécettes d'argent. On devait se montrer les écus et les louis d'or, le soir, à la veillée, comme des trésors, jalousement conservés en vue d'une dot ou de l'achat d'un champ. **Dans les milieux populaires, la monnaie brillait surtout par sa rareté, sa médiocrité, sa difficulté à circuler.**

Après 1760, ou à peu près, les choses changèrent sensiblement. Des paysans, même modestes, se présentèrent en nombre pour briguer des fermages dont les prix (en monnaie) s'envolaient : ils doublèrent largement en une génération. C'est donc qu'une monnaie meilleure circulait bien mieux, et dans des réseaux plus longs, plus abondants, plus rapides. Les nouvelles mines du Brésil, le quadruplement du grand commerce français, des prix qui montaient, une production d'ensemble qui progressa dans des proportions mal connues (de 20 à 60 %, disent les spécialistes), une plus grande aisance générale, telles furent les raisons probables de cette manière de renouveau, qui n'apparut pas, soulignons-le encore, avant la seconde moitié du xviiie siècle.

b) **Dans les milieux aisés.** Si nous montons d'un coup des médiocres masses majoritaires vers les sommets les plus brillants, les problèmes monétaires français se posent d'une manière toute différente. Ce sont encore un peu ceux de la pénurie, mais à un autre degré; ce sont surtout ceux de **l'inorganisation.**

Marchands et ministres se sont beaucoup plaints, à l'époque de Louis XIV, de la rareté des espèces, surtout des bonnes; gémissements assez fondés. Leur interprétation, fort compliquée, met volontiers en cause le recul de la production d'argent américain, une certaine stagnation économique, les thésaurisations, les spéculations, les fréquentes dévaluations. Certaines raisons profondes échappent souvent : elles tiennent à la mauvaise circulation des espèces et à la mauvaise organisation du crédit. De ce point de vue, la France a longtemps souffert d'un **lourd retard,** difficile à expliquer, sur les pays qui furent à la pointe des techniques marchandes et financières : l'Italie d'abord, les Pays-Bas et l'Angleterre ensuite.

Dès le Moyen Age, les hommes d'affaires des grandes cités italiennes avaient mis au point un système de paiement par compensation de créances entre marchands de localités éloignées possédant des systèmes monétaires différents. C'était **la lettre de change,** qui se transforma vite en instrument de crédit et en moyen de spéculation. La pratique de **l'endossement** en fit très vite une sorte de monnaie internationale circulante, entre marchands et même entre

États, capable de produire un intérêt lorsqu'on savait jouer sur les distorsions des changes à la fois dans l'espace et dans le temps. Or, les marchands français adoptèrent tardivement le système, et pratiquèrent l'endossement systématique plus tardivement encore : pas avant le milieu du xviie siècle. Il n'était pas rare de trouver encore, au temps de Louis XIII, de gros marchands d'étoffes comme ceux d'Amiens qui utilisaient des sortes de reconnaissances de dettes rudimentaires, une comptabilité primitive (même pas à partie double), et qui accomplissaient de véritables tours de France, avec chevaux, coffres et armes, pour aller ramasser les écus qu'on leur devait de Troyes à Lyon et de Limoges à Toulouse! Spectacle presque extravagant, dont le caractère archaïque ne peut s'expliquer que par des traits psychologiques : traditionalisme profond, méfiance, scrupule religieux aussi : les théologiens rigoristes, que continuèrent les jansénistes, condamnaient vivement tout ce qui pouvait approcher de l'« usure », et allaient jusqu'à ranger sous ce vocable le simple et modeste intérêt tiré d'un capital, et presque tous les « trafics d'argent » (*cf.* Texte 10).

c) Plus frappante encore est **l'absence en France de toute organisation bancaire sérieuse, et surtout de toute banque d'Etat,** malgré de gros efforts, qui échouèrent.

Certes, on trouvait dans le royaume des « **financiers** » et des « **banquiers** ». Les premiers, qui furent longtemps italiens, puis allemands, travaillaient en association souvent semi-familiale : ils percevaient les impôts du roi, moyennant de substantiels bénéfices; ils consentaient des avances au roi moyennant des taux également substantiels. Les seconds, nombreux (une centaine à Paris au xviiie siècle, ce qui est trop et témoigne de leur médiocre envergure), furent le plus souvent des négociants qui faisaient le change des monnaies et, de plus en plus, l'escompte des effets de commerce; ils essayaient aussi de s'immiscer dans la circulation internationale des lettres de change, tantôt avec profit, tantôt à perte : les faillites ne furent pas rares. Nous retrouverons les premiers, auxiliaires indispensables et détestés du régime : « partisans », financiers, puis fermiers généraux, « sangsues du peuple », proclamait-on, mais dont on ne savait guère se passer. Quant aux seconds, ils sont forcément « branchés » sur la banque internationale, puissante surtout hors de France, à Londres, à Amsterdam, à Hambourg, à Genève, pour s'en tenir à ces exemples. A la fois indépendants du régime, et pourtant liés au roi auquel ils consentent des avances surtout en temps de guerre, ce sont souvent des protestants, aux relations larges et habiles, aux filiations étonnantes. Malgré de bonnes études récentes, ils sont encore assez mal connus. Il est seulement certain que leurs activités ne les enfermaient pas dans les limites du royaume, dont ils surent très bien se dégager au moment de la Révolution, quitte à revenir après la bourrasque, — ne serait-ce que pour aider à fonder la Banque de France.

Hormis ces personnages de haute volée, mais extérieurs à la nation, l'on trouvait en France **des compagnies d'hommes riches** qui faisaient un peu de banque et de réescompte, mais qui demeuraient essentiellement des négociants. Leur objet habituel était d'armer quelques navires pour les Indes ou la Chine. Ils s'associaient à quelques-uns, souvent apparentés, pour risquer quelques paquets d'écus dans des voyages lointains, pratiquer l'assurance maritime ou la commission, avec des sortes de contre-assurances à Amsterdam et à Londres, même (et surtout) en cas de guerre. Leur non-spécialisation, l'étroitesse de leurs associations temporaires, leur soumission au moins partielle aux grandes places internationales, tout cela concourt à faire soupçonner une sorte de médiocrité dans la technique et l'organisation, qui pesa longtemps sur l'économie de l'ancienne France.

Il faut ajouter que l'État donna rarement de bons exemples : il vécut au jour le jour, à la remorque des financiers, puis de banquiers comme Necker. Malgré Colbert et son neveu Desmaretz, malgré Law et des essais de Caisse d'escompte (1767, puis 1776), **aucune banque d'Etat ne put être fondée.** Or, des cités-États comme Gênes, Venise et Valence avaient les leurs dès le XVIᵉ siècle; en 1609, Amsterdam proposait au monde le modèle longtemps inégalé de la Wisselbank, que tâchèrent d'imiter Hambourg et la Suède; bien plus tard, la Banque d'Angleterre (1694). Sans doute, le regrettable échec de Law (1719-1720) contribua-t-il à dégoûter les Français de tout billet de banque, surtout garanti par l'État. Sauf dans quelques grands milieux d'affaires, le XVIIIᵉ siècle ne crut que dans les « espèces sonnantes et trébuchantes », et tous les contrats, même de simple fermage rural, le répétaient à l'envi. Comment aussi avoir confiance en l'État, pitoyable payeur, banqueroutier en puissance, et souvent banqueroutier partiel?

Cette France sans banque d'État, sans banque privée vraiment indépendante, sans bourse qui compte, sans grande compagnie capitaliste permanente et extra-familiale (quelques grandes exceptions cependant), on serait surpris de la voir en si bonne posture, dans son archaïsme, face à des États bien plus « modernes », si l'on ne se souvenait de sa richesse en hommes, en produits de la terre, en marchandises exportables. Quel est donc, en fin de compte, l'essentiel, la clé, le cœur de l'économie française?

5 — Une robuste économie traditionnelle —————

**Ni la banque, ni la bourse, ni la machine, ni la grande fabrique, ni la concentra-
tion des capitaux, des entreprises et des hommes ne caractérisent donc la France
d'Ancien Régime,** sinon dans quelques secteurs étroits, apparus tardivement,
presque jamais avant 1750. **La France demeure un assemblage de provinces
rurales, aux mentalités traditionnelles, aux techniques archaïques, à la monnaie
longtemps rare, aux liaisons difficiles, où la quête du pain quotidien demeure
l'essentiel, où chaque groupe humain tente de « vivre du sien », en « bon ménager ».**

Le « bon ménager », qui vit au cœur de son domaine, et par son domaine :
telle fut l'image commune et traditionnelle, aussi vivante dans les almanachs
populaires que dans l'aristocratique *Théatre d'agriculture et ménage des
champs* d'Olivier de Serres (1600), si longtemps réédité (jusqu'au Consulat).
L'« Oeconomie Domestique » et le « Bon Mesnager » obsèdent les écrivains
sérieux; et les physiocrates eux-mêmes, ces traditionalistes qui s'ignorent,
chercheront seulement à moderniser l'image et le concept. Il n'est pas jusqu'au
roi, assis en ses palais, entouré de sa « famille » — parenté, grands vassaux,
serviteurs —, qu'on n'imagine volontiers gouvernant sagement son « mesnage »
— son royaume — en bon père de famille, vivant de ses terres... et à qui cela
devrait suffire.

Pour l'immense majorité, l'idéal reste **une manière d'autarcie cantonale,**
tempérée d'un peu de « commerce ». L'essentiel de l'économie, c'est la « subsistance », au sens le plus large : la nourriture de base, tous les blés, plus çà
et là des châtaignes et du poisson, le vêtement indispensable, le clos et le
couvert, le combustible enfin : et l'idéal est de tout produire sur le domaine,
en complétant au besoin par un troc ingénieux. Pour nourrir l'esprit, car
« on ne vit pas seulement de pain », il y a les prêtres, les conteurs et les sorciers;
seuls, les premiers sont en quelque sorte légaux, et il est normal de les aider
à vivre, puisqu'ils prient pour vous; avec les deux autres, les arrangements
sont plus discrets. Pour se protéger des ennemis, des brigands, des pillards,
des voisins, il y eut longtemps des guerriers puissants, et leurs forteresses
longtemps salvatrices : il fallut aussi les aider à vivre, pour qu'ils assurent la
sécurité, la police, et un peu de justice. Le roi s'est élevé au-dessus d'eux :
il protège, il rassure, il juge suprêmement, après Dieu, dont il est l'oint,
grâce au sacre; et puisqu'il ne peut vivre de son seul domaine, il a fallu aussi
se résigner à l'aider : l'« aide », vieux terme féodal. Pour celui-ci et pour ceux-
là, il est devenu nécessaire de se procurer cette monnaie qu'on obtient par
des ventes avisées comme par les travaux supplémentaires. L'argent, s'il

en reste, permettra aussi de voir venir les mauvaises années, d'établir les enfants, d'arrondir le lopin. Ainsi l'économie-argent est entrée dans l'économie-nature, depuis plusieurs siècles, à force de travail et d'intelligence, et parce que la terre ne l'interdisait pas. Au souci primordial de la subsistance s'est ajoutée la quête du « commerce » et de la « manufacture », moyens d'acquisition de l'indispensable monnaie. Ainsi s'expliquent et se justifient, pour les âmes simples et traditionnelles, à la fois la division sociale élémentaire (le roi, les guerriers, les prêtres, les travailleurs) et la dichotomie économique fondamentale (subsistance et commerce).

Ces conceptions simplistes, pourtant profondes et durables, ne constituent qu'un pauvre facteur d'explication. **L'État a grossi.** D'abord seigneurial, puis ducal ou comtal, enfin royal, il s'est livré à ses trois passions : commander, construire, combattre ; combattre surtout, à la fois pour la gloire et la puissance. D'immenses **ressources nouvelles** sont devenues nécessaires, que l'exploitation du domaine et l'« aide » traditionnelle ne suffisaient plus à alimenter : un système d'impositions, un système de crédit. Les hommes d'affaires du royaume, négociants ou armateurs — un Jacques Cœur, un Ango — ne se trouvant ni assez nombreux ni assez puissants, des étrangers sont venus, presque toujours des Italiens, issus de villes où le maniement de l'argent avait atteint un degré de virtuosité longtemps inégalé. Ces « coloniaux » de grand style ont aidé les rois et leurs serviteurs à ramasser de l'argent, à entreprendre, à exploiter, à moderniser, à pressurer aussi. Ils ont laissé des disciples. Ceux qui n'ont pas regagné Florence, Sienne, Gênes ou Lucques ont converti leurs énormes bénéfices en terres, en pierres, en offices, en bénéfices, en puissance ; deux de leurs descendantes — des Medici — furent reines de France. Puis des Allemands et des Hollandais sont venus, en attendant les Suisses.

Ces systèmes importés, modernes, efficaces, n'ont pas profondément modifié le vieux royaume rural qui continuait à subsister, à commercer, à entretenir ses prêtres, ses guerriers, ses juges et ses administrateurs de plus en plus nombreux. Mais ils ont perfectionné son exploitation. Ils ont rendu plus habile, plus général, plus lourd le grand ramassage des revenus de la terre et des ateliers, ce qui a fait crier, cabaler, révolter. Mais aucune révolte n'a donné de résultat positif, et l'accroissement des charges et la multiplication des collecteurs n'ont jamais véritablement ruiné le pays. La force de ce royaume, c'est d'être demeuré une société rurale nombreuse et puissante. Une mince élite de nobles, de prêtres, de roturiers riches, et l'État lui-même, se nourrissent de la substance paysanne, que pompe partiellement un astucieux système de prélèvements variés.

L'Ancien Régime fut une société rurale abondante et, en son temps, plantureuse, dominée par des rentiers.

TEXTES

9. Sur l'opulence et la supériorité du royaume de France

... Vos Majestés possèdent un grand Estat, agréable en assiette, abondant en richesses, fleurissant en peuples, puissant en bonnes et fortes villes, invincible en armes, triomphant en gloire. Son territoire est capable pour le nombre infini de ses habitants, sa fertilité pour leur nourriture, son affluence de bestail pour leur vestement...

La France seule se peut passer de tout ce qu'elle a de terres voisines, et toutes les terres voisines nullement d'elle... La moindre des provinces de la France fournit à vos Majestés ses bleds, ses vins, son sel, ses toiles, ses laines, son fer, son huile, son pastel, la rendant plus riche que tous les Pérous du monde...

Pour l'abondance de la marchandise et des hommes qui l'exercent, il y a plus de marchands en France et plus de moissons de traffic qu'il n'y a d'hommes en quelqu'autre royaume que ce soit... Pour l'industrie des arts, c'est de nous que tous les autres hommes la tiennent...

(En ce qui concerne les forges et la métallurgie) il y a plus de cinq cens mille personnes en vostre Estat qui comme salamandres vivent au milieu de ce feu, qu'il s'estend au reste en tant de divers mestiers qu'il faudroit plusieurs pages pour en faire le dénombrement... Nos voisins les ont appris de nous, et... les escoliers ne passent point encore les maistres. L'Angleterre nous en est un exemple suffisant, laquelle... s'est si bien instruite par l'adresse de nos hommes... Ce que je dy d'Angleterre, je le tiens dit pour la Flandre et principalement pour la Hollande. Car en ce subject mesme, elle nous doit plus qu'aux Allemans...

L'Allemagne, à la vérité, s'est attribuée une grand'louange au maniment du fer; mais les ouvrages que nous en faisons ont tousjours bien vallu et vallent bien autant que les siens; et quand je diray : mieux, la preuve ne me démentira point...

> Montchrétien, Antoine de, *Traicté de l'Œconomie politique dédié au Roy et à la Reine mère du Roy*, 1615, éd. Funck-Brentano, Paris, Rivière, s.d., pp. 23 à 50, *passim*.

N. B. — Ce texte n'est donné que comme exemple de la littérature plus ou moins « politique » du temps; l'idée générale est très courante; les exemples, fortement empreints de vanité « nationale », sont tous faux.

10. Archaïsme des techniques commerciales : l'exemple d'Amiens

(D'après) l'examen des minutes notariales et des inventaires après décès,... ce qui nous frappe, c'est d'abord l'archaïsme de ces pratiques au début du xviie siècle, et leur retard par rapport à celles que l'on a pu observer dans des grandes places internationales comme Lyon ou Anvers.

Le négoce intérieur conserve son caractère individuel; il continue à reposer sur un vaste réseau de connaissances, de confiance réciproque, entretenu de foire en foire. Des voyages périodiques, parfois même des alliances matrimoniales contribuent à nouer de province à province des relations régulières.

Les compagnies de marchands nous apparaissent dans le commerce picard excessivement rares, tandis que la législation et l'Église continuent à interdire les sociétés en commandite... (Les) rares compagnies fondées pour le négoce textile ne rassemblaient en général que les membres d'une même famille : deux frères, une veuve et son fils, deux cousins, l'un résidant à Amiens, l'autre à Rouen. Ces associations permettaient de réduire pour chaque marchand le nombre des déplacements en foire. Plus nombreuses, mieux organisées, elles auraient donné au négoce amiénois le moyen de s'informer des conditions de vente et d'apprécier plus sûrement les données de la concurrence sur les marchés extérieurs.

Le même archaïsme se manifeste dans la tenue des comptabilités... Si l'on en croit les inventaires, beaucoup de marchands d'Amiens, au début du xviie siècle, ne tenaient encore aucun livre : leurs obligations, leurs promesses étaient simplement réunies en liasses. On ne peut manquer d'être surpris de la négligence qui présidait à l'enregistrement des dettes et des échéances... Les héritiers... semblent incapables d'apprécier le passif des successions : « il y a à compter avec un tel, marchand de Paris, de Rouen, de Lyon... » ou encore : « Le dit Morgan a déclaré que, des dettes passives dont se trouvait chargée la communauté, il n'en pouvait à présent faire la déclaration, il doit pour cela arrêter ses comptes avec les marchands ».

Le retard que l'on apportait à régler les commandes entretenait cette négligence. Souvent, les premiers paiements n'intervenaient pas avant six mois et, au bout d'un an ou davantage, des créances importantes demeuraient en souffrance... Un mémoire du début du xviiie siècle sur le commerce d'Espagne signale que les Espagnols « préfèrent envoyer leurs laines en Angleterre et en Hollande plutôt qu'en France, parce que les ventes y sont payables à trois ou quatre mois de terme, au lieu qu'en France, par un usage très pernicieux, les ventes se font à vingt ou vingt-deux mois. »

... C'est un autre aspect remarquable de l'économie française au début du xviie siècle que son retard en matière de banque et de change. A Amiens, les échevins et bourgeois semblent s'être ingéniés... à empêcher toute organisation du système de crédit. A plusieurs reprises, en 1559 et 1560, l'Hôtel-de-Ville rejeta les propositions de plusieurs marchands piémontais qui désiraient s'installer comme banquiers dans la ville. Une partie des artisans et des fabricants étaient pourtant intervenue pour que l'on accordât l'autorisation sollicitée : sans doute connaissaient-ils par expérience les conditions exorbitantes de l'usure clandestine? Quelles que soient les raisons véritables de ces prohibitions, scrupules religieux ou avidité des usuriers et des crédirentiers, Amiens, capitale d'une grande province, demeurait privée de toute institution de crédit.

Cette carence explique le retard avec lequel se généralisa l'usage des lettres et billets de change... La doctrine de l'Église et la législation royale proscrivaient leur usage dans le négoce intérieur, leur interdisant de jouer le rôle de nos modernes traites escomptables...

C'est seulement dans le dernier quart du siècle que les nécessités économiques prévalurent peu à peu sur les scrupules religieux et juridiques. L'examen des inventaires après décès révèle la diffusion plus grande des lettres, billets de change et billets à ordre revêtus d'endossements successifs...

DEYON Pierre, *Amiens, capitale provinciale, étude sur la société urbaine au XVIIe siècle*, Mouton, Paris-La Haye, 1967, pp. 98-102.

N. B. — On rappellera qu'Amiens, trente à quarante mille habitants, fut, de loin, le premier centre français de production des étoffes de laine durant tout l'Ancien Régime.

11. Prix du muid (660 litres) de vin nouveau sur le marché de Béziers

(en livres tournois, prix de septembre-octobre, après la vendange.)

1613.....	25	1632.....	50	....		1698.....	50
1614.....	36	1633.....	24	1680.....	30	1699.....	50
1615.....	8	1634.....	23	1681.....	23	1700.....	24
1616.....	30	1635.....	30	1682.....	15	1701.....	23
1617.....	57	1636.....	24	1683.....	21	1702.....	56
1618.....	30	1637.....	50	1684.....	22	1703.....	48
1619.....	15	1638.....	48	1685.....	18	1704.....	30
1620.....	20	1639.....	54	1686.....	13	1705.....	16
1621.....	8	1640.....	34	1687.....	10	1706.....	9
1622.....	30	1641.....	20	1688.....	15	1707.....	23
1623.....	18	1642.....	39	1689.....	17	1708.....	46
1624.....	15	1643.....	66	1690.....	18	1709.....	95
1625.....	18	1644.....	16	1691.....	33	1710.....	56
1626.....	18	1645.....	12	1692.....	21	1711.....	45
1627.....	30	1646.....	16	1693.....	45	1712.....	36
1628.....	30	1647.....	22	1694.....	56	1713.....	53
1629.....	?	1648.....	30	1695.....	46	1714.....	60
1630.....	24	1649.....	22	1696.....	72	1715.....	38
1631.....	36	1650.....	36	1697.....	32	1716.....	13

Extrait de LE ROY-LADURIE Emmanuel, *Les Paysans de Languedoc*, Paris, S.E.V.P.E.N., 1966, t. 2, pp. 823-824.

12. Prix moyen annuel du setier de seigle (156 litres) à Paris

(Les prix sont ceux d'après la récolte; ils sont exprimés en livres tournois et dixièmes de livres tournois.)

1635....	7,4	1651....	20,8				
1636....	8,1	1652....	13,6	1667....	4,9	1682....	6,3
1637....	6,4	1653....	7	1668....	5	1683....	7,1
1638....	5,2	1654....	5,9	1669....	4,7	1684....	11
1639....	5,1	1655....	7	1670....	4,9	1685....	6,1
1640....	7,9	1656....	6,2	1671....	4,8	1686....	5,7
1641....	7,9	1657....	7,1	1672....	4,7	1687....	4,4
1642....	10,3	1658....	10	1673....	5,1	1688....	4,5
1643....	12,3	1659....	9	1674....	9,1	1689....	6,7
1644....	8,7	1660....	12	1675....	7,1	1690....	5,4
1645....	4,6	1661....	20,6	1676....	6,4	1691....	7,5
1646....	6,4	1662....	14,4	1677....	9,3	1692....	12,1
1647....	8,4	1663....	10,4	1678....	8,7	1693....	26,5
1648....	10,5	1664....	7,5	1679....	9,8	1694....	9,8
1649....	18	1665....	8,4	1680....	6	1695....	5,4
1650....	13,9	1666....	5,5	1681....	8		

D'après BAULANT Micheline et MEUVRET Jean, *Prix des céréales extraits de la mercuriale de Paris,* Paris, S.E.V.P.E.N., 1962, t. 2, p. 136.

13. Valeur en grammes d'argent fin de la livre tournois

1513.........................	17,96	1654.........................	8,33
1521.........................	17,19	1666.........................	8,60
1533.........................	16,38	puis retour à	8,33
1541.........................	16,07	1690.........................	7,56
1543.........................	15,62	1693.........................	6,93
1549.........................	15,57	1700.........................	7,02
1550.........................	15,12	1715.........................	5,60
1561.........................	14,27	1726.........................	4,45
1573.........................	13,19		
1575.........................	11,79		
1602.........................	10,98		
1636.........................	8,69		
1641.........................	8,33		
1652.........................	7,56		
1653.................. 4 variations de 7,16 à 7,92			

(stable ensuite jusqu'à la Révolution)

Tableau à la fois simplifié et complété, extrait essentiellement de BAULANT, Micheline et MEUVRET Jean, *Prix des céréales extraits de la mercuriale de Paris,* Paris, S.E.V.P.E.N., 1962, t. 2, p. 157.

LECTURES COMPLÉMENTAIRES

1. Le tome 2 (1660-1789) de l'*Histoire économique et sociale de la France moderne*, par LABROUSSE Ernest, LÉON Pierre, GOUBERT Pierre (et autres), dont la parution est imminente aux P.U.F., va rendre pratiquement caducs tous les manuels précédents. Cet ouvrage contiendra une bibliographie sélective largement suffisante.

On peut encore recourir à la dernière édition de SÉE Henri, *Histoire économique de la France*, A. Colin, 2 vol., 1948 et 1954, avec bibliographies mises à jour à la date par R. SCHNERB.

2. Les ouvrages (parfois aussi de simples articles) qui ont fait progresser de manière décisive l'histoire économique de la France d'Ancien Régime, sont assez souvent des thèses de doctorat, à caractère régional. Elles sont signalées d'un astérisque dans la courte sélection que voici :

● BAEHREL * René, *Une Croissance, la basse Provence rurale (fin du XVIᵉ siècle-1789)* Paris, S.E.V.P.E.N., 1961, 1 vol. 842 p. et 1 atlas.

● DELUMEAU Jean, *L'Alun de Rome, XVᵉ-XIXᵉ siècle*, Paris, S.E.V.P.E.N., 1962, 346 p.

● DERMIGNY Louis, « Circuits de l'argent et milieux d'affaires au XVIIIᵉ siècle », dans *Revue Historique*, oct.-déc. 1954, p. 239-278.

● DEYON * Pierre, *Amiens capitale provinciale, étude sur la société urbaine au XVIIᵉ siècle*, Paris et La Haye, Mouton, 1967, 606 p.

● DION Roger, *Histoire de la vigne et du vin en France des origines au XIXᵉ siècle*, Paris, 1959, 768 p.

● FRECHE * Georges, *La Ville de Puylaurens et le diocèse de Lavaur, 1598-1815*, étude d'histoire économique et sociale (thèse de 3ᵉ cycle, Nanterre, 538 pages et un atlas, dactylographiées, à paraître).

● GOUBERT * Pierre, *Beauvais et le Beauvaisis de 1600 à 1730, contribution à l'histoire sociale de la France du XVIIᵉ siècle*, Paris, S.E.V.P.E.N., 1960, 1 vol. et 1 atlas, 653 + 120 p. (éd. abrégée, 1968, coll. « Science », Flammarion sous le titre : *Cent Mille Provinciaux au XVIIᵉ siècle*.

● LABROUSSE * Ernest, *Esquisse du mouvement des prix et des revenus en France au XVIIIᵉ siècle*, Paris, Dalloz, 1933, 2 vol., 698 p.

● LABROUSSE * Ernest, *La Crise de l'économie française à la fin de l'Ancien Régime et au début de la Révolution*, Paris, P.U.F., 1944, 664 p.

● LEFEBVRE * Georges, *Les Paysans du Nord pendant la Révolution française*, Lille, 1924, 1 020 p. (rééd. Laterza, Bari, 1959).

● LÉON * Pierre, *La Naissance de la grande industrie en Dauphiné, fin du XVIIᵉ siècle-1869*, Paris, P.U.F., 1953, 2 vol., 968 p.

● LE ROY-LADURIE * Emmanuel, *Les Paysans de Languedoc*, Paris, S.E.V.P.E.N., 1966, 2 vol., 1 035 p.

● LUTHY Herbert, *La Banque protestante en France*, Paris, S.E.V.P.E.N., 1959, 2 vol., 454 et 860 p.

● MEUVRET Jean, « Les Mouvements des prix de 1661 à 1715 et leurs répercussions » dans *Bulletin de la Société de Statistique de Paris*, 1944, p. 1-9.

ID., « Circulation monétaire et utilisation économique de la monnaie dans la France du XVIᵉ et du XVIIᵉ siècle », dans

Etudes d'histoire moderne et contemporaine, t. I, 1947, p. 15-28.

Id., « Manuels et traités à l'usage des négociants aux premières époques de l'âge moderne », *ibid.*, t. 5, p. 1-29.

● Poitrineau * Abel, *La Vie rurale en Basse-Auvergne au XVIII⁰ siècle (1726-1789)*, Paris, P.U.F., 1965, 2 vol., 780 et 149 p.

● Saint-Jacob * Pierre de, *Les Paysans de la Bourgogne du Nord au dernier siècle de l'Ancien Régime*, Paris, Les Belles-Lettres, 1960, 643 p.

● « Aspects de l'économie française au XVII⁰ siècle », n⁰ 70-71 de la revue *XVII⁰ siècle* (1966) avec contributions de Meuvret, Jacquart, Deyon, Delumeau et autres.

CHAPITRE IV

LES CADRES
DE LA SOCIÉTÉ RURALE

Malgré la différence des climats, des langues et des coutumes, des Flandres aux Pyrénées et de la Bretagne à la Provence, la société rurale, la société essentielle et majoritaire, est **l'héritière d'un long passé** qui l'a marquée, dessinée sur le sol, fortement encadrée. Déchiffrer ces structures anciennes et successives, complexes et vivaces, n'est pas une tâche aisée. On simplifiera beaucoup en distinguant tour à tour l'unité agricole (le terroir), l'unité seigneuriale, l'unité religieuse, et les unités fiscales et familiales.

1 — Le terroir

Très simplement, le terroir est l'ensemble des terres de toute nature cultivées ou exploitées par un groupe d'hommes, ou bien concentré dans un gros village ou plusieurs hameaux, ou bien dispersé dans un irrégulier semis de bâtiments. L'unité du terroir est toujours assurée, et comme symbolisée, par un organisme commun, l'« assemblée des habitants ». Celle-ci suit des règles traditionnelles ou édicte des règlements occasionnels pour que l'exploitation en partie commune du terroir puisse se faire dans l'intérêt commun : on comprendra aisément qu'il fût au moins nécessaire de régler, par exemple, le pâturage des bestiaux, afin qu'ils n'aillent pas piétiner les emblavures ou déguster les blés.

Le terroir s'identifie assez souvent à la paroisse (l'unité religieuse), spécialement dans les pays d'habitat fortement groupé, comme la plupart des grandes plaines à céréales; il en va différemment dans les pays d'habitat semi-dispersé (plusieurs hameaux, comme dans l'Ouest), où plusieurs terroirs peuvent former une paroisse. Ce qui complique habituellement les choses (ou les simplifie, si l'on veut), c'est que l'assemblée « religieuse » paroissiale a souvent fini par s'identifier avec l'assemblée « agricole » des habitants : l'on y débattait concurremment des problèmes matériels concernant l'église et des problèmes agraires concernant le terroir, et même des problèmes fiscaux posés principalement par la perception de l'impôt royal.

L'extraordinaire variété des terroirs français a de quoi décourager (ou passionner) l'historien. Et pourtant, à la suite de Roger Dion et de Marc Bloch, ce sont surtout les géographes qui ont traité la question, en se penchant peut-être trop étroitement sur le contraste « openfield » bocage dont l'exposé occupe tous les manuels, et qui ne présente pourtant pas un intérêt fondamental.

De quelque surface, de quelque forme, de quelque contour cartographique qu'il soit, un terroir rural regroupe presque toujours trois éléments distincts et complémentaires :

Le manse

Le **« manse »,** pour reprendre un terme médiéval qui a survécu dans de nombreux vocables provinciaux (mas méridional, meix bourguignon, mazure normande), parcelle juridiquement une, porte à la fois la maison, la cour, les bâtiments pour le bétail, et le jardin. De nombreux villages et hameaux sont constitués par des parcelles soigneusement encloses (murs, haies, chemins), de superficie rigoureusement égale (mais pouvant se subdiviser ou se regrouper), et qui jouissent de privilèges importants : outre la clôture, celui de ne pouvoir être dîmées, et de payer des droits seigneuriaux habituellement très légers (de faibles cens). De plus, celui qui « tient » (le mot « posséder » est abusif, nous le verrons) jouit d'une liberté considérable, notamment de cultiver dans son jardin exactement ce qu'il veut : herbes et racines (ce sont nos « légumes »), mais aussi chanvre et lin, fourrages de qualité (trèfles et sainfoins ont débuté là) et tentatives expérimentales, les graines nouvelles progressant de l'Italie, du Proche-Orient et de l'Ibérie aux jardins basques et surtout languedociens et comtadins, avant de se décider à gagner le Nord : après les artichauts et les « pompons » (melons), les tomates et le « gros millet » (le maïs) américains, en attendant la « cartoufle » (pomme de terre) de longtemps connue et méprisée, ou renvoyée au bétail.

Le manse, cellule de vie, est aussi cellule d'avenir.

Les labours

Qu'il soit enclos de haies vives ou de pierres sèches, ou simplement de forts sillons limités par de solides bornes, le champ a pour mission de fournir l'aliment essentiel de l'homme, le blé commun, souvent plus gris que blanc, fondement de la vie matérielle d'une société de mangeurs de pain, de soupes, de galettes et de bouillies. Il fournit aussi la nourriture du cheval (l'avoine) et le blé des riches (le froment), dont la vente au dehors concourt à la fois à la subsistance et au commerce. Que les champs se reposent un an sur deux (assolement biennal, surtout méditerranéen), ou sur trois, ou sur quatre, ou bien plus souvent si le sol est maigre, ce n'est qu'adaptation aux conditions naturelles et aux habitudes locales; qu'ils dessinent des lanières, des quadrilatères trapus, des lignes courbes ou des terrasses; qu'ils se présentent en étendues immenses, sans arbre et sans clôture visible, ou en taches minuscules joignant les bâtiments d'exploitation, dans une texture de pâtures et de broussailles, — tous les champs aident à résoudre le seul et même problème qui est de produire suffisamment de blé pour que vive la communauté rurale dans son ensemble et chaque famille en particulier.

Contrairement aux jardins, ils supportent une culture souvent réglée — mais bien plus par l'usage que par des textes précis; contrairement aux jardins encore, toutes les fiscalités du temps s'abattent sur eux, à peu près sans limite et sans réserve.

Le « saltus »

Ce vieux mot des agronomes latins peut servir à nommer rapidement l'ensemble de grasses prairies, de mauvaises pâtures, de broussailles, de taillis, de landes et de forêts sans lesquels une communauté rurale a bien du mal à vivre. Non seulement le saltus permet la nourriture du bétail, mais il apporte le bois, les branches, les feuilles, les fruits qui sont indispensables à la vie rurale, pour l'habitation comme pour le chauffage, pour les litières comme pour la boisson (les baies), pour les outils et même pour la nourriture (les châtaignes, vrai « pain » de quelques provinces). Mais ces étendues ni labourées ni bêchées (sinon par exception) posent des problèmes graves aux communautés, qui doivent organiser à la fois leur protection (contre une utilisation excessive et destructrice) et leur exploitation (part de chacun au pâturage et au bois), et les défendre contre ceux qui les convoitent et même prétendent les occuper, essentiellement les seigneurs. Rude besogne pour l'assemblée des chefs de manses qui se réunit le dimanche, à l'issue de la messe, pour délibérer des affaires communes.

La **très inégale répartition de ces trois éléments de base** donne la clé de la variété de la campagne française. Grandes plaines du « Nord », aux « courtils » minuscules et au « saltus » souvent absent, qui ne sont que des champs de blé dans leur monotonie et leur fragilité, elles ne peuvent nourrir de gros bétail, et ont dû inventer la « vaine pature » — entre la moisson et les semailles — pour faire subsister de jaunâtres et maigres troupeaux de brebis, gardés en commun par le berger communal; elles ont dû édicter des lois sévères, écrites et plus souvent tacites, pour régler la culture, la date des moissons, la fermeture des champs, et entretenir en commun des bergers et des garde-moissons (« messiers », du latin *messis*). Grands bocages de l'Ouest, terres de l'individualisme, où chaque petit hameau possède autour de lui, disposés en auréoles, son courtil et sa chanvrière, ses terres « chaudes » constamment fumées, emblavées et encloses, ses terres « froides » périodiquement semées, puis jachérées et pâturées, et ses immenses landes communes, sources de richesses systématiquement exploitées, même pour la nourriture des chevaux. Normandie aux énormes manses ou mazures, sites d'élection d'un élevage prospère. Montagnes couvertes de bois et d'herbages dont la stricte exploitation collective préserve généralement du froid et de la faim, labours et courtils étant rares et pauvres. Vignes qu'il faut protéger des pillards de tout poil, et vendanger à la même date... Sur cette tapisserie d'une variété illimitée, la nécessité d'une organisation, d'une discipline, d'une police est partout évidente, bien qu'à des degrés divers.

Cette direction indispensable, une organisation sans doute ancestrale, la **« communauté des habitants »** l'assure avec constance, compétence et rigueur. Mais cette institution fondamentale, ancêtre robuste de nos conseils municipaux, est encore mal connue, et se présente d'une province à l'autre avec une vigueur inégale; l'inégale puissance des seigneurs en est sans doute responsable. Elle s'occupe d'autre part de certains des problèmes religieux de la paroisse, et passe beaucoup de temps à régler des questions financières, essentiellement la répartition de l'impôt. Tantôt élargies, tantôt rétrécies, ses attributions témoignent de la complication des cadres, anciens ou récents, qui enveloppaient la société rurale. Parmi ceux-ci, le cadre seigneurial, aux origines lointaines et incertaines, et à l'évolution encore plus complexe.

2 — La seigneurie

Il faudrait un livre entier pour étudier la seigneurie entre le XVIᵉ et le XVIIIᵉ siècle, rien qu'en France. Et ce livre débuterait inévitablement par le long catalogue des erreurs habituellement reçues : il va bien falloir en évoquer quelques-unes au passage.

Une seigneurie est **un ensemble de terres,** soigneusement et anciennement **délimitées,** qui constitue **la propriété éminente** et **la zone de juridiction d'un personnage individuel ou collectif** nommé **seigneur.**

Les dimensions territoriales d'une seigneurie peuvent être infimes — quelques ares —, ou s'étendre à plusieurs milliers d'hectares, avec toutes les combinaisons intermédiaires; c'est dire que les limites d'une seigneurie peuvent coïncider avec celles d'un terroir, ou d'une paroisse; il arrive souvent qu'elles en diffèrent tout à fait, et qu'un terroir ou une paroisse dépendent de deux, ou de plusieurs seigneurs; leur territoire se divise alors en plusieurs seigneuries, ou fragments de seigneuries, fort inégaux.

Contrairement à ce qu'on croit habituellement, **le seigneur n'est pas forcément un noble,** ce qui pourtant dut arriver dans la majorité des cas, notamment dans les provinces traditionnelles et riches de maisons nobles, Bretagne, Bourgogne, Beaujolais. Un seigneur peut être un laïque ou un ecclésiastique, un individu ou une collectivité, un noble ou un roturier. Les abbayes de femmes représentent un type de seigneurie qui n'est ni individuel, ni masculin, ni forcément noble, ni évidemment laïc. N'importe qui peut acheter une seigneurie, s'il est riche : outre ses revenus, elle lui conférera une certaine dignité, qui l'aidera aussi à donner peu à peu aux naïfs, aux résignés et aux oublieux l'illusion de la noblesse.

En règle générale, une seigneurie se divise en deux parties. **Le domaine,** où se dressent la maison seigneuriale (qui n'est pas forcément un château) et le tribunal seigneurial, comprend généralement un parc entourant le manoir, une grande ferme proche (la « basse-cour »), souvent une chapelle et un moulin, et presque toujours des terres et des bois bien groupés qui sont sous la dépendance directe du seigneur, qui peut les travailler avec l'aide de serviteurs et de journaliers, ou les confier à de bons fermiers. Fréquemment encore, le territoire domanial réservé est mis en valeur avec l'aide à peu près gratuite des « censitaires » qui occupent les « tenures » : corvées de bras, de chevaux, de transport.

La seconde partie de la seigneurie, habituellement la plus considérable, et de loin, est constituée par **les censives,** ou **tenures.** Ce sont les manses et les terres que le seigneur a jadis confiées — ou prétend avoir jadis confiées — à des manants pour qu'ils les exploitent plus ou moins librement, moyennant une cascade de redevances fort variées, dont la plus significative est **le cens.** Le cens est une redevance annuelle, souvent légère, versée à date fixe, imprescriptible, et qui est justement « recognitive » de la seigneurie. D'où le nom de « censives » fréquemment attribué à ces terres, et celui de « censitaires » attribué aux paysans qui les « tiennent » — les « tenanciers » —, qui en conservent l'usufruit héréditaire (héréditaire, moyennant d'autres droits), et non la « nue-propriété », la propriété complète du fonds. Mille complications, plus ou moins répandues, aggravent ce schéma. Assez souvent, le seigneur garde **le monopole (le « ban ») du moulin, du pressoir, du four,** dont il ne concède pas gratuitement l'usage. Presque toujours, lorsque le censitaire vend, échange ou lègue, le seigneur perçoit une manière de **droit de mutation** (saisine, relief, lods et ventes...) qui enlève entre le dixième et le tiers du bien aliéné. Une partie des terres concédées aux censitaires, sans doute les plus récemment défrichées, doit un **« champart »,** en pratique une sorte de dîme seigneuriale, qui représente couramment entre le neuvième et le tiers de chaque récolte, taux exorbitant et mal supporté. Enfin le seigneur possède habituellement le **monopole de la chasse, de la pêche, de l'utilisation des rivières, de l'élevage des pigeons, de la vente et même de la récolte de ses produits :** par exemple, il vendange le premier, et vend son vin le premier (c'est le « banvin »). Il prétend aussi — et parfois fort justement — avoir la propriété éminente des divers « saltus », pâtures ou forêts, que la communauté des habitants revendique aussi pour elle-même en bloc. Dans presque tous les cas, **le seigneur est juge de ses censitaires** que, par un significatif abus de langage, contamination du vieux vocabulaire féodal, il nomme ses « vassaux », terme qui ne devrait convenir qu'à des nobles possédant fief. S'il a souvent renoncé à la juridiction criminelle (trop coûteuse et abandonnée aux tribunaux royaux), il persiste, par son bailli, son lieutenant de justice, son procureur fiscal, ses greffiers et même ses notaires, à dominer le civil. Selon la coutume des lieux, accrue souvent d'« usages » locaux, il fait juger les conflits entre les paysans, les querelles de bornage, de pâturage, les batailles après boire, et préside à l'utile juridiction gracieuse qui règle les affaires de successions, de minorités et de tutelles. Il y a mieux, ou pire : le tribunal seigneurial s'érige en juge des conflits de toutes sortes qui ne manquent pas de survenir entre les censitaires et le seigneur, notamment au sujet des terres prétendues « communales ». Cette fonction trop évidemment inéquitable ne doit pas faire oublier que ces vingt ou trente mille cours de justice jouèrent, jusqu'à la fin de l'Ancien Régime, un rôle considérable, souvent bienfaisant, comparable à celui des futures justices de paix.

Il serait contraire à l'esprit de l'Ancien Régime que les seigneuries soient également puissantes et également présentes dans la totalité du royaume.

Un ensemble de terres qui fut considérable, surtout dans le Centre et le Midi, a toujours échappé, au Moyen Age, à la sujétion féodale : ce sont **les alleux,** terres de la quasi-liberté, de la propriété quasi « quiritaire » (quirites = romains), qui rappelle les Romains et annonce le Code civil. Les juristes ont travaillé à les faire disparaître, et Louis XIV s'est affirmé souverain seigneur de tous les alleux du royaume, notamment par un édit d'août 1692. Les alleux ont pourtant survécu à cette prétention. Les historiens les retrouvent, obsédants, dans le Sud-Ouest, l'Ouest et le Centre, en plein XVIIIᵉ siècle. En Basse-Auvergne, par exemple, une masse de huit cents contrats notariaux a révélé un pourcentage d'alleux, donc de terres étrangères à la domination seigneuriale, proche de 30 % : dans des localités comme Lempdes et Manson, les alleux sont majoritaires! C'est que l'Auvergne appartient juridiquement et linguistiquement au Midi, ce gros tiers de la France dont les historiens ne parlent pas assez. Or, dans le Midi, terre de toutes les libertés, le régime seigneurial n'est pas de droit. Alors que dans la France « française » (moitié nord), domine l'adage célèbre : « nulle terre sans seigneur », c'est l'adage inverse, expression d'un droit contrasté, qui régit le Midi : « nul seigneur sans titre »; ce qu'un juriste languedocien, Caseneuve, célébrait hardiment en 1645 par cette proclamation : « Il est bien plus glorieux à un prince de commander à des personnes libres qu'à des esclaves ». Les historiens qui ont récemment étudié **le Midi** ont unanimement souligné **la faiblesse des liens seigneuriaux,** et aussi de la rente purement seigneuriale.

Inversement, **la Bretagne** et **la Bourgogne** ont révélé **des types extrêmement rigoureux de seigneuries.** Plus que la culture des terres, ce sont les droits « féodaux » qui nourrissent les seigneurs bretons; corvées réglées par la coutume, lods et ventes extrêmement lourds, droits de moulin généraux et écrasants pour les « vassaux ». En Bourgogne, la seigneurie s'appelle « le fief », et cette contamination du langage seigneurial par le langage féodal est déjà éloquente; elle pèse avec une rare lourdeur sur des paysans assez peu patients : à des droits honorifiques prétentieux et humiliants (voir texte nº 16) s'ajoute généralement la fameuse « tierce », prélèvement voisin du tiers des récoltes, auprès de quoi la dîme finit par paraître supportable. Encore la Bourgogne détient-elle, en nombre qui demeure considérable, mais en commun avec cette écharpe de provinces défavorisées qui unit la Marche à la Franche-Comté, cette extraordinaire particularité de nourrir — assez mal — les derniers serfs du royaume, les mainmortables.

A la manière des anciens serfs, **les mainmortables** sont attachés à leur terre, à la terre de leur seigneur, dont ils ne peuvent « déguerpir » qu'en abandonnant leurs biens et leurs droits; et même en fuyant, ils n'échappent pas à la juridiction de leur seigneur : c'est le « droit de suite », toujours vivant en plein XVIIIe siècle. Ils ne peuvent se marier qu'avec l'assentiment du seigneur (le vieux « formariage »), et font de leur épouse une mainmortable, même si elle ne l'est pas de naissance. Ils ne peuvent léguer leur maison et leurs champs qu'à leurs enfants, s'ils en ont, et à condition que ceux-ci vivent avec eux : sinon l'héritage revient au seigneur, c'est l' « échute ». A leur seigneur ils doivent encore des tailles spéciales (et parfois « à volonté ») et des corvées qui ont été réglées, mais restent plus fortes qu'ailleurs, surtout en charrois. Il s'est trouvé de puissants Bourguignons, juristes comme Bouhier, nobles comme le marquis de Branges, et même l'intendant Joly de Fleury pour justifier et vanter ce mode de sujétion, dont les revenus étaient énormes, et qui apparaissait aux physiocrates et aux philosophes les plus modérés comme les derniers restes de la « barbarie ».

Dans la pesée seigneuriale qui s'exerçait sur la plus grande partie de la France, les pays de mainmorte représentent l'exemple le plus lourd. Ils montrent en même temps la forte liaison, et presque la filiation qui rapprochait encore le régime seigneurial, en pleine vitalité, d'un régime « féodal » dont la décadence dans les mots, les mentalités et les faits fut peut-être plus apparente que réelle, comme les révolutionnaires et les paysans s'en rendaient parfaitement compte.

Là où il est puissant, le seigneur prétend naturellement, en tant que « premier habitant » du village, convoquer, présider et dominer la communauté rurale, sinon en personne, du moins par son bailli, parfois par son receveur. Or, les occasions de **conflit avec la communauté** sont à peu près innombrables. Elles peuvent porter sur le taux et la perception des divers droits, sur le pacage des bestiaux (le seigneur prétend fréquemment à un droit de « troupeau à part »), sur les ravages des pigeons, sur l'utilisation et la propriété du précieux saltus, les « communaux ». Les querelles des seigneurs et des communautés villageoises ont longuement retenti dans les campagnes bourguignonnes, si bien étudiées : on n'y connaît cependant pas d'exemple où la communauté, plaidant contre son seigneur, ait gagné son procès, — ce qui n'est pas le cas ailleurs, surtout dans le Midi. Dans d'autres provinces, surtout encore le Midi, la communauté, qui garde d'un brillant passé son beau nom de « consulat », semble avoir souvent gagné la bataille. En Provence, elle prend elle-même à ferme et en bloc la perception des droits seigneuriaux, et verse à son seigneur une somme annuelle fixe. En Haut-Languedoc, elle est pourvue d'archives décisives et bien conservées, si bien que le seigneur ne peut se risquer à revendiquer ce qui ne lui a jamais appartenu, puisque c'est à lui de faire ses preuves, et que la communauté détient les siennes.

84

Mille variations locales ne sauraient pourtant troubler la vue d'ensemble. **D'être profondément seigneuriale a marqué l'ancienne société française;** elle l'a de plus en plus mal supporté, et s'est débarrassée sans regret apparent de la « barbarie féodale », soit qu'elle ait aidé à la détruire activement, soit qu'elle ait accueilli avec le plus grand soulagement sa suppression provisoire et partielle (1789), puis définitive (1793). Après quoi le « temps des seigneurs », sauf survivances locales, est bien terminé. Directement issu du Moyen Age, il était devenu insupportable, parce que humiliant, souvent lourd, généralement injustifié : il y avait beau temps que les seigneurs, nobles ou non, ne protégeaient plus guère qui que ce soit de quoi que ce soit, du moins en raison de leur seigneurie.

3 — La paroisse

La paroisse, **c'est la communauté des âmes, la communauté des fidèles, bien plus que celle des terres.** Et pourtant, comme elle a son lieu de culte et de réunion, ses institutions propres, son pasteur qui a « charge d'âmes », il faut bien que ces âmes s'inscrivent sur **un territoire.** Sur un territoire de longtemps connu, délimité, parfois borné, subdivision des subdivisions du diocèse, archidiaconés et doyennés. Si vénérable et si clair, ce territoire, qu'il a servi de cellule élémentaire à l'administration royale, surtout quand elle a étendu son exigeante fiscalité sur tout le royaume, directement ou non. Même après la Révolution, la plupart des paroisses rurales — qui correspondaient assez rarement à des seigneuries, plus souvent à des terroirs, presque toujours à des « collectes » — sont devenues des « communes », sans aucune modification dans peut-être neuf cas sur dix. Si bien que la vieille géographie chrétienne demeure encore bien vivante.

L'église paroissiale a son **« saint patron »,** sous le **vocable** duquel elle a été fondée. Il est particulièrement révéré par les fidèles, surtout lorsque quelque relique en a été conservée, toujours miraculeusement. Elle a aussi son **« patron » temporel,** lointain descendant ou représentant du « fondateur » matériel de la paroisse : parfois un grand personnage laïque, plus souvent ecclésiastique, évêque, chapitre, abbaye. En principe, mais pas toujours (il y a des droits de « présentation » et de « résignation », sur lesquels on ne peut insister ici), ce patron temporel ou « collateur » dispose de la désignation du prêtre qui dessert la paroisse, ainsi pourvu du « bénéfice à charge d'âmes » qu'elle représente. A ce desservant, on donne habituellement le nom de « curé » (curé, celui qui a charge d'âmes, *cura animarum*), bien qu'il n'y ait pas toujours droit (certains « patrons » ecclésiastiques sont appelés « curés primitifs » — ce qu'ils furent souvent —, et le prêtre résident n'est juridiquement que « vicaire »). Au-delà d'incroyables complications de détail, il importe de souligner immédiatement que les évêques ne choisissaient jamais tous les curés de leur diocèse, et en désignaient même fort rarement la majorité.

Quel que soit le titre auquel il a droit, celui que nous appellerons désormais, comme ses paroissiens, le « curé » (« recteur » en Bretagne) remplit d'abord le devoir de son ministère, « paître les âmes »; mais il est chargé aussi de multiples obligations qui ne découlent pas toujours clairement de ce ministère. Tenir registre des baptêmes, mariages et sépultures lui est imposé au moins depuis le concile de Trente; mais la législation royale essaie de le contraindre, surtout à partir de l'ordonnance civile de 1667, à des modalités administratives complexes (registres tenus en double, etc.) qui agacent beaucoup de curés. Leur faire assumer le rôle de diffuseur des ordonnances royales, d'auxiliaires de la justice, voire d' « annonceurs » de ventes immobilières, paraît fort éloigné de ce qu'on appelle aujourd'hui la « pastorale »; mais à qui le pouvoir et les tribunaux pouvaient-ils s'adresser, pour toucher une population rurale en majorité analphabète, et qui ne s'assemblait régulièrement qu'à l'office du dimanche?

Toute paroisse possédait et administrait des biens, tout à fait distincts des biens « communaux ». Immeubles et meubles, ces **« biens de paroisse »** comprenaient habituellement, en dehors de l'église, le cimetière, éventuellement un ossuaire, le presbytère et son jardin, assez souvent une école, et aussi une partie du mobilier qui se trouvait ici et là : ensemble d'immeubles communément groupés au centre du village, dans ce qu'on appelle parfois l' « enclos paroissial ». A ce noyau, la piété et la crainte de l'Enfer avaient ajouté un certain nombre de terres, de rentes, parfois de maisons. C'étaient les « fondations », instituées par testament ou acte notarié par des paroissiens inquiets et assez fortunés, qui désiraient s'assurer ainsi des messes à date fixe (les « messes d'obit ») et à perpétuité. Biens anciens et nouveaux sont gérés, non par le curé, mais par une assemblée de paroissiens, **la « fabrique »**, plus ou moins juxtaposée au « corps politique » de la communauté rurale, et parfois confondue avec lui. Ses membres, les **marguilliers**, entretiennent les bâtiments, louent les terres, perçoivent les rentes, versent au prêtre le montant (souvent important) des messes dégagé par le revenu des fondations, mais s'occupent aussi du luminaire, des vases et des linges sacrés, des sièges et des bancs, voire du choix des prédicateurs occasionnels (Avent, Carême) au moins jusqu'en 1695. C'est dire que les occasions de conflit entre la fabrique et le curé ne sont pas rares.

Il faut bien souligner que l'entretien, les réparations, la décoration et même la reconstruction de l'église et des bâtiments liés au culte incombent aux paroissiens en corps, de même que l'entretien de l'école et le paiement du « magister », quand ils existent. En principe, les gros décimateurs devraient y participer; en fait, ils ergotent, plaident ou renâclent bien souvent. Et rien, sinon leur piété, n'obligeait le seigneur ou les grandes familles de la paroisse à prendre une part exceptionnelle de ces lourdes charges. Bien des paroisses se sont saignées et endettées pendant de nombreuses années pour reconstruire une église, un presbytère, parfois une école. Ce qui rendait donc obligatoire l'existence d'**un budget paroissial** et de **contributions paroissiales** que les habitants se répartissaient entre eux (au xviiie siècle sous l'étroit contrôle de l'intendant).

Il convient de le répéter : la « dîme des fruits de la terre » aurait dû suffire, ou presque, pour acquitter ces dépenses, et quelques autres (entretien du curé, secours aux pauvres). Outre que les « territoires » des « dîmages » ne correspondent pas forcément au territoire de la paroisse (qui peut comprendre plusieurs dîmages, complication nouvelle), beaucoup de riches bénéficiaires (évêques, couvents, chapitres et même laïcs) habitaient loin, et se souciaient mal de leurs obligations envers la paroisse qu'ils « dîmaient ». Ce détournement des dîmes, l'une des caractéristiques les plus fortes et les plus mal supportées de l'Ancien Régime, sera examiné plus loin (chap. VI). Au niveau de la paroisse, il aboutit bien à une surcharge populaire, importante bien qu'inégale, qu'aggrave encore la nécessité de rémunérer le clergé pour la plupart des actes de son ministère : messes, baptêmes, mariages, sépultures : c'est le « casuel », versé dans ces différents « cas », de revenu « incertain » (c'est l'autre sens du mot « casuel »), mais rarement insignifiant.

Ce tissu de complications matérielles et spirituelles et ces possibilités de conflits de toutes sortes ne doivent pas faire oublier que les activités paroissiales et l'église sont au centre de la vie rurale. Tout nouveau-né doit être immédiatement (sauf cas de danger) porté à l'église, souvent dans les vingt-quatre heures, et son acte de baptême constituera la seule base légale de son existence : qui n'est pas baptisé n'existe pas, même civilement. Entre la douzième et la quinzième année, la communion transformera l'enfant en chrétien accompli, qui désormais fera régulièrement ses Pâques, toute abstention (d'ailleurs exceptionnelle) étant suspecte, et pratiquement poursuivie. Le sacrement de mariage, les époux se le donneront devant « notre Mère la Sainte Église » qui, seule, depuis la fin du xvie siècle, a qualité pour l'enregistrer et en délivrer les preuves écrites, puisque les anciennes attestations par témoins, même devant notaire, ne sont plus acceptées désormais. Après s'être retrouvés chaque dimanche à la messe, les paroissiens iront dormir dans le cimetière et, s'ils sont riches ou privilégiés, sous les dalles même du sanctuaire, suivant leur rang, leurs prétentions, ou leur fortune.

Centre de la vie spirituelle, l'église et les bâtiments du culte sont aussi **le centre de la vie matérielle.** L'assemblée des habitants, souvent réduite à un « corps politique » comprenant les aisés, plus le curé et le bailli du seigneur, se réunit dans une chapelle, sous le porche, sous les arbres de l'enclos, parfois dans une salle ou un bâtiment spécialisé (amorce des futures « mairies » rurales); budget, procès, impositions, règlements de culture et de pacage, nomination de messiers, de bergers, de garde-vignes, de magisters y sont discutés ou décidés. En temps de danger, l'église redevient refuge; on y recherche un abri matériel et sacré, en famille, parfois avec un coffre de linge, des gerbes, voire du bétail. La familiarité de l'église et du paysan reste grande; quelquefois trop, aux yeux de dévôts sourcilleux. L'enclos paroissial n'est pas seulement le centre de la vie religieuse, mais de la vie tout court.

4 — L'unité fiscale : de la « collecte » au « feu » —

Sous quelque forme qu'elle se réunisse, l'assemblée des habitants a toujours été confrontée au problème financier, qu'il s'agisse de payer le berger, d'administrer les biens de fabrique, de réparer l'église, de soutenir un procès et parfois de régler en bloc les droits dus à un seigneur. C'est dire que des problèmes d'assiette et de répartition se sont toujours posés à elle : il lui fallait établir une liste des habitants, ou des familles, ou des maisons, et répartir, le plus raisonnablement possible, la somme à recouvrer, c'est-à-dire, autant que faire se peut, selon les possibilités ou les « facultés » de chacun, connues approximativement ou précisément. Les anciennes administrations ducales ou comtales, puis l'administration royale, ont naturellement utilisé ces compétences, ces expériences ou ces habitudes pour s'épargner le détail de la répartition des impôts, qu'elles n'étaient d'ailleurs pas armées pour entreprendre et mener à bien. Et pour ce faire, elles ont habituellement choisi le cadre rural le plus vénérable, le plus clair aussi, la paroisse (bien que parfois le « terroir » ait été préféré). C'est ainsi que **les paroisses se sont habituellement transformées en unités fiscales,** appelées assez tardivement « collectes », surtout dans la France du Nord.

Pour venir à bout d'un travail aussi délicat, **la France du Midi** était particulièrement douée. Au sud d'une ligne approximative Bordeaux-Lyon, existaient depuis au moins le xve siècle, des **« compoix »**, cadastres, ou **« livres terriers »,** dans lesquels on s'est complu (un peu vite) à voir un lointain héritage des grandes institutions romaines. Ces documents, autour desquels s'est concentrée la vie matérielle de la France méridionale durant plusieurs siècles, sont de gros registres contenant la description, l'arpentage et l'estimation de toutes les parcelles de terre d'un « consulat », d'un « terroir » : manses et champs, vignes et garrigues, forêts et communaux ; le tout, rapporté à chacun des « propriétaires ». Seules, les terres (peu nombreuses, moins du dixième) qui détiennent la qualité de « terres nobles » échappent parfois à l'estimation (on disait : l' « allivrement »), sinon à l'arpentage. Tenus à jour et renouvelés périodiquement, ces cadastres sur lesquels a médité Colbert (qui aurait désiré les étendre à tout le royaume), garantissent à la fois une certaine justice fiscale pour les propriétaires (nobles ou roturiers, puisque les nobles ne sont **pas** exempts de taille dans le Midi), et une grande facilité pour l'administration locale... comme pour le travail des historiens.

Mais **la France du Nord, beaucoup moins bien administrée au niveau paroissial,** était obligée de répartir les impôts « selon les apparences » des revenus, donc moins rigoureusement, et par **« feux et familles ».** Définir les différentes acceptions du mot « feu » constitue l'une des pierres d'achoppement de l'histoire de l'Ancien Régime. Tantôt le « feu d'imposition » est un simple artifice comptable qui n'offre pas, ou n'offre plus aucun rapport avec la réalité familiale ; nous laisserons de côté cette acception. Plus souvent, dans la moitié septentrionale, mais avec quelles variations ! « feu », c'est famille vivant autour d'un même « foyer », « feu allumant », feu familial. Et l'on disait qu'une paroisse ou collecte comprenait « tant de feux ».

Par le biais de la fonction fiscale de la communauté rurale, la question de **la famille** se trouve posée. Elle mériterait de longs développements, qu'on peut schématiser ainsi :

a) Ce que nous appelons **famille conjugale** (homme, femme, enfants) fut la règle habituelle sous l'Ancien Régime ; cependant, elle comprenait souvent le ou les parents survivants de l'un ou l'autre époux ; cette famille pouvait donc être assez large.

b) Dans quelques provinces survivait encore une sorte de famille patriarcale, appelée tantôt **communauté taisible,** tantôt **frérèche,** reconnue d'ailleurs par quelques coutumes. Un groupe de frères et de beaux-frères, commandés par un vieux mâle de la génération précédente, sorte de *« pater familias »* attardé, exploitait en commun des terres qu'il possédait en commun (et qui étaient imposées en bloc), vivait en commun dans un même et considérable bâtiment, chaque personne ou chaque couple conservant le droit de quitter la communauté, mais à ses risques et périls, et en abandonnant tout. Cette survivance s'observe couramment dans les pays du Centre, notamment en Nivernais, sorte de province-musée, et a été récemment repérée en nombre fort considérable dans la Basse-Auvergne, en plein xviiie siècle. Chaque communauté comprenait aisément une bonne vingtaine de personnes, comptant pour un « feu », et habitait couramment un écart, voire un petit hameau, auquel elle donnait parfois son nom.

c) Un peu partout, même dans le riche Vexin, la petitesse de certaines exploitations agricoles, ou au contraire leur excessive grandeur, et une certaine tradition, ont poussé ou contraint des ménages apparentés à constituer, même en plein xviiie siècle, des sortes d'associations de travail et de vie, qu'on appelait souvent des **« consorties »**. Par contrat notarié, ces ménages apparentés (souvent un vieux et un jeune) s'engageaient à prendre, souvent d'un propriétaire seigneurial ou urbain, une exploitation que les forces et le matériel d'un seul n'auraient pas suffi à mettre en valeur. Ces associations de « consorts » (« sossons » ou associés en Vexin) s'abîmaient souvent dans des querelles domestiques, et pouvaient se rompre. Ils représentent tout de même un type de famille, et même de « feu fiscal », qu'on trouve assez fréquemment dans les provinces les plus variées, même en Bretagne.

d) La législation coutumière variant d'une province à l'autre (trait fondamental de l'Ancien Régime, qu'on retrouvera), l'on voit apparaître ici et là, notamment en Champagne, des feux de célibataires, appelés curieusement **« demi-feux »**, le plus souvent des « demi-feux » de veuves, variété foisonnante du fait de la surmortalité masculine au-delà de la quarantième année. La fréquente règle de la majorité civile à 25 ans conduit parfois les juristes et les collecteurs d'impôts à considérer que les célibataires endurcies (les « filles anciennes », comme on disait parfois) puissent constituer, sinon une « famille », du moins un « feu ». Curiosités locales.

e) La survie, dans les milieux nobiliaires de province de véritables *familiae* au sens romain du terme — **un lignage** bien étoffé, avec de nombreux serviteurs et même des vassaux —, n'offre qu'un intérêt pittoresque ou épisodique, la noblesse provinciale ayant toujours constitué bien moins du centième de la population, et les « familiae » disparaissant vite.

Dans l'ensemble, la famille juridico-fiscale de l'Ancien Régime n'est pas bien différente de celle du xixe siècle. Elle représente en quelque sorte l'atome de la cellule essentielle de la vie française, qui est la paroisse fréquemment confondue avec la communauté rurale, le terroir et la collecte. Et pourtant, au-delà des conceptions juridiques, fiscales, voire sociologiques, l'historien doit soutenir que **la véritable unité de base fut l'exploitation rurale, familiale ou non.** Toute interprétation cohérente de l'Ancien Régime passe par cette unité de production et de vie.

TEXTES

14. Le manse bourguignon : le « meix »

Dans le Haut Moyen Age, l'unité d'exploitation fut le manse... Solide unité que celle-là, à la fois terrienne et humaine, peut-être domaine d'une famille, surtout domaine d'une charrue. Le cœur en était le *meix*, le *mansus* proprement dit, parcelle de la maison et de ses « aisances » immédiates, dont la superficie ancienne semble avoir oscillé autour du journal (33 ares). De forme variée, mais appuyé à un chemin par l'un de ses côtés, fermé de haies par ailleurs, le meix représentait la terre d'appropriation poussée, d'une stabilité longtemps parfaite dans son bornage rigoureux. Il avait son nom, souvent emprunté d'ailleurs aux habitants, ou à sa forme, à son site, à un incident de son occupation humaine... il était le noyau essentiel, l'élément déterminant...

En possédant le meix, on tenait du même coup ses dépendances et ses droits. Vers 1680, le meix est partout reconnaissable et vivant. En toute région, le mot revient avec insistance, comme le témoignage d'une institution fondamentale... Il est toujours resté la parcelle maisonnée, la place destinée à la *mansio*. Sa fonction est d'abord de porter la demeure, qui peut s'y installer à son gré, s'y développer, s'y organiser, sans pouvoir le dépasser. Elle peut même disparaître sans que l'appellation de *meix* abandonne la parcelle qui, sans modification de la redevance habituelle (au seigneur) conserve ainsi la possibilité d'être rebâtie et de revenir à sa destination première.

Mais en général, les bâtiments ne remplissent pas totalement le meix. Il a ses cours, ses « treiges » (passages et dessertes), son jardin, ses arbres. Parfois des cultures, de la vigne, un bout de pré l'ont envahi... Le meix a donc été un emplacement de maison, mais aussi une parcelle privilégiée, d'exploitation minutieuse et variée.

Le second élément de l'exploitation avait été une parcelle qui mérite de retenir l'attention. Souvent soudée au meix, elle en était l'annexe, son « aile », une excroissance... C'était la terre patrimoniale par excellence, et l'on est tenté d'y voir la forme primitive de l' « hereditas », du « propre », sans doute même l'alleu originel, celui qui appartint au système terrien archaïque avant de se dénaturer dans la constitution et l'évolution du système seigneurial [1]. Sa clôture, définitive ou temporaire, était une marque de propriété. Ce que nous pouvons savoir de son statut juridique nous laisse prévoir sa franchise ancienne, qui était si foncière que la dîme et les droits féodaux eurent peine à y pénétrer.

Dépendance directe de l'habitat, cette terre était, comme le meix qu'elle prolongeait, destinée à des cultures de première nécessité — légumes, menues graines, chènevières — mais elle pouvait être livrée aux céréales ordinaires.

Des meix dépendaient des terres qui constituaient le corps de la tenure. Cette image familière des temps carolingiens n'est pas entièrement éteinte. Là encore, dans les pays où le meix est resté vigoureux, les divers fonds qui gravitent

---

1. Il s'agit ici d'une hypothèse, qui paraît impossible à vérifier.

autour de lui continuent d'être considérés comme une sorte de mouvance territoriale. Il n'est pas rare... de trouver des textes qui décrivent des parcelles « mouvant » d'un meix. Le vocabulaire féodal persiste encore dans ces régions de vieille structure...

Mais en général la désagrégation a atteint profondément le manse primitif...

Saint-Jacob Pierre de, *Les Paysans de la Bourgogne du Nord au dernier siècle de l'Ancien Régime*, Paris, Belles-Lettres, 1960, p. 93-95.

15. L'alleu en Auvergne au XVIIIᵉ siècle

... Deux catégories de terres s'opposent du point de vue du droit féodal : les censives qui sont prises dans les mailles de la seigneurie, les alleux qui y échappent. Les censives sont énumérées dans les terriers et font l'objet d'aveux dont la périodicité est variable (30 ans le plus souvent) : elles sont astreintes au paiement d'un « cens » annuel et à diverses « servitudes »...

Les terres « franches de cens » ou « allodiales » ne relèvent d'aucune seigneurie; elles ne sont donc grevées d'aucun cens, ne sont pas sujettes aux lods et ventes, ni au droit de « prélation » (il s'agit du retrait seigneurial); or, en Auvergne, le principe juridique « nul seigneur sans titre » est de règle (comme dans tout le Midi et une partie du Centre), ce qui revient à dire qu'en cas de contestation entre un seigneur et un possesseur de fonds sur l'existence d'un cens, la charge de la preuve incombe au premier, qui est demandeur; cette disposition favorable aux défendeurs paysans (est) contraire à celle qui a cours dans la plus grande partie du royaume : « nulle terre sans seigneur » ... Quelle est la proportion des censives et des fonds allodiaux?... La seule approche que nous ayons pu tenter de la terre paysanne allodiale est par la compulsion des minutiers notariaux...

Notaires de :	censives	alleux	Nombre de cas douteux
Manson.....	24	57	1
Manzat.....	41	39	5
Beauregard..	49	22	7
Besse.......	17	5	30
Jumeaux....	45	3	0
Cunlhat.....	22	1	1
Vertaison....	44	27	0
Thiers......	16	3	
Lempdes.....	25	29	3
Mezel.......	36	23	2
Ambert.....	41	3	6
Domaize....	36	3	0
Sauxillanges..	30	13	15

... Il ressort que l'allodialité des fonds ruraux est dans certaines régions de l'Auvergne, notamment dans la vallée de l'Allier, une situation juridique fréquente; elle semble l'être beaucoup moins dans le haut pays...

Poitrineau Abel, *La Vie rurale en Basse-Auvergne au XVIIIᵉ s.*, Paris, P.U.F., 1965, t. 1, pp. 341-343 (N. B. les indications entre parenthèses sont de l'auteur du présent manuel).

16. Puissance et persistance des droits seigneuriaux : le « manuel de droits » d'Essigey (Echigey, Côte-d'Or, canton de Genlis) de 1780

ARTICLE PREMIER : Il est dû au seigneur, lors des ventes, des lods du prix de chaque acquisition, généralement sur tous les biens sans exception à raison (de) la douzième partie du prix de chaque acquisition, avec le droit de retenue ou de commise au cas que l'on ne paie les lods dans les quarante jours, ou de prendre l'amende de trois livres cinq sols.

ART. 2 : Les habitans d'Essigey tenans feu et lieu doivent chacun une poule au premier jour du carême entrant, et une corvée à bras pour chaque manouvrier au tems des fenaisons, lad. corvée a toujours été faite, mais la poule n'a jamais été levée.

ART. 3 : Chaque laboureur ou autres ayant chevaux ou bœufs et harnois doit aussi annuellement une corvée de charrue ou venaison (vendange) ou au tems de la semaille.

ART. 4 : Il appartient aud. seigneur le soin de faire lever la dixme dans toute les terres de la seigneurie à raison de quatorze gerbes l'une, attendu que le prieur de Tart en lève une, de quinze dont chaque cuchot (tas de gerbes) est composé (ce qui fait pour les deux dîmes un taux de 2/15).

ART. 5 : Il appartient aud. seigneur la justice haute, moyenne et basse dans toute l'étendue de la directe.

ART. 6 : Tous les habitans doivent faire le guet et garde au château dudit lieu.

ART. 7 : Les habitans doivent entretenir le terreau qui conduit l'eau de la rivière dans les fossés dud. château. Ils sont pareillement obligés d'enclore de haye morte le pré appelé le Closeau de la contenance de neuf soitures deux tiers (3 ha).

ART. 8 : Tous ceux qui vendent vin audit Essigey doivent une pinte de vin au seigneur... que les vendeurs sont obligés d'emporter dans son château, une heure après le tonneau percé, à peine de l'amende de trois livres cinq sols...

ART. 9 : Aucun des habitans n'a le droit de pêche ni de chasse sur l'étendue du territoire dudit Essigey, sous peine de la confiscation des engins et harnois et l'amende de trois livres cinq sols, il en est de même des étangs...

ART. 10 : En tous tems, le seigneur peut tenir ses bois en bannalité et défense, sans qu'il soit loisible à toutes personnes d'y cueillir du bois ni envoyer leurs bestiaux à peine de trois livres cinq sols d'amende...

Extrait des Archives départementales de la Côte-d'Or, série E, n° 2688, publié dans *La Bourgogne des Lumières*, documents d'archives, éd. du Centre Régional de Documentation Pédagogique, Académie de Dijon, 1968, pp. 78-79.

17. « Jours » (séances) d'un tribunal seigneurial dans la plaine de la Saône

Jours ordinaires du bailliage du marquisat de la Perrière tenus et expédié au village de Franxault au lieu ordinaire à la manière accoutumée par nous Christophe Claude Joliclerc, avocat à la Cour, bailly de la Perrière, à la réquisition de Maître Jean Boisot, procureur fiscal audit bailliage et tous les habitans.

... les cy-après tenus de comparoir aux jour : Messiers, Denis Gault, Jacques Desportes, acte du serment présentement presté par lesdits messiers...

Sur les réquisitions du procureur fiscal, deffences sont faittes à tous les habitants de ce marquisat de chasser ni porter le fusil sur les terres de cette seigneurie ny mesme d'avoir des armes à feu chez eux.

Deffences... de jurer ny blasphémer le saint nom de Dieu a peyne de l'amande et d'estre procédé contre eux...

Ordonnons pareillement de ne point donner à boire aux habitants, enfans de famille et domestiques pendant les services divins ny mesme autre temps, et lesdits habitants et autres de ne point frequanter les cabarets a peyne de cent livres d'amande aplicable moitié à la fabricque et l'autre au seigneur...

...50 livres d'amande à Jacquiot cabaretier pour avoir donné à boire par récidive... 10 livres d'amande à Fleuret cabaretier tant pour avoir donné à boire que pour avoir fait troupeau séparé...

Deffences aux habitants de tenir des chèvres... d'envoyer leurs pourceaux paturer dans les prés... deffences de souffrir que les batteurs ayent des pipes allumées dans les granges à peyne de dix livres d'amande contre ceux qui le souffriront et de prison contre ceux qui le feront... Deffences de fumer et porter du feu dans les rues...

Archives départementales de la Côte d'Or, série B 2... texte cité par Saint-Jacob Pierre de, *Documents relatifs à la communauté villageoise en Bourgogne du milieu du XVIIe siècle à la Révolution*, Dijon, 1962, pp. 60-62.

18. Élection du « conseil ordinaire » et des « consuls » de la communauté de Trets (Provence)

Nomination du conseil ordinaire

... Lors de la fête de Noël, après avoir assisté à la messe du Saint-Esprit célébrée à sept heures du matin en l'église paroissiale, les consuls et le conseil ordinaire se rendaient à la Maison commune en présence du juge (seigneurial) ou de son lieutenant. Alors, au sein de ce conseil qui allait être dissout, on choisissait quatre personnes des plus allivrées (des plus imposées à la taille réelle, qui reposait sur le cadastre, donc les plus gros propriétaires) qui étaient chargées de vérifier la régularité de la nouvelle élection. Le greffier inscrivait ensuite sur des billets les noms de cent plus allivrés et, après avoir mis tous ces billets dans une boîte, c'était un jeune enfant qui en choisissait vingt-deux au hasard, ce qui représentait vingt-deux conseillers. Avec les deux consuls et le trésorier, telle était la composition de ce conseil ordinaire... (Après le) nouveau règlement du 12 mai 1768..., le choix des conseillers allait se faire parmi un nombre restreint d'habitants. Le greffier inscrivait, en effet, sur trente-six billets, le nom des gens qui possédaient au moins trois livres cadastrales à Trets. On mettait ensuite tous ces billets dans une boîte et on en tirait vingt-deux au sort... Figurer parmi les cent, puis parmi les trente-six plus allivrés, sur une communauté de deux mille âmes environ, était le résultat d'une sélection sévère, basée sur la possession de la terre...

Nomination des consuls

Les vingt-cinq billets représentant les membres du conseil étaient (ensuite) réunis dans une boîte... d'où l'on tirait les noms de trois personnages appelés « nominateurs des officiers municipaux ». Chacun d'eux proposait alors quelqu'un pour remplir les fonctions de premier consul et de deuxième consul, respectivement, et c'était le sort qui départageait par le système du tirage hors de la boîte. (Après 1768), c'est désormais le consul-maire sortant qui propose trois candidats et c'est le sort qui départage.

SUMEIRE, Gabriel-Jean, *La Communauté de Trets à la veille de la Révolution*, Aix-en-Provence, La Pensée Universitaire, texte multigraphié, 1960, 242 p., pp. 24-25 et p. 34.

19. Convocation et ordre du jour d'une « assemblée des habitants » en Bourgogne

Par devant moy François Girardin, notaire royal de la résidence de la ville de Beaune y demeurant soussigné, ce jourd'huy vingt quatre juin mil sept cent soixante et seize sur environ les huit heures du matin au village de Combertault dans le lieu ordinaire de l'assemblée des habitans... à l'issue de la messe paroissiale... a comparu en sa personne Pierre Devevey, laboureur, demeurant audit Combertault lequel m'a dit qu'il a fait assembler les habitans dudit Combertault au son de la cloche à la manière accoutumée à ces présent jour, lieu et heure, et leurs a remontré qu'il y a plusieurs objets qui interressent la ditte communauté sur lesquels il est nécessaire de prendre des mesures.

Que le premier concerne une pièce de terre dépendante des communaux de Combertault qui a été usurpée par Jean Gaudrillet et contre lequel la ditte communauté a obtenu sentence au bailliage de Beaune... et que cette sentence n'a point étée levée... du moin ils n'en ont point reçu de copie.

Que le second concerne une redevance de huit bichets d'avoine que les fermiers du marquizat de La Borde demandent à la communauté... et sur laquelle ils ont obtenue contre elle (la communauté) un jugement, sur lequel les habitans s'étans consultés auprès de (deux avocats de Dijon)... sont d'avis que le droit de huit bichets d'avoine demandés à la communauté pour droit de guet et de garde n'est point eu (dû), que la sentence n'est point soutenable, et que les habitans parviendront à la faire réformer.

Que le troisième objet concerne environ trois journaux de terre que la communauté a vendue il y a douze ans (et qu'elle espère récupérer)...

Que le quatrième objet porte sur plusieurs anticipations (faites sur les communaux)...

Et que le cinquième objet regarde les droits de corvée, dixme et autres que les fermiers (du seigneur) ont introduit et veullent exiger des habitans, sans vouloir leur... montrer des titres en vertu desquels ils veullent percevoir lesdits droits, qu'en ayant porté leurs plaintes à leur seigneur... pour luy demander la communication de ses titres et terriers, elle a été constamment refusée.

Sur touts lesquels objets ledit Pierre Devivey a invité lesdits habitans assemblés de delibérer présentement afin qu'on ne puisse luy imputer aucune négligence pour les interest de laditte communauté pendant le temps de son exercice...

Document des Archives communales de Combertault, Côte-d'Or, publié par SAINT-JACOB, Pierre de, *Documents relatifs à la communauté villageoise en Bourgogne du milieu du XVIIe siècle à la Révolution*, Dijon, Bernigaud et Privat, 1962, 158 p., pp. 47-49.

1. Le facteur d'explication : de la production
   à la rente
2. Au-dessous du « seuil » de la résidence :
   le monde des errants
3. Les paysans dépendants
4. Les paysans indépendants

CHAPITRE V

LES ÉLÉMENTS
DE LA SOCIÉTÉ RURALE

Il est à la fois aisé et vain de rechercher « les Ordres » dans la campagne française. Les tonsurés sont un ou deux par village, plus un décimateur lointain, et quelque couvent à l'horizon. Ceux du « second ordre » n'y résident que temporairement, ou s'ils sont d'assez pauvres diables. Les bourgeois au sens ancien — urbains riches non nobles et non clercs — n'y paraissent qu'exceptionnellement. Mais toute la partie « vile et mechanique » du « tiers estat » vit là, plus des quatre cinquièmes des sujets du Roi.

L'énorme et traditionnelle richesse du royaume est produite essentiellement là; et ceux qui en profitent le plus sont essentiellement ailleurs. La campagne française contient la catégorie presque entière des dominés.

1 — Le facteur d'explication : de la production à la rente

Sauf pour les derniers alleutiers, aucune portion de la terre française n'appartient pleinement au paysan. Sa « propriété » n'est jamais entière. Le droit du **seigneur** est toujours réservé. Il est symbolisé par la redevance la plus faible, la plus ancienne, la plus significative, le cens : il l'est encore par l'intervention seigneuriale lors de toute aliénation de parcelle, qu'elle résulte d'une succession, d'une vente, d'un échange : le seigneur perçoit alors un droit, au nom varié, et peut toujours se substituer à l'acheteur par le mécanisme du « retrait », qui est « féodal » sur les terres qualifiées de nobles, et « censuel » sur les terres qualifiées de roturières, de loin les plus nombreuses.

Aucune récolte ne peut être levée (sauf dans les jardins) si la charrette du **décimateur** n'est d'abord passée. Et la dîme, si elle se contente parfois de 3 % de la récolte brute (en Basse-Bretagne), va habituellement très au-delà, et se tient presque toujours entre 7 et 8 %, 10 à 12 % dans le Sud-Ouest.

Deux ou trois fois sur cinq, le paysan qui a travaillé la terre ne la « possède » pas, même au sens restreint que ce terme revêt sous l'Ancien Régime. Comme fermier, comme métayer, ou dans une situation plus complexe, il doit rendre au **« maître »** le montant de son loyer, en nature, en argent, en travail, parfois les trois à la fois.

Les **conditions techniques** du temps font aussi que la mise en réserve de la future semence se trouve particulièrement lourde, notamment pour les céréales. Le « rendement » moyen sur les terres assez bonnes approchant de 5 pour un (avec d'énormes variations dans le temps et dans l'espace), c'est donc le cinquième des moissons qui doit être gardé pour les futures semailles.

On ne saurait naturellement oublier le **prélèvement fiscal** de la communauté rurale — souvent faible, mais pas toujours —, et la considérable croissance des impôts royaux à partir de 1635 (pour financer la guerre).

Les historiens ont essayé, selon les provinces et les années, d'évaluer ce quadruple prélèvement (en excluant les indispensables semences). Leurs analyses minutieuses, contrastées, pas toujours sereines, oscillent, pour les plus sérieuses, entre le cinquième et la moitié de la récolte.

Ce cinquième ou cette moitié (proposerons-nous : le tiers?) constitue la **rente foncière** — royale, seigneuriale, décimale, propriétaire —, moteur de la puissance du royaume et de son système social. **Les payeurs de rente sont les dominés ; les percepteurs de la rente et leurs agents sont les dominants. Dans ce contraste élémentaire peuvent se ranger au moins les neuf dixièmes des habitants du royaume et, jusqu'à un certain point, le roi lui-même.**

Mais les uns et les autres dominent ou sont dominés de manière différente, et à des degrés divers. Dans la société agricole et rurale, les dominés sont au moins de trois sortes, et deux barrières fondamentales les séparent. L'une est celle de la **résidence** ; l'autre est celle de la **dépendance.**

2 — Au-dessous du « seuil » de la résidence : le monde des errants

Le monde des errants oscille de la campagne à la ville; sinon, il n'errerait pas complètement. De par sa mobilité même, il est difficile à saisir. Du moins les documents permettent-ils d'apercevoir les errants, quand il leur arrive de s'arrêter.

Or, ils s'arrêtent quand ils demandent du secours, et on les saisit alors par **la voie charitable** : à la porte d'un presbytère ou d'un couvent, et plus encore dans les organismes urbains, Hôtel-Dieu pour les malades, Hôpitaux généraux et Bureaux des Pauvres pour les autres, bien qu'ils soient souvent réservés aux citadins.

Les errants s'arrêtent aussi quand ils se heurtent aux **organismes de répression** : maréchaussée, chargée de la police des grandes routes, sergents « chasse-coquins » aux portes des villes, milice, guet ou autres « sergents » à l'intérieur; on les retrouve alors devant le tribunal des flagrants délits, celui du seigneur ou celui du roi; et bientôt dans quelque geôle ou dans quelque hôpital, puisque le « grand siècle » s'est ingénié à transformer ces maisons de charité en maisons de correction.

Les errants s'arrêtent parfois d'eux-mêmes, pour essayer de **travailler quelque peu**, à des occupations saisonnières, intermittentes ou peu avouables. Ils peuplent les « garnis » des villes, les refuges compagnonniques (pour les plus sérieux), les cours des miracles, et s'installent même dans la campagne, à l'écart des villages, en bordure des terroirs, construisant des manières de huttes légères, utilisant des grottes naturelles, tolérés dans quelque bâtiment menaçant ruine, s'ils peuvent rendre service comme manœuvres, cureurs de fossés, émondeurs de haies, chasseurs de taupes, vanniers, rémouleurs, sabotiers, charbonniers, chiffonniers. A demi-établis, ou du moins campés, « occupant le couvert », ils sont alors menacés par les organismes fiscaux, qui tentent de les introduire dans des rôles d'impositions, ne serait-ce que pour quelques sous.

Enfin tous les errants sont saisis au moment où ils s'arrêtent définitivement. Qu'ils meurent dans un hôpital, dans une grange, sur le chemin, dans le ruisseau, toujours ils sont couchés sur le registre de leur dernière paroisse, et le curé accomplit habituellement son devoir, qui est de décrire longuement ce cadavre inhabituel, de lui donner une sépulture chrétienne, s'il a été découvert sur lui quelque « signe » de christianisme : une croix, une médaille, un chapelet. Il n'est pas une paroisse de France qui, une année ou l'autre, n'ait « ensépulturé » quelque mendiant, quelque pauvre fille, des enfants abandonnés — aux années de crise, un nombre parfois considérable.

Si l'on prend soin de compter approximativement tous ces errants difficilement repérés, on s'aperçoit que leur nombre dut être tel qu'ils méritent de sortir de l'anecdote et du romanesque dans lesquels on les a souvent confinés.

Il y a **les professionnels de la mendicité** et du cheminement. Le peuple à part des Gitans, à la fois respectés et redoutés, car ils passent pour sorciers, offre de menus travaux, des spectacles populaires, et de dangereux services. Les troupes de montreurs d'ours et de phénomènes, de montreurs d'images aussi, ne diffèrent que par quelques degrés des troupes de comédiens ambulants, dans lesquelles Molière fit ses seconds débuts. Urbain de résidence comme la clientèle, mais recruté déjà à la campagne parmi les filles-mères et les servantes débauchées, le monde de la prostitution, mal connu, avec son code, sa hiérarchie, ses gîtes et son langage; proche et différent, celui des cours des miracles et de la mendicité concertée et structurée, alimenté par tout un commerce d'enfants. Un peu partout, sur les grands chemins, dans les forêts dont aucune n'est sûre, de fortes organisations de bandits dont Mandrin fut une des dernières et populaires « vedettes », mêlées de contrebandiers et de faux-saulniers, piétaille disponible pour les futures chouanneries. Tous ces professionnels, **non pas des aventuriers isolés, mais des groupes sociaux structurés,** dont l'effectif total pouvait atteindre plusieurs dizaines de milliers.

Longs voyageurs, suivant des itinéraires précis et jalonnés d'étapes rituelles, des **groupes de travailleurs** oscillaient de leur résidence familiale à leur zone de travail, ou bien entreprenaient leur « tour de France ». Parmi eux, de nombreux **montagnards** s'employaient pendant l'hiver, ou pendant leurs années de jeunesse, avant de retourner — ou non — au pays : maçons du Limousin, maîtres d'école du Briançonnais, montreurs de marmottes et ramoneurs savoisiens, moissonneurs et vendangeurs en bandes disciplinées, qui « montaient » du Midi précoce vers les campagnes plus tardives. Autres voyageurs aux itinéraires précis, les **compagnons,** piétons à demi-clandestins, avec leur canne, leur gourde, leur baluchon; plus importants, bien que mal connus, les **colporteurs,** souvent équipés d'une mule, parfois d'une charrette, apportaient au fond des provinces les cent agréments de la ville : aiguilles, dentelles, colifichets, onguents, élixirs mirifiques; mais surtout ils véhiculaient et vendaient pour quelques sous l'instrument essentiel de la culture populaire, le livre bon marché, petit recueil pieux, almanach, brochure bleue de Troyes ou d'ailleurs, même des libelles et des ouvrages interdits. La fréquence de leur passage suggère leur nombre, qui dut se compter par milliers, comme toutes les catégories déjà énumérées. D'autres professionnels, plus sinistres, passaient aussi à jour fixe : le « meneur » ou la « meneuse », avec sa charrette chargée de nouveau-nés « menés » à la nourrice provinciale ou à l' « exposition » à Paris, dans des conditions telles qu'elle s'allégeait, à chaque étape, de cadavres vite remplacés.

Ce n'était pas tout. A ces professionnels s'ajoutaient des déclassés de toute origine. Estropiés ou « imbéciles », tout juste bons à tendre la main ; apprentis fugitifs, fréquemment dégoûtés par de mauvais traitements ou des tâches trop rudes ; servantes engrossées et filles-mères chassées de partout, toute la société les condamnant sans appel ; fainéants, aventuriers, fantaisistes peut-être ; bien plus souvent, soldats fugitifs, soit après un racolage irrégulier, ou souffrant du « mal du pays », fréquent chez les jeunes paysans, ou ne pouvant supporter la discipline du corps, ou celle de la bataille, à une époque où la désertion était la plaie de l'armée, et atteignait couramment le cinquième des effectifs ; soldats « démobilisés » enfin, et qui, après de longues campagnes et de vastes rapines, éprouvaient le plus grand mal à se réadapter à la vie civile. Et pourquoi ne pas ajouter l'armée régulière elle-même, rarement et tardivement encasernée (sauf les corps d'élite), marchant d'étape en étape, logeant encore chez l'habitant, s'installant ici ou là pour ses « quartiers d'hiver », toujours suivie de hordes de traîne-savates, de marchands louches, de femmes et d'enfants plus ou moins légitimes ?

Certaines années, la foule des errants se gonflait brusquement. D'enfants d'abord, dont on se débarrassait en les envoyant « au pain », ou à la maraude ; puis de familles entières, quand la disette ou la peste s'abattait sur une province, quand l'invasion menaçait, et même quand venaient camper les soldats du roi. Peurs paniques lâchant des villages entiers sur les chemins ; troupes de miséreux fuyant l'épidémie, la famine, ou leur propre peur. Tous ces déclassés de la conjoncture se jetaient sur les routes avec leurs misères, leurs parasites et leurs virus, semant à leur tour la terreur, répandant souvent l'épidémie qu'ils fuyaient, s'irritant parfois au spectacle de bateaux ou de charrettes qu'ils supposaient chargés de blé, capables de hurler, de piller, de briser, parfois de tuer...

Si l'on veut bien essayer d'estimer le nombre de ces errants, de profession ou d'occasion, si on leur ajoute les mendiants des villes (au moins 20 000 rien qu'à Paris), si l'on pense aux déserteurs et même aux non-déserteurs, ne dépasse-t-on pas, et peut-être largement, les deux cent mille ? Autant que la noblesse, autant que le clergé... Ces troupes mal saisissables ont posé bien des problèmes, surtout aux moments où elles se gonflaient anormalement : la dernière fois, dans les années d'avant 89, quand la crise fourragère (sécheresse et épizooties), la crise viticole (effondrement des prix), la crise céréalière (disette de 1788-1789) s'ajoutèrent à la crise du textile (nouvelles machines, concurrence anglaise) pour semer le chômage et la misère dans une population qui en avait presque perdu le souvenir, et qui s'était probablement grossie de nombreux enfants devant qui les débouchés se fermaient, et pour qui l'émeute, en attendant l'armée, serait l'exutoire.

Certes l'Église, l'État, les échevinages, les provinces avaient tenté de procéder, depuis le milieu du xviie siècle, au **« grand renfermement »** des pauvres, des insensés, des mendiants et des fainéants, signe de peur sociale bien plus que d'organisation. Mais les « hôpitaux généraux » n'étaient pas assez nombreux, ni vastes, ni riches, pour enfermer dans leurs dortoirs infects et dans leurs ateliers de travail forcé des hommes qui ne cherchaient qu'à fuir ces lieux d'épouvante, usines à mourir plus qu'à nourrir. Une squelettique maréchaussée (quelques milliers d'archers et de « sergents », la future gendarmerie) ne suffisait pas à les traquer, à les ramasser, à les interner, et rencontrait rarement dans la population domiciliée l'aide espérée, ou commandée. Car les errants étaient parfois utiles; plus souvent tolérés ou craints; le déserteur était protégé systématiquement, et la maréchaussée assez impopulaire.

Sur ces dizaines — ou centaines — de milliers de gens, une minorité a pu posséder un domicile intermittent ou saisonnier : il se trouvait même des « mendiants domiciliés ». Mais la majorité passait à travers les mailles de la police, de la fiscalité, du dénombrement. Leur nombre, leur couleur et surtout leur rôle ne méritent pas l'ombre pudique dans laquelle on a l'habitude de les laisser. Enfin ils aident à comprendre des aspects à la fois profonds et mystérieux des mentalités d'Ancien Régime : croyances, paniques et révoltes.

3 — Les paysans dépendants

Ce groupe est sûrement **le plus nombreux, et partout.** Son appartenance juridique au « tiers estat » (ce qui n'est ni noble ni clerc) est toute théorique : d'autres les « représentent » et décident pour eux, sans leur demander d'avis. Ce sont les **« viles créatures »,** qui accomplissent les « viles besognes », la **« lie du peuple »,** comme ne manquent jamais de le dire et de l'écrire les beaux esprits, qui ont des titres, de l'argent et du pouvoir, les trois allant ensemble. Tentant de la bien cerner, l'on dira que cette « classe » (quel mot lui convient mieux?) est tout entière comprise entre deux « seuils », ou deux « verrous »; le plus solide est celui du haut.

Le « verrou » inférieur, c'est la résidence, qui les distingue fermement des errants, parmi lesquels certains petits paysans peuvent tout de même tomber, aux années dures, puisque la mobilité sociale s'oriente plus fréquemment vers le bas que vers le haut, spécialement aux périodes difficiles, comme le XVIIe siècle. Tous sont implantés sur un « manse », au pire sur une portion de manse. Ils sont accrochés à une maison, souvent modeste — une ou deux pièces —, à une cour, à quelques « bâtiments » pour un maigre bétail, au jardin nourricier, à une parcelle de quelques ares qu'ils emblaveront aussi fréquemment que la coutume du lieu le leur permettra (les rigueurs de la jachère sont souvent sans appel), — soit qu'ils les louent, soit qu'ils les possèdent (parfois en indivis avec quelque parent), sauf bien entendu le droit du seigneur. Domiciliés, ils jouissent des avantages (et des charges) qui dérivent de l'appartenance à un groupe, à un complexe de groupes. Attachés au terroir, ils ont droit à la vaine pâture, quand elle existe, au communal, quand il existe, aux usages en forêt, quand ils existent. C'est dire que quelques brebis ou une vache pourront être nourries sur la terre communale, et du bois ramassé pour le chauffage et les menus travaux. De plus riches qu'eux pourront les employer, au moment où beaucoup de bras sont requis en même temps : fenaison, moisson, vendange. Paroissiens, ils entrent dans une communauté spirituelle, qui leur assure au moins une place à la messe, puis au cimetière, et contribue à les réconforter, et à leur promettre le bonheur dans l'au-delà. Le tribunal du seigneur juge leurs petits délits, et s'occupera de la tutelle de leurs enfants devenus orphelins, après avoir inventorié les meubles, l'outillage, le cheptel, et surtout les dettes. Devenus naturellement contribuables — à la taille, à la gabelle, à tout ce qui fut imaginé — ils sont couchés sur les « roolles » d'impositions, souvent pour quelques sous, jamais pour rien : sans quoi ils seraient des « pauvres », des « misérables », des « mendiants », encore résidents, mais en passe de tomber dans l'errance, fût-ce par l'expulsion de la chaumière et de la parcelle. Ces petits paysans qui foisonnent au-dessus des seuils voisins de la misère et de l'errance, ils sont à la fois peu et beaucoup de choses : petits jardiniers, petits éleveurs, journaliers, micro-fermiers, artisans intermittents, bricoleurs inlassables.

Le seuil supérieur, c'est naturellement celui de **l'indépendance,** de l'indépendance principalement économique, mais celle-ci entraîne toutes les autres. Le paysan vraiment indépendant, c'est celui qui, quelle que soit la conjoncture, est sûr de tirer des terres qu'il tient « en propre » ou « à louage » la subsistance complète de toute sa famille (et de ses serviteurs au besoin), qui est sûr de régler sans mal toutes ses impositions, et souvent de réaliser des ventes fructueuses qui lui permettront d'arrondir son troupeau ou ses terres, de garnir une cassette, de bien pourvoir ses enfants, en les aidant, quand c'est possible, à jaillir hors de leur groupe d'origine. Ils furent fortement minoritaires dans toutes les provinces françaises : nous les retrouverons au paragraphe suivant.

Entre ces deux seuils s'inscrivent naturellement **deux ou trois millions de chefs de famille,** qui forment la majorité des Français : micro-propriétaires ou non-propriétaires, micro-fermiers ou micro-métayers, petits éleveurs sans vrai troupeau, petits ouvriers sans beaucoup d'outils. Leur maison fut chaumière, leur vaisselle de bois et de terre, leur garde-robe et leur mobilier valaient quelques livres. Ils tâchaient simplement d' « attraper le bout de l'an ». Presque jamais ils ne participèrent (sauf en témoins muets, et encore...) aux assemblées de paroisse; jamais ils ne furent marguilliers, jamais membres du « corps politique », ni bien entendu syndics ou consuls (deux équivalents approximatifs des « maires » ruraux actuels). Sauf dans quelques provinces du Nord et surtout de l'Est, jamais ils ne surent lire ni écrire. Ils firent leur pâture spirituelle des sermons du dimanche, du culte des saints et des reliques locales, du vieux fonds légendaire ranimé à chaque veillée. Ils conservaient dans une sorte de mémoire obscure toutes les craintes, les paniques, les brutalités et les soumissions. Et ils firent à leur femme autant d'enfants que le Ciel voulut bien leur en envoyer, d'enfants dont la moitié ne devint jamais adulte, et dont les survivants n'avaient pratiquement aucune chance d'élévation sociale. **Leur dépendance économique, sociale, politique et culturelle fut totale, et sans espoir ordinaire d'amélioration.**

Sans moyens, parfois sans esprit, et quel que fût leur courage, ces dépendants étaient habituellement **menacés.** Menacés par l'**épidémie,** que leur faiblesse supporte mal; par l'**épizootie,** qui les ruine d'un coup (ils ne pourront racheter de bétail); par les rudes **variations de la moisson et de l'emploi** surtout, puisque, par leur travail chez les autres, ils tentent d'acheter ce pain qu'ils ne produisent pas en suffisance. En cas de catastrophe économico-démographique — courante jusqu'en 1710 ou 1750 —, ils sont rejetés vers la mendicité, l'errance ou la mort. Dans cette classe, les effondrements sont plus fréquents que les ascensions.

Des monographies désormais nombreuses permettent de présenter divers types de paysans dépendants. La variété des situations et des provinces est même telle qu'on pourrait longtemps s'attarder. On se bornera à quatre exemples.

Le manouvrier-tisserand de Picardie, souvent propriétaire de sa chaumière de torchis, ne « tient » presque rien, hormis son jardin et une ou deux minuscules « lanières » de terre, qu'il tâche d'emblaver aussi souvent que possible. Son cheptel ne comporte jamais de cheval; presque jamais de vache ou de porc; il se réduit à quelques poules et à quelques brebis, que le berger communal conduit sur les chaumes et les jachères, quand elles ne broutent pas de la paille dans une étable fétide. Des « journées » au moment de la moisson rembourseront le gros fermier du prêt de ses chevaux et de sa charrue, et fourniront aussi un peu de grain pour l'hiver. Cela ne suffit pas, et ce manouvrier file de la laine, ou tisse, ou plus simplement prépare les « chaînes » qu'achèveront, en croisant les fils de trame, des travailleurs plus spécialisés. Comme céréaliste et comme journalier, il dépend des « bons laboureurs »; manœuvre primaire du textile, il ne possède souvent ni la matière première ni le métier à tisser, que lui procure quelque marchand-entrepreneur qui habite un gros bourg, ou Amiens. La dépendance de ces très petites gens est donc multiple. Leurs deux activités, dont les crises surviennent en même temps et s'accroissent l'une l'autre, double la fragilité de leur sort. Cibles désignées pour toutes les formes de crises, ils constituent malheureusement la grosse majorité des villages picards pendant tout l'Ancien Régime.

Les « métayers » de l'Ouest réalisent, dans un milieu fort différent, un autre type de paysans dépendants. Ils sont liés à un « maître », qui est souvent le seigneur, par des contrats fixés à la fois par la coutume et par des actes notariés. D'une variété infinie, ces contrats entrent mal dans nos classifications simplistes et anachroniques : ils ne sont ni vraiment de métayage, ni vraiment de fermage, et pourtant un peu des deux ensemble, plus des dispositions encore plus anciennes et plus « féodales » aussi. En Bretagne particulièrement, ils imposent couramment un mélange d'offrandes rituelles, de corvées coutumières, de très lourds charrois (gratuits), de champarts, de prestations fixes plus rarement en argent qu'en nature (blé, beurre, lin, jeunes bêtes), de plantations d'arbres, et de partage plus ou moins par moitié d'une partie de la récolte. Sauf exceptions, les exploitations effectives sont souvent minuscules : quelques « raies », quelques « seillons », unités de labour devenues unités de mesure; et si elles dépassent la dizaine d'hectares, les paysans doivent souvent s'associer, former des « consorties » d'apparentés pour mettre en commun de manière efficace leur force de travail et leur matériel de labour et de traction. Dans la pratique, la subsistance, et même la réussite des uns et des autres tiennent surtout à l'existence d'un assez abondant cheptel bovin, favorisé par l'extension et la diversité des pâturages. Un second facteur favorable provient de la culture simultanée de deux céréales, l'une riche pour l'exportation (le froment), l'autre pauvre et à calendrier cultural différent pour la consommation (seigle, sarrasin). La structure des exploitations, l'inégale puissance du cheptel, l'inégale rigueur des contrats et des prélèvements seigneuriaux et féodaux, les aléas météorologiques enfin, règlent les contrastes et les nuances dans les diverses formes de la misère, de la médiocrité, ou d'une demi-aisance. Il existe pourtant un indice inquiétant : dans une région très bien étudiée, la Gâtine poitevine, la moitié des métayers n'arrivaient pas au bout de leur contrat, s'endettaient, déguerpissaient, abandonnaient leurs maigres biens, ou étaient chassés purement et simplement. En revanche, des contrées exceptionnellement riches, surtout par leurs dispositions naturelles, arrivaient à nourrir un contingent inhabituel de paysans aisés, dont les ventes à l'extérieur étaient presque toujours fort substantielles : grands polders normands, littoraux bretons aux hivers cléments et aux terres fortement amendées, grâce aux engrais marins et à un travail incessant et intelligent.

Moins connues jusqu'à une date récente, **les paysanneries du Midi** semblent à la fois plus diverses et plus favorisées. Certes on trouve partout des manouvriers tout à fait misérables, dépourvus de toute propriété, absolument dépendants de leurs employeurs; mais leur nombre reste assez faible. Bien plus nombreux apparaissent des petits propriétaires que la disette touchait assez rarement. Matériellement pourtant, on ne les voit pourvus que du manse, de quelques parcelles, d'un petit outillage de bois, d'un âne et de quelques brebis. Mais ils jouissent des bénédictions du climat et du terroir. Quelques horribles marais exceptés, ils habitent les régions les plus ensoleillées et les plus salubres de France. La structure des terroirs réserve une large part aux garrigues et aux maquis qui peuvent nourrir presque sans frais de considérables troupeaux de moutons — et être pénétrés par le défrichement, si besoin est. Une bonne adaptation au climat, avec les blés méditerranéens en assolement biennal; une science, trop rare en France, du jardinage et de l'arboriculture, avec le bénéfice des plantes nouvelles venues d'Orient et d'Espagne; une frugalité exceptionnelle, et pourtant le régime alimentaire probablement le plus « équilibré » du royaume; la présence de cultures qui donnent des excédents faciles à vendre (olivier, vignes, fruits séchés pour le Carême) d'autant que la rivière et surtout la mer ne sont jamais loin; la présence, depuis au moins le premier tiers du xviie siècle, d'une plante presque miraculeuse, aux rendements énormes (couramment 100 pour 1, vingt fois n'importe quel « bled ») le maïs américain venu par la Navarre, précieux aussi pour le bétail, et facile à introduire en culture dérobée, ou intercalaire. Autant de facteurs qui offrent des conditions assez heureuses aux petits paysans du Midi. On rappellera aussi l'atmosphère de liberté : la persistance des alleux, la nécessité pour le noble comme pour le seigneur de fournir des preuves pour être acceptés comme tels, la faiblesse du prélèvement seigneurial (mais l'extrême lourdeur des dîmes), la puissance relative des municipalités, des « consulats ». Dans ces populations méridionales, aucune « famine » digne de ce nom n'a été observée depuis au moins 1660, privilège inappréciable, presque incroyable... On comprend alors que convergent vers ces provinces bénies tous les misérables du voisinage, et surtout les rudes montagnards, ces « gavaches » qui ont saupoudré de « gueuserie » tout le Bas-Languedoc.

A l'image de ces méridionaux relativement favorisés, on peut évoquer, sous d'autres cieux, des types de paysans auxquels fut attribué localement le terme pittoresque de **« haricotiers »**. Ceux-là « tiennent de leurs propres » un ensemble de terres de superficie assez médiocre — quelques hectares — mais non ridicule ; ils possèdent des instruments de travail et un petit cheptel ; ils pratiquent une habile polyculture, et utilisent avec esprit leurs ressources et leurs temps de travail : un peu d'élevage, un peu de jardinage et d'arboriculture, volontiers soignés et même spécialisés, un peu de blé, du travail à la maison et chez les autres. Cet ensemble harmonieux et souvent très « français » (au sens septentrional de l'Ile-de-France) donne fréquemment la sécurité de la subsistance et du paiement de l'impôt. Et pourtant cette économie diversifiée demeure fragile : une épizootie, deux mauvaises années, la maladie du chef de famille peuvent pousser à l'endettement, préface habituelle du refoulement dans la catégorie inférieure et majoritaire, celle des dominés perpétuels, dont la vie ou la survie fait toujours problème.

La possession et le travail assidu de quelques arpents de bonne vigne suffit à déterminer des conditions de vie assez comparables, et parfois meilleures, à condition que le raisin mûrisse, et que le vin se vende bien : en effet, l'exploitation vigneronne requiert bien plus de main-d'œuvre et d'adresse que de matériel coûteux. Mais, comme pour les haricotiers, beaucoup de vignerons campent aux limites de la sécurité paisible, et peuvent sombrer assez vite, surtout quand le marché est encombré, dans un milieu social où les chutes sont toujours plus fréquentes que les ascensions.

Bien d'autres nuances provinciales et sociales pourraient être dessinées. Elles n'ajouteraient que des touches à la définition du paysan français majoritaire, qui vit dans l'incertitude et la dépendance. **Incertitude** de l'hiver proche comme de l'avenir plus lointain, qui découle de l'insuffisance fréquente des terres, du matériel, du cheptel, mais aussi du volume du prélèvement multiforme opéré sur le produit brut par les rentiers successifs ou simultanés. Incertitude suspendue aussi aux conditions météorologiques, aux variations de la fiscalité, aux simples aléas de la santé familiale, et accrue par une sorte d'angoisse venue du fond des temps. Dans tous les cas, **dépendance**, économique, sociale, juridique, politique, culturelle, à l'égard de l'employeur urbain ou rural, du « maître » de la ferme ou de la métairie, du seigneur, du corps politique, de l'Église dans ses décimateurs comme dans ses sermonneurs. Dépendance et incertitude n'entraînent forcément ni la révolte, ni la misère constante ; l'habileté, l'habitude, et aussi un certain abrutissement, entretenu par une culture nulle ou pire, conduisent plus fréquemment **à la résignation dans une basse et fluctuante médiocrité.**

4 — Les paysans indépendants

Les paysans vraiment indépendants, qu'on trouve à peu près partout sous l'Ancien Régime, mais dans des proportions fort variables, n'ont nulle part constitué une majorité. Sauf catastrophe, la sécurité de leur famille et de leur exploitation est toujours assurée. Ils mettent en valeur un « corps de ferme » important, habituellement **supérieur à dix hectares et bien souvent à vingt.** La terre ne leur appartient pas toujours; beaucoup de ces « indépendants » ne sont pas propriétaires, même au sens ancien du mot, mais bel et bien les solides fermiers d'une riche famille ou d'une robuste institution religieuse, et à peu près jamais des métayers. Dans tous les cas, « cheptel vif » et « cheptel mort » leur appartiennent en propre, et sont importants : plusieurs attelages, chevaux ou bœufs; au moins une dizaine de vaches, au moins une cinquantaine de moutons; de grandes charrues à roues, des herses, des rouleaux, des faux, des charrettes à essieux de fer (la possession de beaucoup de « fers » est presque un signe d'aisance). L'utilisation et souvent la possession de solides instruments de production, de labour, de culture, de transport, permet et symbolise leur indépendance : ce sont **des entrepreneurs de culture pourvus d'un capital d'exploitation.**

Ils utilisent couramment **des salariés,** soit constamment (valets, servantes), soit de manière intermittente (journaliers), ce qui leur donne le prestige, la position, la puissance de l'employeur à l'égard des paysans modestes, ainsi enfoncés dans une dépendance supplémentaire. Sujétion qui peut aller fort loin : le paysan modeste a habituellement besoin de la charrue, des chevaux, et souvent des provisions, des semences, des avances du riche; en échange, il lui signe des reconnaissances de dettes, qui souvent seront acquittées en travail. Et la marque de cette sujétion est enregistrée au moment des successions : masse de « dettes actives », chacune assez légère, dans les nombreux papiers du riche; inversement, « dettes passives » dans les petites liasses trouvées chez les humbles.

Il n'est pas superflu de souligner que le paysan indépendant est souvent **alphabétisé;** dans les provinces en « pointe » — de la Normandie à l'Alsace —, il arrive même qu'il possède quelques livres. Tout naturellement, le paysan indépendant appartient au **« corps politique »** de l'assemblée des habitants; souvent, il y joue le rôle, important et digne, de marguillier, de syndic, de consul. Il est bien rare enfin que l'usage ne lui décerne pas, dans les actes plus ou moins officiels (paroissiaux, notariaux, fiscaux, judiciaires) une sorte de titre qui consacre et annonce à la fois sa « dignité », expression de sa fortune et de sa puissance. Dans le bassin de Paris, c'est le « laboureur » (titre ailleurs banal, ou absent); dans tout le Midi, c'est le « ménager », plus rarement le « maître de mas », et même parfois le « bourgeois ».

Tous les degrés qui séparent la petite aisance d'une véritable opulence peuvent naturellement être distingués. Entre le « bon laboureur » à deux chevaux, vingt hectares et six vaches, et le puissant fermier d'une centaine d'hectares, de la seigneurie et même des dîmes, la distance est grande. Mais leur frappante opposition avec le paysan dépendant va beaucoup plus loin : dans les provinces les plus contrastées et les plus développées, jusqu'à l'opposition « de classe », ressentie de temps à autre, et qui le sera de plus en plus.

A partir des plus puissants de ces grands laboureurs s'opère avec plus ou moins de lenteur la montée de la paysannerie vers des conditions, des habitats (urbains) ou des types de fortune qui lui apparaissent plus honorables. Une partie, à vrai dire faible, du bas-clergé séculier se recrute dans ce milieu rural aisé ; il faut de la fortune pour devenir prêtre : de 50 à 200 livres de rente, selon les diocèses et les époques. Une partie des boutiquiers de la ville, voire de modestes officiers, en provient aussi; mais ces ascensions paraissent se raréfier après 1650. Le plus souvent, les plus aisés et les plus avisés restent à la campagne, accroissent leurs terres, leurs fermages, leur cheptel, leur personnel, et trafiquent de peaux, de bois, ou de grains. Ceux-là sauront cueillir, après 89, une partie des biens du clergé, et former ensuite les notables locaux ou provinciaux du XIXᵉ siècle.

Aux sommets du monde rural, **un ou deux hommes par village détiennent une position exceptionnelle.** Paysans et chefs de culture, ils sont devenus les receveurs et parfois les intendants des grands propriétaires, des seigneurs, voire des décimateurs. Ils perçoivent à leur place, avec fierté et avec profit, ces droits plus ou moins « féodaux » qui les font accéder à un monde qui les dominait jusque-là. Par ce biais, ils participent au drainage de la rente foncière, dont ils conservent évidemment une partie, et occupent une position mixte : **producteurs et chefs de production, ils sont en même temps des rentiers partiels ;** mieux encore : fort contents de leur position, ils vont jusqu'à imiter (avec leur aveu) leurs maîtres et seigneurs, en commandant, en chassant, en paradant, en élevant des pigeons, en sommant même leur bâtiment principal de la girouette seigneuriale. Par ces personnages souvent décrits, mais jamais étudiés systématiquement, s'achève et se fond dans le monde des rentiers, très au-dessus du manouvrier ou du haricotier, la hiérarchie des paysans producteurs, richesse fondamentale de l'économie d'Ancien Régime.

TEXTES

20. Un exemple d'errants : la « gueuserie » languedocienne

... Le 22 décembre 1684, dans un village perdu des Cévennes; il gèle à pierre fendre. Un vagabond, Gabriel Georges, agonise à l'hôpital. Mort, on enfouit son cadavre au cimetière spécial des pauvres étrangers. D'où venait-il? A l'en croire, il avait 46 ans, il était né à La Familière en Poitou. Destin exemplaire : sans cesse, au fil des registres mortuaires, des archives d'hospices, on se heurte à ces gueux, qui descendent vers le soleil et la Méditerranée, ayant pour tout bagage un petit chaudron, pour cuire la soupe et collecter les pièces... Clochards devenus chiffonniers, ils collectent le vieux linge, les « drapeaux », les loques bourrées de microbes, véhicules de toutes les contagions, qu'ils vont revendre aux maîtres des moulins à papier... Dès l'hiver, ils courent se blottir dans les granges à foin, les métairies, d'où les valets les débusquent au petit matin, raidis de froid, parfois gelés à mort. D'autres sont bouclés dans les hôpitaux : ils y souffrent de faim, nourris d'un pain terreux et sans levain, comme à Montpellier... Mais, jusque vers 1700, c'est bien l'errance, plus que l'enfermement qui caractérise leur mode de vie : en vain les archers, portiers, chasse-coquins, prévôts... tentent-ils de les incarcérer. Tous ceux qui participent à l'ancien système de pensée, qui croient encore, comme au Moyen Age, que la mendicité est un signe d'élection, tous ceux-là — petites gens, laquais, gens de livrée, enfants, nonnes, taverniers ou prostituées — les protègent, les arrachent des griffes des chasse-gueux, les cachent dans leur domicile, pour les rendre ensuite à la liberté : ainsi à Montpellier, en 1685, la femme Gasconne, le sieur Barbe, la nonne Carabosse sont mis à l'amende, pour avoir retiré chez eux des mendiants. ... Chaque paroisse importante voit passer, en une année, plusieurs dizaines ou centaines d'errants; le seul hôpital de Montpellier distribue plus de 40 000 « passades » en 65 ans ! En foule, grouillants, on voit ces gueux hanter les églises; ils se refusent à y prier, dit-on; ils y incommodent les fidèles de leurs odeurs, de leurs clameurs, qu'ils portent jusqu'au pied des autels, à l'instant de l'élévation... Ils s'installent dans les aires, les basses-cours, les granges, les tuileries, les couverts ou cabanons de campagne. Ils montent dans les maisons, forniquent, avec ou sans « créatures »; ils assassinent, ils volent; ils se disent soldats et n'ont pas de congé; ils contrefont les estropiés; ils mendient, attroupés à plus de quatre, non compris les enfants; ils s'arment de fusils, pistolets, baïonnettes, bâtons ferrés; ils suivent en foule les grands personnages, le roi, les États, qui laissent ainsi derrière eux comme un long et puant sillage de pouillerie et de mendicité... C'est en vain qu'on fait alterner les coups et la douceur : qu'on les tond, qu'on les fouette, à deux sous la tournée pour le fouetteur; qu'on les fusille parfois...; qu'on brûle leurs paillasses, pleines de puces; qu'on les voiture à cinq ou six lieues, en charrette ou à dos de bourriques, «aux applaudissements du public », charmé par ces procédés. Ou bien qu'on les renvoie, plus humainement, lestés d'une écuellée de soupe à l'huile, ou d'une cuillerée de fèves et d'une boule de pain noir, partagée avec quelques lépreux. Ils reviennent toujours.

LE ROY-LADURIE Emmanuel, *Les Paysans de Languedoc*, Paris, S.E.V.P.E.N., 1966, 2 vol., 1035 p., pp. 93-95.

21. Les « manœuvriers », vus par Vauban

... Reste à faire état de deux millions d'hommes, que je suppose tous Manouvriers ou simples Artisans répandus dans toutes les Villes, Bourgs et Villages du Royaume.

Ce que je vais dire de tous ces Manœuvriers... mérite une sérieuse attention : car bien que cette partie soit composée de ce qu'on appelle mal à propos la lie du Peuple, elle est néanmoins très-considerable, par le nombre et par les services qu'elle rend à l'État. Car c'est elle qui fait tous les gros Ouvrages des Villes et de la Campagne, sans quoy ni eux ni les autres ne pourraient vivre. C'est elle qui fournit tous les Soldats et Matelots, et tous les Valets et Servantes; en un mot, sans elle l'État ne pourroit subsister. C'est pourquoy on la doit beaucoup ménager dans les Impositions, pour ne pas la charger au-delà de ses forces.

Commençons par ceux des Villes.

....

Parmy le menu peuple, notamment celuy de la Campagne, il y a un très-grand nombre de gens qui, ne faisant profession d'aucun Métier en particulier, ne laissent pas d'en faire plusieurs très-nécessaires, et dont on ne sçauroit se passer. Tels sont ceux que nous appelons Manœuvriers, dont la plupart n'ayant que leurs bras, ou fort peu de choses au-delà, travaillent à la journée, ou par entreprise, pour qui les veut employer. Ce sont eux qui font toutes les grandes besognes, comme de faucher, moissonner, battre à la grange, couper les Bois, labourer la Terre et les Vignes, défricher, boucher les Heritages, faire ou relever les Fossez, porter de la Terre dans les Vignes et ailleurs, servir les Maçons et faire plusieurs autres Ouvrages qui sont tous rudes et penibles. Ces gens peuvent bien trouver à s'employer de la sorte une partie de l'année, et il est vrai que pendant la Fauchaison, la Moisson et les Vendanges, ils gagnent pour l'ordinaire d'assez bonnes journées; mais il n'en est pas de même le reste de l'année...

Il ne sera pas hors de propos (de faire) un détail de ce que peut gagner... le Manouvrier de la Campagne.

Je suppose que, des trois cens soixante-cinq jours qui font l'année, il en puisse travailler utilement cent-quatre-vingt et qu'il puisse gagner neuf sols par jour *(Vauban écrit aux environs de 1700)*. C'est beaucoup, et il est certain qu'excepté le temps de la Moisson et des Vendanges, la plûpart ne gagnent pas plus de huit sols par jour, l'un portant l'autre; mais passons neuf sols, ce seroit donc quatre-vingt-cinq livres dix sols, passons quatre-vingt-dix livres; desquelles il faut ôter ce qu'il doit payer *(impositions plus sel pour une famille de 4 personnes, soit 14 l. 16 s.)*... restera soixante et quinze livres quatre sols.

Comme je suppose cette famille... composée de quatre personnes, il ne faut pas moins de dix septiers de Bled mesure de Paris *(soit 15,60 hectolitres, plus de 10 quintaux)* pour leur nourriture. Ce Bled moitié froment, moitié seigle... pour prix commun à six livres le septier... fera soixante livres qui, ôté de soixante-quinze livres quatre sols, restera quinze livres quatre sols [1], sur quoy il faut que

---

1. Un autre calcul de Vauban aboutit à 23 livres 17 sols (il existe plusieurs manuscrits de la Dixme Royale, qui diffèrent légèrement).

ce Manœuvrier paye le louage ou les réparations de sa maison, l'achat de quelques meubles, quand ce ne seroit que de quelques ecuelles de terre; des habits et du linge; et qu'il fournisse à tous les besoins de sa famille pendant une année.

Mais ces quinze livres quatre sols ne le meneront pas fort loin, à moins que son industrie *(activité manuelle : tissage par exemple)* ou quelque commerce particulier ne remplisse les vuides du temps qu'il ne travaillera pas, et que sa femme ne contribue de quelque chose à la dépense par le travail de sa Quenouille, par la Coûture, par le Tricotage de quelque paire de Bas ou par la façon d'un peu de Dentelle...; par la culture aussi d'un petit Jardin; par la nourriture de quelques Volailles, et peut-être d'une Vache, d'un

Cochon ou d'une Chèvre pour les plus accommodez *(les plus aisés)*...; au moyen de quoy il puisse acheter quelque morceau de lard et un peu de beurre ou d'huile pour se faire du potage. Et, si on n'y ajoûte la culture de quelque petite piece de terre, il sera difficile qu'il puisse subsister; ou du moins il sera réduit luy et sa famille à faire une très-miserable chere. Et si au lieu de deux enfants il en a quatre, ce sera encore pis, jusqu'à ce qu'ils soient en âge de gagner leur vie. Ainsi de quelque façon qu'on prenne la chose, il est certain qu'il aura toûjours bien de la peine à attraper le bout de son année...

VAUBAN, *Projet d'une Dixme Royale*, 1707, éd. Coornaert, Paris, Alcan, 1933, 296 p., p. 73 et pp. 77-81.

22. Les paysans pauvres du Nivernais, vus par Vauban, en janvier 1696

... tout ce qui s'appelle bas peuple ne vit que de pain d'orge et d'avoine melez, dont ils n'ostent pas mesme le son; ce qui fait qu'il y a tel pain qu'on peut lever par les pailles d'avoine, dont il est meslé. Ils se nourrissent encore de mauvais fruit(s), la plus part sauvages, et de quelque peu d'herbes potageres *(légumes)* de leurs jardins, cuittes à l'eau, avec un peu d'huile de noix, ou de navette, le plus souvent sans, ou avec tres-peu de sel. Il n'y a que les plus aisez qui mangent du pain de seigle mêlé d'orge et de froment.

... Le Commun du Peuple en boit rarement *(de vin)*, ne mange pas trois fois de la viande en un an et use peu de sel... Il ne faut donc pas s'étonner, si des peuples si mal nourris ont si peu de force. A quoi il faut ajouter que ce qu'ils souffrent de la nudité y contribue

beaucoup; les trois quarts n'estans vestus, hiver et esté, que de toile à demi pourrie et déchirée, et chaussez de sabots, dans lesquels ils ont le pied nud toute l'année. Que si quelqu'un d'eux a des souliers, il ne les met que les jours de feste et dimanches; l'extrême-pauvreté où ils sont reduits (car ils ne possedent pas un pouce de terre) retombe par contre-coup sur les Bourgeois des Villes et de la Campagne qui sont un peu aisez, et sur la noblesse et le clergé, parce que prenant leurs terres à bail de metairie, il faut que le Maistre qui veut avoir un nouveau mêtaïer commence par le degager, et païer ses debtes, garnir sa metairie de bestiaux, et le nourrir lui et sa famille, une année d'avance, à ses dépens...

Le Pauvre Peuple est encore accablé d'une autre façon par les prests de bleds et d'argent que les aisez leur font dans leurs besoins, au moien desquels ils exercent une grosse usure sur eux, sous le nom de presens qu'ils se font donner après les termes de leur créance échûs pour éviter la contrainte; lequel terme n'êtant allongé que de trois ou quatre mois, il faut un autre present au bout de ce temps-là, ou essuier le sergent *(l'huissier préposé aux saisies pour dettes)* qui ne manque pas de faire maison nette. Beaucoup d'autres vexations de ces pauvres gens demeurent au bout de ma plume, pour n'offenser personne.

Comme on ne peut guère pousser la misère plus loin, elle ne manque pas aussi de produire les effets qui lui sont ordinaires, qui sont : Premièrement, de rendre les peuples foibles et mal sains, speciallement les enfans, dont il en meurt beaucoup par deffaut de bonne nourriture; Secondement, les hommes faineants et decouragez, comme gens persuadez que, du fruit de leur travail, il n'y aura que la moindre et plus mauvaise partie qui tourne à leur proffit; Troisièmement, menteurs, larrons, gens de mauvaise foi, toûjours prests à jurer faux pourveu qu'on les païe, et à s'enivrer sitost qu'ils peuvent avoir de quoi...

> Vauban, *Description géographique de l'Election de Vezelay...,* publiée par Coornaert, *Projet d'une Dixme royale, op. cit.,* pp. 279-281.

N.B. : La région est particulièrement pauvre, et l'époque particulièrement sombre; mais Vauban a effectué une enquête approfondie, et habite la région.

23. Laboureurs de la vallée de l'Essonnes

A la masse des gagne-petit s'oppose le groupe restreint des laboureurs, qui ne représente pas 8 % de la population totale *(de la vallée de l'Essonnes)...*

Ce qui distingue et définit le laboureur, du moins à l'origine et dans une large mesure encore au xviiᵉ siècle, c'est l'exploitation de terres labourables à l'aide de son propre train de culture... Ce sont... essentiellement des terres prises à bail que cultive le laboureur. Il se présente donc avant tout comme le locataire de ces grosses fermes... de 200 ou 300 arpents *(1 arpent = 40 ares)...* Il n'est pas rare qu'un laboureur cumule plusieurs fermes... François Moreau *(en 1691)...* tient, en même temps que la ferme du Chêne-Coupé, consistant en 120 arpents de terres labourables environ, la ferme de la Mézière, qui en contient 35... En 1700, Gilles Labourer, déjà fermier de la Verville, la plus grosse ferme du duché *(de Villeroy),* prend à bail pour neuf ans une autre ferme du duché, les Boulineaux (à Saint-Fargeau), consistant en 234 arpents de terre et 14 de prés; son exploitation groupe ainsi 635 arpents de terres et 55 de prés, au total près de 300 hectares. Ce dernier exemple nous montre qu'un laboureur peut être autre chose qu'un simple cultivateur. Il est difficilement pensable, en effet, que le possesseur d'un tel domaine ait justifié son titre de « laboureur » en poussant lui-même la charrue. Nous avons à faire ici à un véritable entrepreneur agricole.

On s'aperçoit vite, d'ailleurs, que cet entrepreneur a bien d'autres cordes à son arc, si l'on peut dire, que le « labour » des terres prises à ferme. Il est très fréquemment fermier des droits seigneuriaux... C'est ainsi qu'Antoine Bigé, laboureur de Fontenay-le-Vicomte, prend à bail des Dames de Port-Royal de Paris la terre de Mondeville, qui consiste « en le lieu seigneurial » (corps de logis couvert de tuiles « avec la chambre où se tient la justice » et bâtiments d'exploitation couverts en chaume) plus 160 arpents de terre, 3 de vigne et 4 de bois-taillis, et en même temps « l'entière seigneurie de Mondeville, consistant en rentes seigneuriales, deniers, poulles ou chapons, grains, le tout payable à la Saint Remy; item, le droit d'abonnage avec les meusniers et de faire la chasse sur l'estendue de ladite seigneurie pour l'enlèvement et la moute des grains ». A Ballancourt... Jean Barbier puis son fils Robert sont en même temps fermiers du Petit-Saussay (250 arpents environ) et receveurs de la commanderie de Saussay. Ce système de bail global, avantageux pour le seigneur, qui voit simplifiée l'administration de ses biens, est considéré d'un bon œil par les fermiers; en effet, la prise à charge d'une exploitation de 150 à 200 hectares exige de gros capitaux *(2 000 à 3 000 livres rien que de train de culture)*, que pouvait fournir en partie la ferme des droits seigneuriaux; de plus, celle-ci, en plus de la considération qui s'attachait au titre de « receveur d'une terre et seigneurie », permettait... de faire pression sur la masse de la population rurale et d'augmenter la prééminence du fermier sur le monde des gagne-petit.

... Ces capitaux, les laboureurs les tirent parfois d'un troisième genre d'activité, le commerce. Beaucoup vendent eux-mêmes leur production commercialisable, afin d'éviter les intermédiaires, « blatiers » et gros marchands de grain...

A travers ses diverses activités, le laboureur nous apparaît donc comme une sorte d'entrepreneur quasi capitaliste, mélange de l'homme d'affaires et du cultivateur. Tel est du moins, non pas le portrait de la majorité des gens qui s'intitulaient « laboureurs », mais le type auquel tous aspirent à ressembler.

> Fontenay Michel, *Paysans et marchands ruraux de la vallée de l'Essonnes dans la seconde moitié du XVIIe siècle*, dans *Paris et Ile-de-France, Mémoires publiés par la fédération des sociétés historiques et archéologiques de Paris et de l'Ile-de-France*, t. IX, Paris, 1958, pp.245-249.

N.B. : Le type décrit ici se rencontre en Ile-de-France et dans les riches plaines à blé du Bassin parisien; il est loin d'être présent dans l'ensemble du royaume.

24. L'image fiscale d'une communauté rurale : le rôle des tailles de La Bellière, 1698 (analyses et extraits)

Cette petite communauté normande est taxée à 904 livres; elle comprend, outre un seul exempt, le curé, 41 taillables domiciliés, 4 « anciens occupans » et 4 « entrans et nouveaux occupans » (fermiers qui ont changé de domicile).

Répartition des cotes :
Plus de 100 livres : 2 (150 et 110 livres)
Autour de 50 livres : 3 (53, 49, 48 l.)
De 24 à 32 livres : 6 cas

On remarquera que ces 5 taillables règlent près de la moitié du total.

De 16 à 21 l. : 6 cas
De 9 à 12 l. : 6 cas
De 3 à 7 l. : 9 cas
A 2 livres : 4 cas.
A 10 sols : 5 cas.

Exemples de cotes :

150 l. : Jean Horcholle, fermier du marquis de La Bellière par 1 200 l.; fait une charrue, 15 vaches, 30 bestes à layne.

110 l. : François de Gournay, fermier par 320 l. du sieur de Saint-Arnou(*lt*) et de la veuve Pierre Tabur; de propres, viron *(environ)* 140 l. de bien *(en revenu)*, 2 chevaux, 6 vaches.

53 l. : Adrien Tabur, greffier alternatif des rooles *(petit office)*, fermier par 400 l. du sieur de Mortemer, 2 chevaux, 8 vaches...

49 l. : Pierre Horcholle et son fils Estienne, fermier par 400 l. du sieur Delestre d'Aumalle, 2 chevaux, 6 vaches.

27 l. : René Le Sage, musnier par 150 l. du sieur de Pommereux, 1 cheval, 1 vache.

16 l. : Robert Mallard, tisserand, fermier de Pierre Le Clerc par 60 l., 2 vaches.

8 l. : Antoine Pinot, masson, propriétaire d'une petite maison.

6 l. : François Fourgon, manœuvrier et gardien d'une arbage *(sic)*.

4 l. : Antoine Bellefemme, manœuvrier occupant le couvert *(locataire)*.

3 l. : François Gambu, magister occupant l'escholle.

2 l. : veuve Nicolas Bailly, douairière *(ne vit que de son douaire de veuve)*.

10 sols : 4 « absents » *(fugitifs probablement, ou mendiants, ou soldats)*.

Extrait des Arch. dép. de Seine-Maritime, C 2 099; La Bellière est située tout près de Forges-les-Eaux, comme les autres localités citées dans le texte.

CHAPITRE VI

RENTE FONCIÈRE
ET RENTIERS DU SOL

En plein xviiie siècle, le *Tableau économique* de Quesnay oppose les producteurs aux rentiers, et peint « cette classe des propriétaires... assise au centre de la circulation en un gradin plus élevé... et qui comprend le souverain, les possesseurs de terre et les décimateurs. » De fait, un enchevêtrement de prélèvements s'abat sur l'ensemble de la production paysanne, et aboutit à la «classe propriétaire », plus exactement à la classe des rentiers non paysans. Dans une société à prédominance agricole, il est à peine exagéré de dire que la rente fut la clé de tout, quel que fût sa forme, sa définition juridique ou son contexte psychologique.

1 — Les principales catégories de rente foncière —

La dîme ecclésiastique

Il se trouvait encore au xviiie siècle des canonistes pour soutenir que la dîme était d'institution divine : il leur suffisait de torturer quelques passages de la Bible, qui parlaient de « consacrer au Seigneur » les fruits de la terre. Les bons juristes, comme Durand de Maillane, savaient pourtant que les Pères de l'Église s'étaient tus, ou avaient simplement conseillé aux fidèles d'offrir aux prêtres des aumônes, ou une part de leurs récoltes. Le passage de la suggestion à l'obligation fut réalisé entre le vi⁰ et le ix⁰ siècle : des conciles menacèrent d'excommunication tout fidèle qui ne paierait pas la dîme à l'Église. Une série de capitulaires carolingiens, de 779 à 805, le plus connu et le plus souvent allégué étant celui de 801, fixèrent les bases et assignèrent les objectifs de cette institution millénaire, l'une des plus solides, l'une des plus générales, l'une des plus compliquées et l'une des plus contestées de l'Ancien Régime.

Le principe en est simple, si son application ne l'est pas : **tous les hommes qui jouissent des « fruits » de la terre** — fruits au sens latin très large de récolte — **doivent en donner une part, en principe le dixième, à l'Église, qui l'affectera à trois objets : la subsistance des pasteurs, l'entretien des bâtiments du culte, le soulagement des pauvres.** Admirable simplicité, qu'un millénaire a altérée, parfois jusqu'à la caricature.

L'universalité du paiement est ce qui a le moins changé. Certes le privilège, c'est-à-dire la supériorité constante de la loi particulière sur la loi générale, principe fondamental du droit médiéval et du droit d'Ancien Régime, a quelque peu pénétré le droit des dîmes. Quelques ordres religieux anciens (Cluny, Citeaux, Prémontrés, Chartreux) ont réussi, non sans peine, à s'en exempter, et à faire maintenir leur privilège par le concile du Latran de 1215. Une ordonnance royale de 1457, dont l'application n'est pas évidente, a tenté d'exempter les officiers du Parlement. Les curés étaient naturellement exempts pour les biens qu'ils pouvaient posséder dans la paroisse où ils exerçaient, généralement peu de chose. Hormis ceux-là, tout le monde paie la dîme, même le pauvre s'il n'est pas sans terre et sans bétail; même le noble, mais souvent à un taux moindre; même les ecclésiastiques; et les protestants ont été obligés d'accepter l'article 25 de l'édit de Nantes, qui les contraignait à subventionner la religion adverse.

Mais il faut bien préciser que le paiement se fait en nature, avant tout autre, immédiatement après la récolte, et sur cette récolte brute; et que c'est celui qui est établi sur le fonds, celui qui le travaille qui paie la dîme, et non pas le propriétaire éminent, ou le propriétaire tout court. C'est donc toujours le paysan exploitant qui paie.

La matière décimale, le « fruit », s'est peu à peu déterminée suivant des processus compliqués et variables, avec de nombreux cas d'espèce et de coutumes locales, dans un maquis de discussions et de querelles à peu près inextricable. Ce qui paie toujours, ce sont les « gros fruits », les productions principales : d'abord les céréales et la vigne, mais aussi le « croît du bétail », les jeunes bêtes nées durant l'année. Ne paient presque jamais : les bois, sauf quelques taillis; les mines et carrières; les produits de la chasse et souvent de la pêche; les prairies naturelles (mais non les artificielles, détail qui va loin); les fruits des arbres fruitiers quand ils sont plantés sur une terre décimable (d'où le succès des poiriers, pommiers, noyers, châtaigniers, oliviers dans les blés et les vignes), en vertu de l'adage coutumier qu'« on ne dîme pas le haut et le bas », principe pourtant violé dans une partie du Midi; sont aussi exemptés les animaux de labour (d'où l'intérêt de faire labourer les vaches...), les récoltes coupées avant maturité si elles engraissent les bêtes de la ferme, et surtout les enclos, parcs et jardins, sauf s'ils contiennent des fruits décimables (vigne, blé) et sauf s'ils dépassent une certaine superficie (variable!), et sauf encore dans la banlieue de certaines villes, comme Paris. Le privilège décimal des enclos, qui explique tant d'aspects du paysage rural, constitue naturellement le plus beau de tous les nids à procès. Faut-il ajouter encore qu'on ne dîme pas, en un lieu, les fruits qu'on n'a pas l'habitude d'y dîmer (ou alors la dîme est « insolite »), qu'on dîme en principe toute culture nouvelle, et toute mise en culture nouvelle, que ces « novales » sont de graves obstacles au progrès agricole, et que tout changement ou interversion de culture sur la même terre suscite des querelles sans fin? Cette énumération simplifiée n'est pas superflue : elle permet de pénétrer au cœur même des institutions, des habitudes, des mentalités, des querelles et des complexités si caractéristiques de l'Ancien Régime, et qui lui sont si chères.

Le taux de la dîme s'est modifié plus encore que la matière décimable. Les dîmes au dixième ne sont pas inconnues, mais rares; les taux supérieurs au dixième sont plus rares encore; les taux particulièrement légers (le trentième, le trente-sixième, moins de 3 %) existent également, et rendent par exemple fort supportable la cueillette faite à ce tarif par les populaires « recteurs » de Basse-Bretagne. Les taux les plus fréquents semblent compris entre le onzième et le treizième, autour de 8 %; mais, en ce domaine, la variété la plus extravagante constitue la seule loi générale, trait encore fort typique de l'Ancien Régime, comme le montre le tableau annexé à ce chapitre, qui ne concerne pourtant qu'un morceau de Provence.

Ce qui a le plus changé, c'est **la qualité des décimateurs**, c'est **l'identité des bénéficiaires.** Canoniquement, juridiquement, ce décimateur, ce devrait être le curé : comme titres, son « clocher lui suffit », comme on dit; mais d'autres ont des titres contraires, et contraignants. Décimateur complet, le curé ne l'est pas une fois sur dix : on lui a abandonné des bribes, des novales, des dîmes de toisons, de lins, de charnage, infimes, incertaines, difficiles à percevoir (qu'est au juste la dîme des agneaux et des toisons chez un paysan qui possède deux brebis?). Ratifiée par tous les textes, la spoliation du curé fut l'œuvre des évêques, des chapitres de chanoines, des couvents, parfois même des laïques (les dîmes dites « inféodées », en principe interdites). Il est vrai que tous ces « gros décimateurs » (« gros » parce que percevant les « gros fruits », l'essentiel, gros aussi par leur opulence) avaient des devoirs envers la paroisse où se trouvait leur dîmage. Ils les remplissaient inégalement, et en renâclant : la charité, presque jamais, quoi qu'on prétende; l'entretien des immeubles, en partie, et si on les y contraignait (le chœur de l'église) ; l'entretien du curé desservant, médiocrement : ils lui reversaient une pension, le « gros » (part des « grosses » dîmes), à peine supérieure à la « portion congrue », que les rois essayèrent, souvent en vain, de fixer : 200 ou 300 livres, puis 500 en 1768 et 700 en 1786. **L'essentiel de la dîme ne retournait pas à la paroisse :** elle s'investissait ou s'abîmait dans les opulences épiscopales, canoniales, régulières ou seigneuriales.

L'efficacité du système décimal a tenté les théoriciens de l'impôt, y compris Vauban dans sa « Dixme royale » de 1707. L'on avance habituellement que la dîme pouvait rapporter, au XVIIIᵉ siècle, de 100 à 150 millions de livres, presque autant que tous les impôts directs. La rente décimale a solidement soutenu les revenus du clergé, haut et moyen. En Languedoc, les grands chapitres cathédraux se nourrirent essentiellement de dîmes; dans une province où les exigences de l'Église furent modérées, la Bretagne, les dîmes constituaient 40 % des recettes du chapitre cathédral de Rennes, et 55 % de celles du modeste évêché de Dol.

Entraînée par les progrès du protestantisme, une véritable **révolte contre la dîme** a secoué la France du XVIᵉ siècle : les refus de dîme gagnèrent même les contrées les plus catholiques, et ne comptèrent pas pour peu dans l'essor de la Réforme. Le cantonnement, puis la persécution des huguenots, joints aux efficaces missionnaires de la Contre-Réforme et de la monarchie du XVIIᵉ siècle, firent taire les révoltés. Les rancunes couvèrent presque deux siècles, et éclatèrent avec violence en 1789, comme le prouvent tant de cahiers de doléances.

En même temps qu'un type de rente foncière, la dîme fut un ferment de discordes continuelles, tant variaient les conditions de son assiette et de sa perception, et un grand moteur révolutionnaire.

La rente seigneuriale

Son **extraordinaire complexité** a déjà été évoquée (supra, chapitre IV) : cens modiques et quasi universels, champarts énormes mais localisés, reliefs, lods et ventes irréguliers et souvent considérables, banalités inégales et parfois copieuses, poussière des surcens, des rentes, des corvées, des tailles, des charrois, des offrandes, des péages et des pontenages, l'énumération est presque sans fin. Des droits en argent fixes et longuement dévalués donc les plus légers (au moins habituellement), mais d'autres en nature, les plus lourds; certains immuables, d'autres « muables »; certains réguliers et annuels, d'autres « casuels », c'est-à-dire occasionnels; certains acceptés sans peine, d'autres violemment contestés.

Les historiens se sont heurtés, parfois avec passion, sur le problème essentiel : **le poids réel de la rente seigneuriale.** L'impossible étude de dizaines de milliers de seigneuries, appuyée de toute une cartographie, pourrait soutenir seule une réponse assurée. Elle soulignerait l'incontestable lourdeur des champarts d'un peu partout, de la tierce bourguignonne, de la tasque provinciale, prélèvements en nature mal supportés, des droits de moulin dans tout l'Ouest, des droits de mutation un peu partout; et, inversement, l'insignifiance de tant d'autres... A ces contradictions s'ajoutent des difficultés presque insurmontables : comment, dans les comptes anciens, ventiler dans les rentrées celles qui furent purement seigneuriales, et celles qui représentent simplement le loyer des terres? Enfin, selon les temps et surtout selon les hommes, les seigneurs ont négligé ou exagéré la perception de leurs droits : il y eut notamment à la fin du xviiie siècle, des « réactions seigneuriales », que nous retrouverons.

Les différences provinciales semblent bien, une fois encore, témoigner des inégalités de la rente seigneuriale. Dans le Midi et au sud de Paris, où les dîmes furent lourdes (souvent 8 % ou plus), le prélèvement seigneurial était faible : 3 ou 4 centièmes du produit brut, parfois pas plus d'un centième. En Bretagne, où la dîme demeura faible, la rente seigneuriale, assise sur une coutume précise, semble considérable. Admirablement étudiée, la Bourgogne (comme peut-être tout l'Est du royaume) doit battre tous les « records » : la taille, les tierces, les corvées et la fréquente mainmorte concourent à assombrir le tableau. Là où le seigneur était en même temps le décimateur — les grandes seigneuries ecclésiastiques —, ce cumul était assez mal supporté. Une bonne cartographie des révoltes paysannes nettement anti-féodales, notamment vers 1788-1790, constituerait un indice assez sûr : elle indiquerait les provinces où la rente seigneuriale, accompagnée ou non des vexations féodales, était considérée à la fois comme excessive et insupportable. Car le sentiment, en cette matière, se mêlait étroitement à l'intérêt.

Quelle que fût l'inégalité de cette pesée seigneuriale, un fait était devenu de plus en plus évident : **la seigneurie n'offrait plus guère d'utilité,** comme d'ailleurs la noblesse, avec laquelle les paysans la confondaient souvent. Elle ne protégeait plus contre l'envahisseur. Elle n'assurait pas seule la justice proche.

Les monopoles qu'elle avait conservés (moulin, four, pressoir, çà et là) étaient devenus inutiles et coûteux. Son rôle de policier du terroir était assuré par les échevinages paysans, surveillés et au besoin aidés par les intendants et leurs agents. Et d'ailleurs le seigneur avait habituellement déserté la campagne surtout après la Fronde, ou n'y revenait que pour la chasse et le ramassage des fermages; au plus, s'il était « bien placé » à la cour ou à l'intendance, pouvait-il protéger ses tenanciers et ses « vassaux » — comme on disait encore —, en faisant diminuer leur quote-part aux impôts du roi, ce qui chargeait d'autant les voisins; simple rôle banal de notable intrigant, que reprendront plus tard les notables élus.

Sporadiquement, et de manière confuse (ou mal connue), au xvie et au xviie siècles, **les paysans se sont révoltés contre leur seigneur,** surtout quand ceux-ci innovaient, ou paraissaient innover; ils ont brûlé des châteaux et des chartriers, pillé, et parfois, un moment, refusé de payer, particulièrement les champarts, surtout au lendemain des périodes troublées (guerres de religion, frondes) durant lesquelles la perception s'était relâchée, ou n'avait pu s'effectuer. A la fin du xviiie siècle, la réaction a été plus vive et plus étendue. Mais elle visait autant le fait de la noblesse que le fait seigneurial, astucieusement mêlés sous le nom de « barbarie féodale »; ce qui sauvegardait donc une catégorie de rente que l'on ne discutait pas, qui était en train de devenir sacrée, et l'est à peu près restée : la « rente propriétaire », l'un des traits communs à beaucoup d'anciens et de « nouveaux » régimes, en particulier en France.

La rente propriétaire

Des centaines de travaux érudits, effectués surtout à partir d'archives de la fin du xviiie siècle, ont essayé de déterminer la « part » que les diverses « classes » (bien sommairement délimitées) ont pu « posséder » de la terre française sous l'Ancien Régime; « posséder » au sens banal et non quiritaire du mot, c'est-à-dire sauf les droits du seigneur et même du décimateur. Comme on peut le deviner, ces monographies ont souligné jusqu'à la caricature la diversité ancienne et fondamentale des situations locales : ici, le grand noble détient presque tout; à côté, presque rien; dans le Nord, l'Église possède jusqu'au quart des terres, dans le Midi, moins du vingtième; auprès des grandes villes, les paysans ne tiennent presque rien « de leurs propres », et au fond de l'Auvergne, presque tout. Dans ces innombrables contrastes, on a peine à cerner une impression d'ensemble : **les paysans ne « possédaient »** (au sens du temps, toujours) **vraisemblablement pas la moitié d'une terre qu'ils cultivaient dans sa totalité.**

Il découle de cette constatation simpliste qu'une bonne moitié des terres appartenait à des gens qui ne les cultivaient pas et qui résidaient ailleurs, mais qui pouvaient venir de temps à autre, par exemple pour percevoir des revenus. Ces rentiers de la majorité des terres concluaient avec les agriculteurs du lieu des contrats dont l'extraordinaire diversité nous stupéfie, et qui ne peuvent guère se classer sous nos sommaires et anachroniques rubriques de « fermage » et de « métayage ». Rien que dans le cadre français, l'étude de ces contrats nécessiterait un gros livre; on essaiera d'aller à l'essentiel.

Le rentier du sol, le **« bailleur »,** retient sur son **« preneur »** (appelé çà et là fermier, miège, métayer, bordier, closier, etc.) une part de revenu qui est censée rémunérer son capital foncier. Cette part est tantôt fixe et tantôt mobile; proportionnelle à la récolte, ou non; fournie tantôt en nature, tantôt en argent, tantôt en travail, et fréquemment mixte; elle comprend tantôt un seul produit (blé), tantôt une multitude; généralement écrit, le contrat est conclu pour un nombre d'années et de « despouilles » (récoltes) qui varie presque à l'infini, le plus souvent entre une et neuf, mais aussi au-delà : 27, 54, 99 ans, une ou plusieurs « vies » (dans les périodes difficiles), — sans compter ces nombreux « baux à rentes » qui sont des ventes déguisées, moyennant une somme annuelle fixe... Une évolution lente, sensible surtout dans les provinces les plus « avancées » (le bassin de Paris), conduisit les contrats vers la simplicité et l'efficacité : neuf ans, des redevances simplifiées, voire uniques, de préférence en argent, dont le montant ne cessa de croître dans la seconde moitié du XVIIIe siècle.

Les provinces périphériques, dont les originalités additionnées ont toujours formé une majorité de fait, ont longtemps conservé **des types plus archaïques de contrats.** Le Sud-Ouest s'est adonné, avec une espèce de jouissance, à des contrats de métayage où les partages les plus menus étaient prévus dans le détail, même l'herbe que pouvaient brouter en sus de leur stricte moitié les bêtes du métayer, même la graisse d'oie qui suffirait ou non à assurer la conservation ou le partage des rituels « confits ». L'Ouest a longtemps pratiqué un inextricable mélange de clauses à caractère tout à fait féodal (des corvées coutumières, des présents rituels, des sortes d'hommages roturiers), à caractère nettement seigneurial (des champarts, des moûtures banales), et à caractère courant : du blé, du beurre, de l'argent, celui-ci bien fixé, ceux-là variables... L'on pourrait énumérer longuement encore.

En bonne logique, il conviendrait d'évaluer maintenant **la part de la récolte** qu'un preneur pouvait « rendre » à son bailleur. En pays de métayage vrai, c'est évidemment la moitié, quand le maître fournit la moitié des avances; malgré des discussions sans fin et des tentatives de tromperie réciproque, et quelle que soit l'habileté du métayer, le taux est énorme, et les métayers sont habituellement d'assez pauvres diables, ce que contribuent à proclamer les observateurs du temps et les historiens; mais ces pauvres diables ont pourtant vécu, pas toujours misérablement : la question du métayage demanderait un réexamen au fond. En pays de fermage dominant, même au XVIIIe siècle, on a de la peine à voir clair. Autour de Paris, la charge du fermage est toujours plus forte que celle de la dîme, même quand celle-ci est à 8 ou 9 %, cas fréquent. En Picardie du Sud, au XVIIe siècle, les maîtres essaient de tirer au moins une « mine » de grain de chaque « mine » de terre qu'ils afferment; au nord de Beauvais, cela reviendrait à réclamer un hectolitre et demi à l'hectare cultivé (2 soles sur 3) et plus de deux hectolitres à l'hectare effectif (jachère comprise). En d'autres termes, le maître réclame nettement plus que ce que le fermier doit mettre de côté pour sa future semence. On ne saurait évaluer de telles exigences au-dessous du cinquième de la moisson effective. Même si l'on songe aux profits annexes du fermier (jardin, bétail, bois, louage de son train de culture, etc.), même si l'on s'attache à toute la gamme des cas d'espèce, **il est impossible de soutenir que la rente propriétaire ne « mangeait » pas la majeure partie du « produit brut »** (récolte diminuée de la semence, des frais de moisson et de battage, et de la nourriture de l'exploitant et de ses ouvriers); bien beau même quand le versement (toujours obligatoire) du « loyer » n'empêchait pas le fermier de nourrir convenablement sa famille, ou de « conserver » suffisamment de semence... Même sur les plus belles exploitations, il s'est trouvé des années difficiles, et parfois tragiques.

Comme il était alors de règle (au moins jusque vers 1750), **les variations inter-annuelles revêtent plus de signification que d'incertaines moyennes**, souvent étrangères d'ailleurs à l'esprit du temps. On sait que le rendement des moissons pouvait varier alors du simple au double. En bonne année, sur une bonne ferme, régler le fermage est chose aisée, si ce fermage est en nature; mais, s'il est en argent, il faudra vendre beaucoup de setiers, puisque les prix sont bas. En mauvaise année, le loyer fixe en grains éprouve le preneur, qui a moins récolté, et avantage le bailleur, qui pourra vendre beaucoup plus cher (au moins le double); si le loyer est en argent, le fermier sera peut-être obligé de vendre ce qu'il aurait dû resserrer pour sa semence ou sa subsistance : seul s'en tirera le très grand fermier. En d'autres provinces, avec un système de rente propriétaire proportionnelle à la récolte, le « maître » recevra moins de produits en mauvaise année, mais les vendra beaucoup plus cher : quant à son métayer, à lui de se débrouiller! Ce qu'il importe de bien apercevoir, c'est que **les « mauvaises années » avantagent le plus souvent les propriétaires** (s'ils savent exiger leur dû) et **désavantagent le plus souvent les paysans, sauf les très gros exploitants.** La « conjoncture » est rude aux petits et aux moyens, mais sourit presque toujours aux rentiers du sol. Des séries de trois ou quatre

« mauvaises années » suffisent à provoquer l'endettement, la déconfiture, la saisie, la fuite de beaucoup de métayers et de fermiers; parallèlement, ces effondrements peuvent constituer une aubaine pour d'autres, les créanciers adroits et presque inévitables, qui pouvaient alors rafler des parcelles, des cheptels et même des exploitations entières. Ce contraste fondamental ne caractérise pas la seule France d'Ancien Régime, mais il la caractérise vraiment beaucoup. Il permet aussi d'appréhender un type de rente foncière assez mal connu, et rarement mis en relief, que nous n'hésiterons pas à nommer « rente usuraire ».

La rente « usuraire »

Même dans son acception actuelle — celui qui prête à court terme, à intérêts énormes, souvent sur gages — le mot « usurier » peut servir à désigner des personnages anciens, surtout urbains, parfois ruraux, qu'Harpagon a symbolisés. Mais les théologiens et les moralistes rigoureux appelaient usure, non seulement toute forme illicite d'intérêt, mais l'intérêt lui-même : après Pascal et Bourdaloue, il se trouvait encore, en plein XVIIIe siècle, des jansénistes pour proclamer qu'un prêt d'argent ne pouvait être qu'un acte de charité, donc gratuit. Mais il y avait beau temps que la pratique et même la législation avaient contourné ces interdictions simplement scolastiques. Le moyen le plus simple consistait à camoufler un prêt sous une vente simulée, qui prenait les apparences juridiques les plus variées et les plus subtiles.

Tous ces procédés ont comme point de départ le couple créancier-débiteur. Le premier a « avancé » au second des semences, des aliments, du bois, du cheptel, des matériaux, parfois de l'argent — ce que le contrat dit rarement. Pour s'acquitter, le débiteur propose la vente simulée d'une terre, plus souvent le règlement annuel d'une « rente » sur ses futures récoltes; cette rente stipulée en nature peut être convertie en argent par une estimation qui se fait chaque année à l'amiable ou par décision de justice (c'est l'« apprécis » des grains, des vins, des animaux, des fagots, etc.). Ainsi des immeubles, terres et même maisons, se trouvaient fréquemment chargés de « rentes » (non seigneuriales), issues parfois d'un lointain passé, envers de riches créanciers ou leurs descendants. Clause capitale, le non-paiement de la rente entraînait, par un mécanisme juridique bien rôdé, la **saisie** au profit du rentier du fonds sur lequel elle était assise.

Les **« rentes constituées »** ou **« constituts »,** dont la masse écrase nos archives, ne procédaient pas d'un principe bien différent. C'étaient des prêts à intérêt maquillés légalement en contrats de vente. Un crédirentier « achetait », pour une somme globale, une « rente annuelle et perpétuelle jusqu'au remboursement », qui représentait le « denier » légal, le taux de son capital (ce taux descendit progressivement, du début du xvie siècle au début du xviiie, de 12 à 5 %, en négligeant les épisodes brefs ou les variantes régionales). La rente ainsi constituée reposait toujours sur l'ensemble des biens du débirentier, et nommément sur certaines terres précisément décrites. La mécanique était simple et universelle. Mais le paiement (annuel et à jour fixe) grevait évidemment les biens du preneur d'une charge importante. Un certain nombre de fraudes accroissait le profit du créancier qui, par exemple, n'avait pas toujours réellement versé la somme inscrite par le notaire. A défaut de versement, surtout durant plusieurs années, la saisie était de droit.

Les bénéficiaires habituels de ce type de rente (aux noms variés et souvent trompeurs) étaient fréquemment des hommes de loi, des officiers, des « bourgeois » de diverses sortes. Dans le Centre et le Midi, les notaires tiraient des profits énormes de ces procédés, usuraires au sens du temps et souvent au nôtre. Des ecclésiastiques, et même de vénérables abbayes ne craignaient pas de joindre ce type de rente à tous ceux dont ils cumulaient déjà les profits. Les nobles, quels qu'ils fussent, figuraient le plus souvent parmi les débirentiers, donc les victimes, au moins à terme; mais les victimes habituelles, et innombrables, c'étaient tout de même cette majorité des paysans qui possédaient quelques biens au soleil.

La rente d'État

Il y avait beau temps que le roi, comme ses grands prédécesseurs provinciaux, ne vivait plus, malgré de tenaces fictions, « en bon ménager, de son domaine » et de ses seigneuries. Nominalement « extraordinaire », en fait permanent, l'impôt s'était lentement installé dans le royaume, non sans résistances, parfois armées, non sans accommodements régionaux et locaux.

Contre la généralisation et l'uniformité de l'impôt royal, s'opposaient les institutions et les coutumes de chaque province, de chaque « pays », de chaque ville qui s'unissait au royaume. Contre lui aussi, l'extraordinaire forêt des « privilèges », personnels et collectifs, qui étaient loin d'être l'apanage de deux vieux « ordres », celui des prêtres et celui des guerriers. Du privilège et de l'impôt, il sera longuement question dans la seconde partie de ce manuel. Mais il faut souligner dès maintenant une évidence, si éclatante et si banale qu'on l'a souvent oubliée.

Quelle que fût sa forme — et il en prit plusieurs douzaines, sinon plusieurs centaines —, l'impôt royal ne pouvait être levé que sur le revenu du royaume, soit à la source, soit aux étapes de la circulation. Et l'on a suffisamment dit que le revenu du royaume était, pour plus des trois quarts, d'origine agricole, paysanne, rurale. Comme on sait bien que la presque totalité des rentiers étaient privilégiés ou exempts, entièrement ou partiellement, c'était donc sur les producteurs paysans que l'impôt était essentiellement levé, et levé en argent. Outre son « domaine » (reconstitué par Colbert), le roi était effectivement le plus grand rentier du royaume.

Sur **le taux du prélèvement royal,** les historiens ne sont pas d'accord. Il a varié avec les années, bien plus encore avec les provinces. Il est sûr qu'il s'est brusquement accru au temps de Richelieu, qui doubla les impôts directs (et augmenta les autres) pour faire la guerre aux Habsbourg, et qu'il ne diminua ensuite que très épisodiquement. Deux exemples peuvent aider à éclairer la réalité.

A la belle époque de Louis XIV, un paysan « moyen » du Bassin parisien — petit laboureur, bon « haricotier » — réglait chaque année une vingtaine de livres au collecteur, pour sa taille et ses divers accessoires. Vingt livres c'était le prix d'une vache, de six ou sept brebis, de cinq hectolitres de blé en bonne année (moins en mauvaise année); 5 hectolitres, c'était le rendement d'un demi-hectare de terres moyennes; si le paysan en question « levait la despouille » de 4 hectares à la sole (12 hectares de labour en assolement triennal), le taux fiscal est du huitième, 12,5 % du produit brut de la première sole. Si l'on considère que les produits de la seconde sole, du bétail, du jardin, de menus travaux doublent ce revenu brut, l'impôt royal saisirait environ 6 % de ce revenu. Il est sûr que les provinces périphériques et les pays d'État n'atteignaient pas ce taux.

Le manouvrier propriétaire d'une chaumière et d'un lopin pouvait payer, à la même époque, environ 5 livres, qui représentent l'équivalent de dix journées de travail (avec nourriture à midi); si l'on songe aux dimanches, aux fêtes religieuses et au chômage saisonnier, 200 journées de travail par an constituaient un maximum. C'est dire que la taille prélève environ 5 % du revenu salarial, qui n'est pas le revenu total; peut-être 3 % du revenu global?

Naturellement, il convient de songer aussi à la gabelle du sel — ici lourde, là légère, ailleurs inexistante —, et à des nuées d'impôts accessoires. **Le prélèvement royal sur le produit brut dut rarement descendre au-dessous de 5 %, et monter parfois à 10 %;** on ne peut honnêtement aller plus loin dans le jeu des estimations. A lui seul, il n'est pas écrasant; mais, dans une lente progression d'ensemble après Richelieu, il est obligatoire et imprescriptible, il ignore ou à peu près les « mauvaises » années (chertés, chômage, maladies), et surtout il s'ajoute aux autres : à celui du seigneur, à celui du décimateur, à celui de l'éventuel « bailleur » et du probable usurier, qui, tous, sont solidement protégés par la législation et la jurisprudence, en un temps où presque tous les juges sont des rentiers.

Cette cascade de rentes opère donc sur la production paysanne une ponction globale, géographiquement très inégale, **qu'on ne peut jamais estimer à moins du cinquième, qui doit souvent approcher du double, et localement du triple,** (certains historiens ont même avancé des taux supérieurs, rarement acceptables, au moins dans la longue durée).

Une étroite classe de rentiers — quelques centièmes de la population du royaume — vit, plus ou moins bien, de cette série de prélèvements. Il convient désormais de la présenter.

2 — Les traits communs de la classe rentière

Extension

Presque tout ce qui compte, ce qui brille ou ce qui commande dans le royaume vit, entièrement ou partiellement, des diverses catégories de rentes foncières. Seuls, des grands marchands, des armateurs, de rares entrepreneurs, des financiers et des hommes d'affaires — presque tous citadins — font plus ou moins exception, et mériteront d'être considérés à part. Tout le clergé, hormis des salariés dépendants comme les vicaires et les « habitués », et de rares moines véritablement mendiants ; toute la noblesse, sauf de rares gentilshommes ruinés ; tout ce qui compte dans l'administration, les bureaux, les offices et ce qu'on appellera provisoirement bourgeoisie urbaine ; jusqu'à la mince couche supérieure du monde paysan, — tous ceux-là furent, entièrement ou majoritairement, des rentiers du sol.

Discordance entre les types de rentes et les types de rentiers

Mais **il n'y a pas coïncidence entre les types de rentes et les types de rentiers.** Un même personnage, une même institution perçoit couramment deux, trois, quatre types de rentes. Le roi, principal rentier de l'impôt, perçoit aussi un peu de rente seigneuriale et de rente propriétaire ; il ramassait même de la rente décimale, lorsqu'il touchait les revenus des évêchés vacants (la « régale » temporelle). L'abbaye ou le chapitre de chanoines, comme toute institution ecclésiastique importante, perçoit à la fois la rente décimale, la rente seigneuriale et la rente propriétaire, et ne dédaigne pas toujours la rente que nous avons appelée usuraire. Le noble de l'Ouest, « chef de nom et d'armes » comme il s'intitule en Bretagne, perçoit une rente encore féodale, mélange à parties mal distinctes de rente seigneuriale et de rente propriétaire. Le bourgeois aisé, grand spécialiste de la rente usuraire, volontiers engagé dans le ramassage des impôts — de la rente d'État, dont il retient une partie —, est presque toujours propriétaire d'un ou plusieurs domaines, d'une ou plusieurs seigneuries qui, outre l'honneur, lui fournissent d'autres types de rente. Il n'est pas jusqu'au paysan fortuné, fermier de terres, de moulins, de champarts, de dîmes, qui ne puisse devenir partie prenante à deux ou trois types de rentes, tout en demeurant un producteur ou un chef de production.

Le rentier, un urbain

La perception d'un mélange de rentes caractérise donc le plus souvent le rentier d'Ancien Régime. Ce qui le caractérise souvent aussi, c'est qu'il ne fait pas, ou qu'il ne fait plus sa demeure principale au centre de sa richesse foncière. **De plus en plus, le rentier se sépare du lieu de la rente.** De plus en plus, il devient étranger aux champs, ces « déserts » méprisés dès le temps de Molière; il est un homme de la ville, et même de la capitale, provinciale, nationale, ou royale. Certes, les abbayes se dressent encore au centre de leurs antiques domaines; mais leur abbé parade à la cour, et n'est présent que par ses hommes d'affaires. Certes quelques seigneurs de l'Ouest et du Centre vivent encore dans leur manoir : ce sont habituellement les plus gênés. Certes, le métayage ne peut se concevoir sans la présence fréquente du maître; mais celui-ci dépêche souvent quelque intendant pour surveiller de minutieux partages. L'essentiel de la masse rentière, surtout les plus gros preneurs, ont quitté depuis longtemps la campagne. Leurs offices, leurs affaires, leur prestige, leur carrière et leur mondanité les ont installés dans les villes, surtout les grandes.

Leurs rentes les y ont suivis. Et ce fut probablement l'un des points les plus faibles de l'économie d'Ancien Régime que ce **non-retour à la campagne**, que ce **non-réinvestissement rural de la majorité de la rente foncière.** Le mécanisme en était relativement simple.

De l'impôt, nous aurons l'occasion de constater qu'il s'abîmait pour moitié dans la guerre et les dettes dues à la guerre, et pour le reste dans le fonctionnement du système et les dépenses de prestige; ce qui allait à l'investissement national était insignifiant, surtout avant les années 1730-1740. Les plus grands nobles, laïcs ou clercs, anciens ou récents, étaient contraints, par le mode de vie qu'ils adoptaient presque obligatoirement, de dépenser pour paraître, de dépenser sans limites, jusqu'à l'endettement, jusqu'à la faillite, si le roi, comme il était habituellement de règle, n'intervenait à temps. Cens, champarts, dîmes, fermages payaient les équipages et les toilettes, les cuisiniers et les chambrières, les diamants et le jeu, les filles d'opéra et les livres rares, les antiques et les médailles. Encore ces dépenses somptueuses, nécessaires pour « tenir son rang », faisaient-elles travailler des ouvriers d'art, des bâtisseurs et des décorateurs. Rares et tardifs furent les grands nobles qui surent investir utilement; et ce fut alors dans les « habitations » aux Antilles, dans les affaires et les industries nouvelles, plutôt qu'à la campagne.

Plus prudents et plus avisés, au moins aux premières générations, les bourgeois thésaurisaient et prêtaient, investissaient quelque peu dans le bâtiment, plus souvent dans la « fonction publique », que le roi vendait et laissait revendre par morceaux. Eux seuls, ou presque, et pas tous, savaient encore acheter de la terre, rassembler des parcelles, mais presque jamais innover. Au fond, ils désiraient souvent moins asseoir une rente foncière pour nourrir leur fortune que pour nourrir leur soif d'élévation sociale, atteindre cette honorabilité terrienne et seigneuriale, cette apparence et cette demi-illusion de noblesse que pouvait leur conférer l'adjonction du nom d'une ferme à leur patronyme roturier : d'Arnolphe à Monsieur de la Souche, bien d'autres que Molière ont décrit ce processus longtemps fondamental.

La rareté des réinvestissements ruraux de la rente foncière traduisait **un manque de confiance dans la terre française,** qui pesa longuement sur les destinées économiques du pays. Après 1750 — toujours cette date-limite —, les physiocrates firent effort pour dénoncer cette erreur, et y remédier; tardivement donc, et avec une efficacité qui n'a pas été démontrée : suffisait-il de publier des brochures? l'engouement des nobles éclairés pour le « retour à la terre » fut-il profond, fréquent et durable? On sait déjà que les expériences du marquis de Turbilly, en Anjou, n'existèrent jamais que dans son imagination...

Les paysans avaient parfois conscience de l'abandon dans lequel les tenaient ceux qui auraient pu les aider, ou leur montrer l'exemple. Bien des cahiers de doléances fustigèrent ce déménagement vers les villes des meilleures ressources de la campagne; il est vrai que ces dénonciations ont surtout visé le haut-clergé et les réguliers, peu populaires, qui détournaient les dîmes de leur objet, enlevaient les pailles pour les revendre, et ne secouraient même pas les pauvres des paroisses dîmées.

Au-delà des rentes et des rentiers

Les intérêts et la résidence opposaient trop évidemment rentiers et payeurs de rentes; et cette opposition de fait finit souvent par être très consciente. **Elle ne suffit pourtant pas à rendre compte de tous les aspects de la société d'Ancien Régime,** au moins pour trois raisons.

La première, c'est qu'elle laisse de côté une foule d'intermédiaires qui effectuent la liaison entre le lieu de production et le lieu de rassemblement, intendants, fermiers généraux, sous-fermiers, receveurs et percepteurs de tout poil : milieux essentiels, où s'effectuent, et rapidement, de surprenantes ascensions.

La seconde, c'est qu'un nombre croissant (bien que très minoritaire) de marchands, d' « industriels », d'hommes d'affaires et de finances occupent peu à peu le devant de la scène et des secteurs montants de l'économie nationale, et que ce n'est sûrement pas la rente foncière qui rend compte de l'essentiel de leur activité et de leur puissance. Hommes des grandes villes, bourgeois ou nobles, français ou non, ils s'intègrent mal, ou de biais, ou secondairement, dans l'antique système de la rente foncière et des rentiers du sol. Consciemment parfois, ils sont les hommes de l'avenir.

Même dans l'Ancien Régime en quelque sorte « classique » — celui d'avant 1750 — il ne suffit pas d'identifier, d'isoler et de caractériser les types de rentes et la classe rentière pour obtenir un tableau complet et exact de la mécanique sociale et des couches supérieures de la société. Dans un monde très sensible aux traditions, aux représentations et au rang, les structures juridiques et les structures mondaines voilent souvent les structures profondes, que nous avons d'abord mises en relief; elles les voilent, mais celles-ci existent. Aussi, sans nous enfermer dans les millénaires trilogies — *oratores, bellatores, laboratores* —, il va falloir nous attacher à comprendre, pour le moins, ce que furent vraiment la noblesse, ou les noblesses, et la bourgeoisie, ou les bourgeoisies.

TEXTES

25. La société et l'État selon Quesnay

I

La nation est réduite à trois classes de citoyens : la **classe productive,** la **classe des propriétaires** et la **classe stérile.**

La **classe productive** est celle qui fait renaître par la culture du territoire les richesses annuelles de la nation, qui fait les avances des dépenses des travaux de l'agriculture et qui paye annuellement les revenus des propriétaires des terres...

La **classe des propriétaires** comprend les souverains, les possesseurs des terres et les décimateurs. Cette classe subsiste par le revenu ou **produit net** de la culture, qui lui est payé annuellement par la classe productive, après que celle-ci a prélevé, sur la reproduction qu'elle fait renaître annuellement, les richesses nécessaires pour se rembourser de ses avances annuelles et pour entretenir ses richesses d'exploitation.

La **classe stérile** est formée de tous les citoyens occupés à d'autres services et à d'autres travaux que l'agriculture, et dont les dépenses sont payées par la classe productive et par la classe des propriétaires, qui eux-mêmes tirent leurs revenus de la classe productive.

QUESNAY François, *Analyse de la formule arithmétique du tableau éco-*

nomique, juin 1766, publié dans *François Quesnay et la physiocratie,* Institut National d'Études Démographiques, 1958, t. 2, pp. 793-794.

II

... LA SÛRETÉ DE LA PROPRIÉTÉ EST LE FONDEMENT ESSENTIEL DE L'ORDRE ÉCONOMIQUE DE LA SOCIÉTÉ (en majuscules dans le texte).

... Que l'autorité souveraine soit unique, et supérieure à tous les individus de la société, et à toutes les entreprises injustes des intérêts particuliers... Le système des contreforces dans un gouvernement est une opinion funeste... La division des sociétés en différents ordres de citoyens dont les uns exercent l'autorité sur les autres détruit l'intérêt général de la nation, et introduit la dissension des intérêts particuliers entre les différentes classes de citoyens; cette division intervertirait l'ordre du gouvernement d'un royaume agricole, qui doit réunir tous les intérêts à un objet capital, à la prospérité de l'agriculture, qui est la source de toutes les richesses de l'État et de celles de tous les citoyens.

ID., *Maximes générales du gouvernement économique d'un royaume agricole,* 1767, *ibid.,* p. 949-950.

26. Taux des dîmes vers 1730 en Basse-Provence

(dans 179 communautés rurales)

Taux de la dime	Nombre de commu- nautés rurales a ce taux		
1/8e.............	1	1/17e.............	7
1/10e.............	5	1/18e.............	8
1/11e.............	8	1/19e.............	1
1/12e.............	12	1/20e.............	13
1/13e.............	14	1/21e.............	5
1/14e.............	19	Du 1/24e au 1/50e.	8
1/15e.............	25	A plusieurs taux...	17
1/16e.............	36		

D'après BAEHEREL René, *Une Croissance, la Basse-Provence rurale (fin du XVIe siècle-1789)*, Paris, S.E.V.P.E.N., 1961, p. 752.

27. Taux des dîmes dans le diocèse de Comminges

Tibiran (sénéchaussée d'Auch) :
De 7 et de 8, c'est-à-dire de 31, 4 pour les grains, et de 10, un pour le vin, lin et charneaux *(dîme sur le petit bétail)*.

Barbazan (sénéchaussée de Pamiers)
Le chapitre de Saint-Bertrand est en usage de percevoir seul toute la grosse. Froment, carron *(méteil)*, avoine, paumelle *(orge)* et autres fruits qui sont connus dans le pays, maïs, lin, chanvre, etc. Pour le grain, de 7 et de 8; pour le vin, 10, et pour les carneaux.

Nizan (sénéchaussée de Toulouse)
Sont dîmés le froment, le seigle, l'orge ou paumelle, les fèves, les pois carrés et les petits pois ronds, le millet gros *(maïs)* et menu, le lin et le vin. Quote : la dixme se paie de dix, un... Le chapitre de Saint-Bertrand prend 5/8 des fruits, l'archidiacre de Rivière 1/8, le curé... le 1/4.

Oô (sénéchaussée d'Auch)
Sont dîmés le blé froment, carron, orge, millet blanc, millet noir, pois, lentilles, fèves, chanvre et linet *(petit lin)* ... Le blé froment, carron, chanvre,

payés de huit, un. L'orge, millet blanc, millet noir, pois, lentilles, fèves, de neuf, un. Décimateurs : le chapitre de Saint-Bertrand pour les trois quarts des grains et les carnaux; le prieur de Sarrancolin perçoit le quart restant.

Encausse (sénéchaussée de Pamiers)
Est dîmée toute espèce, mais le foin par abonnement, et le vin se dîme à la canette. Quote : de 10, un.
Décimateurs : l'évêque, l'archidiacre et le commandeur de Monsaunès.

Tiré de SARRAMON, Dr Armand, *Les Paroisses du diocèse de Comminges en 1786, Collection de Documents inédits sur l'histoire économique de la Révolution française*, Paris, Bibliothèque Nationale, 1968, pp. 45, 46, 201, 329, 426.

N. B. — Ces taux de dîme, presque toujours égaux ou supérieurs au dixième, se retrouvent dans presque toutes les 304 paroisses décrites; ils paraissent habituels dans tout le Sud-Ouest.

28. Description de la terre et marquisat de Maule (Yvelines) en 1736

... De laquelle terre dépend le bourg de Maule, composé de deux paroisses... auquel lieu il y a haute, moyenne et basse justice, et tabellionage avec droit de notaire royal...

Auquel marquisat... est joint le fief de Bataille-Poucin duquel dépend partie de la paroisse d'Aunay joignant audit Maule... (où) il y a droit de haute, moyenne et basse justice...

Item droit de grurie *(sur les produits de la forêt)* sur l'étendue de ladite terre...

Item droit d'échange consistant en la douzième partie du prix des héritages *(parcelles de terre)* échangés dans l'étendue de ladite terre de Maule.

... Item droits de censives, lods et ventes, saisines et amendes sur toutes maisons et héritages situés dans toute l'étendue dudit marquisat.

Item droit de rouage *(sur les roues des charrettes)* qui est de 4 deniers parisis par chariot de vin,... de deux pour une charrette *(la monnaie parisis, survivance au XVIIIe siècle, est plus forte d'un quart que la monnaie tournois)*.

Item, droits de four, moulins et pressoirs banaux sur tous les sujets dudit marquisat.

Item droit de marché par chaque semaine... et deux foires en l'an...

Item droit de mesurage de vin et de grains (et) étalage... tant pour jours de foires et marchés que autres jours...

Item droit de travers par eau et par terre sur toutes bêtes, harnois et marchandises... passant au dedans dudit marquisat.

Item droit de chargeage de vin... d'aunage, poids, pesage... de ban à vendre vin l'espace d'un mois par an sans qu'aucune puisse en vendre (sauf le seigneur)... droit de pêche sur la rivière de Mauldre, très poissonneuse... droit de garenne...

Tous lesquels droits sont bien établis par les anciens aveux de ladite terre et nouvellement confirmés par sentence du Chastelet et arrêt du Parlement...

Ensuit les fermes dépendantes dudit marquisat.

1. La baronie de Palmort consistante en une grande ferme... 60 arpents de terre en pâtis... 230 de terre labourable... cinq de prés (1 arpent = 51 ares) louée moyennant par an .... 2 266 livres

2. La ferme du bois Henry... 234 arpens.. louée............... 2 661 l.

3. La ferme de la Baste... louée................ 762 l.

4. La ferme du moulin de Radet (moulin, maison, terres) louée ... 1 251 l. 10 sols

5. La ferme des Granges 1 798 l.

6. La ferme du moulin de la Chaussée .... 839 l.

7. La ferme du moulin de la ville .... 939 l.

8. plus les 3 meuniers... livrent chaque année au château 24 septiers de bled, dont 23 sont donnés au prieur de Maule; reste un septier .... 25 l.

9. La ferme du mesurage des grains .... 535 l.

10. La ferme de l'éta-
lage... sous la halle... et
sur la place .... 560 l.

11. La ferme du pied
fourché (bestiaux) ..... 200 l.

12. Le pressoir d'Aunay 50 l.

13. Le greffe et tabel-
lionnage .... 120 l.

14. Les grands prés .... 1 500 l.

15. Les bois taillis de
Maule .... 3 463 l. 12 s.

16. Le pressoir banal du
château .... 100 l.

17. Le colombier du
château .... 300 l.

18. Les censives en de-
niers, grains et volailles 415 l.

19. Les lods et ventes au
1/12e (des ventes) ...... 690 l.
(plus onze autres sources de revenus plus
modestes).

Total du revenu annuel du marquisat :
19 069 livres 8 sols 6 deniers.

Document publié par LACHIVER,
Marcel, *Histoire de Meulan et de sa
région par les textes*, Meulan, 1965,
428 p., pp. 159-162.

29. Exemple de bail à moitié-fruits (métayage) près de Parthenay (Deux-Sèvres), 1649

... en la court du scel aux contracts à
Partenay pour Monseigneur le Mareschal
de la Meilleraye ont esté présens...

Noble homme *(signe de roture)* Pierre
Buignon, sieur des Belles-Foyes, demeurant en ceste ville de Partenay, au nom
et comme ayant charge de Matthieu
Vidard, chevalier *(donc noble)*, sieur de
Saint-Clair, conseiller du Roy *(titre
courant pour un officier)*, trésorier de
France *(office de finances)* en la Généralité
de Poictou à Poictiers, y demeurant,
d'une part;

et Toussaint et Mathurin Vernin,
père et fils laboureurs à bœufs, demeurant
ensemble en communauté de biens...
d'autre part;

lequel dit sr. des Belles-Foyes... a ce
jourd'huy baillé et affermé... (à) Vernin
père et fils... pour sept années... commen-
çant la première... au jour et feste de
Sainct-Michel prochaine... le lieu et mestairie de Besançay en la paroisse du
Tallud,... consistant en maisons, granges,
estables, tetz *(à cochons)*, loges, courts,
courtillages, ayres, ayraults *(noms locaux*

*des cours, jardins à légumes, aires à battre
blé et pois*, etc.), jardrins, fruictiers, prez,
pastis, pasturages, terres labourables et
non labourables, boys, etc.

Et est faicte cette presente ferme à
moictié de toutes sortes de bledz, froment, seigle mydrot *(méteil)*, advoines et
aultres... ensemble ès arbres fruictiers
desdits lieux, soit pommiers, poyriers,
chastaigners, cerisiers et aultres quel-
conques. Lesquelles terres labourables
lesd. Vernin père et fils seront tenus et
ont promis bien et dhument labourer,
cultiver, fumer, ensemencer en temps et
saison convenable et ce par chascun an
jusques à la quantité accoutumée à la
façon du païs, en fournissant par led.
sieur bailleur... une moictié et lesd.
Vernin preneurs, de l'aultre moictié des
semences qui y conviendra. Les mestives
(moissons), cueillettes et perception desquels bleds lesd. preneurs feront à leurs
frais et despends... iceux bledz battre,
venter, nettoyer et rendre prests à parta-
ger; comme aussi seront tenus recueillir
et amasser les fruictz des arbres... Et

sitost que lesd. bledz seront battus... et lesd. fruictz arbrins recueillis, lesd. preneurs seront tenus en advertir led. sieur bailleur pour... en estre faict le partage par moictié... et lesd. preneurs seront tenus icelle moictié emmener et conduire en lad. ville de Partenay à la maison dud. sieur bailleur...

S'est réservé led. sieur bailleur... un jardrin... et pour raison des aultres jardrins, iceulx preneurs seront tenus en bailler et payer aud. sr. des Belles-Foyes par chacune... année : deux chevreaux, six poulletz, six oysons, deux chappons, ung pourceau de deux ans, quatre livres de lin, quatre livres de chanvre en pouppées, ung boisseau de poids vertz, douze fromages de saison, six fromages gras, quatre charretées de fagots à cinquante-deux fagots la charretée, deux cents de genest, une charretée de paille de seigle, ung lievre, et six livres de beurre *(les uns à la Toussaint, les autres à Pâques, à la Pentecôte, à la Saint-Jean et à la Saint-Michel)*, le tout rendable aud. Partenay à la maison dud. sr. des Belles-Foyes, sans que pour raison desd. charroys en avoir aulcun sallaire.

Seront tenus encore lesd. Vernin faire à leurs fraictz par chascune desd. années vingt brasses de fossez es terres de lad. mestairie... plantez de plantes vifes et oultre planteront une douzaine de sauvageaux soit pommiers ou poyriers pour y faire des entes *(greffes)*... Paieront lesd. parties *(tous les droits seigneuriaux dus par la métairie, ceux en argent par moitié, ceux en nature uniquement par les preneurs)*.

Est accordé entre les parties que led. sr. des Belles-Foyes fournira de partie les bestes aumailles *(animalia, gros bétail bovin)* et moutton *(mâles)* et bellines *(brebis et leur suite)* qu'il conviendra pour la garniture de lad. mestairie et lesd. Vernin de l'aultre moictié desd. bestes... pour le croist et proffict estre partagé par moictié.

... Entretiendront lesd. preneurs les maisons, logements et bastiments... de recouvertures de la main de l'ouvrier seullement, en fournissant par led. sr. bailleur les matières requises que lesd. preneurs seront tenus charroyer et aller quérir où il conviendra... sans pretendre aulcun sallaire... Ne coupperont aulcun arbre par pied... Jouyront de lad. mestairie en bons pères de famille... maintiendront les hayes... bien closes et fermées... *(etc.).*

... Faict et passé aud. Partenay après midy en l'estude de Bourceau, notaire, le quatorziesme jour d'apvril mil six cens quarante neuf et ont les preneurs desclaré ne sçavoir signer.

Signé : P. Buignon,
Gaultier et Bourceau, notaires.

Minute des archives notariales de Bourceau, publiée par MERLE, Dr. Louis, *La Métairie et l'évolution agraire de la Gâtine poitevine de la fin du Moyen Age à la Révolution*, S.E.V.P.E.N., Paris, 1958, 252 p., pp. 218-220.

30. Exemple de constitution de rente, 1647

(A titre exceptionnel, ce document d'archives est présenté sous une forme « pédagogique » qui essaie d'en dégager les ressorts.)

« Du mardy seiziesme apvril Mil VI C quarante sept avant midy »

1. *Les « vendeurs de rente » ou « débirentiers », en réalité les emprunteurs*

« Fut present hault et puissant seigneur Messire Adrian Pierre de Tiercelin, seigneur marquis de Brosses demeurant au chasteau de Sercus *(Sarcus, Oise)*, tant en son nom privé que comme au nom et procureur... de Messire Françoys de Tiercelin, conseiller Aulmosnier du Roy, Abbé commendataire de l'Abbaie de Saint Germer de Fly *(riche abbaye bénédictine)*, et de Haulte et puissante Dame Henriette de Joieuse, espouse dudit sieur Marquis, de Noble homme Pierre Adrian, advocat en Parlement demeurant à Beauvais *(homme d'affaires des Tiercelin)*, lesquels l'un pour l'autre et un seul pour le tout... reconnaissent avoir vendu, créé, constitué, assis et assigné, et par ces présentes vendent, créent... promettant garantir... contre tout trouble et empeschement... »

2. *L'acheteur de rente, ou crédirentier, en réalité le prêteur*

... « au proffit de honorable homme Jean Boicervoise, marchand bourgeois de Beauvais... »

3. *La rente (au denier 18, légal, comme il résultera du § 5)*

... « la somme de Trois cens trente trois livres six sols huit deniers tournois de rente annuelle et perpétuelle... au 17e jour d'apvril de chacun an... »

4. *L'« assignation », soit les hypothèques générales et particulières*

... « sur tous et chacun des biens, terres et seigneuries desd. sieurs et dame constituants, presens et a venir, quelque part qu'ils soyent... *(c'est l'assignation générale)*... et par spécial sur les terres et seigneuries, biens et dons portés au contrat de mariage dud. sieur marquis et de lad. dame, passé devant Motelet et Drouin notaires royaulx au Chastelet de Paris le 26e mars 1646... lesquels biens tant en general que special lesd. sieurs marquis et ès noms le sieur Adrian ont a ceste fin obligez affectez et ypotecquez

pour paiement et continuation de lad. rente... et led. sieur marquis *(au nom de son frère l'abbé)* a consenty et accordé qu'ils reçoipvent en chascun an le courant de ladite rente de la veuve Nicolas Lefevre, bourgeois de Beauvais, recepveur en partie de ladite Abbaie... et le sieur Marquis ès nom et qualité a fait transport des fermages de ses terres et seigneuries jusques à concurrence de lad. rente »

5. *Le « prix de la rente » — c'est-à-dire la somme empruntée*

... « cette vendition fete moyennant et parmy la somme de Six mille livres tz. *(tournois)* presentement comptées et paiées par led. achepteur en especes de louis d'or, pistolles d'Espaigne et quarts d'escus et réaulx *(espagnols)* aians cours, receus et emportés par led. sieur marquis[1]..»

6. *Nouvelle garantie juridique pour le paiement de la rente*

... « et en ce faisant, ce sont lesdits sieurs constituants dessaisis et devestuz de leurs biens, terres et seigneuries au proffit dud. achepteur jusques et à la concurrence de ladite rente... »

7. *Clause de rachat*

... « et combien que ladite rente soit dicte perpetuelle, neantmoins a esté stipulé qu'il sera loisible aux dits sieurs constituants de la pouvoir rachepter a tousjours... en remboursant aud. achepteur pareille somme de six mille livres... en une seule fois »... *(de fait, rente rachetée par le fils du marquis, comme le prouve une note marginale à la minute, du 29/7/1682)*

Signatures : Adrian Pierre de Tiercelin
Adrian Boicervoise
Leclerc *(notaire)* de Nully *(notaire)*

Extrait des minutes de Me Jouan déposées aux Arch. dép. de l'Oise, série E, Étude De Nully, année 1647.

---

1. La minute notariale qui suit à la même date, mais l'après-midi, apprend qu'une partie des 6 000 livres a été en réalité avancée, par l'intermédiaire de Boicervoise, par le propre homme d'affaires des Tiercelin, Adrian (qui figure avec eux au contrat de vente..., comme débiteur).

31. Un fermier-usurier à Gaillac : Guillaume Masenx (d'après son livre de raison)

Guillaume Masenx naît à Castelnau-de-Montmirail, dans le Languedoc de l'Ouest, vers 1495, d'une famille de propriétaires, de marchands, de prêtres et de simples paysans, « bordiers » à part de fruits *(métayers)*. L'oncle Antoine, prêtre à Castelnau, lui donne une petite instruction, bien mince. Guillaume ne saura jamais ni latin ni français. Il parle d'oc... quant à son orthographe, mieux vaut n'en pas parler... A défaut de culture intellectuelle, Guillaume a le sens des affaires : en 1516, il épouse la fille d'un fermier : celui-ci exploite l'une des terres de la commanderie Saint-Pierre de Gaillac. Guillaume cohabite avec son beau-père; dès 1518, il prend le commandement, devient titulaire du bail, régente beau-père, belle-mère et beau-frère, qui pour son compte surveillent les ouvriers, vendent vin et blé, perçoivent l'argent des rentes et des cens. En 1530, Guillaume dont la commanderie apprécie l'entregent, devient fermier d'un second domaine de celle-ci, Senouilhac : il y installe sa belle-mère; en 1535, fermier d'un troisième domaine, il devient aussi le fermier général, le factotum de la commanderie...

Masenx fait argent de tout. D'abord il prête, blé ou argent, à court terme, à la petite semaine : pour un mois *(dins un mes)*, pour une semaine *(deo paga d'aysi VIII jorns)*; ou bien, formule cruelle, il fait l'usure « de jour en jour à sa volonté ». Il prête à ses bordiers (qui n'ont même pas de quoi semer) de quoi marier leur fille, ou leur sœur : il fournit ainsi à crédit l'argent, le drap..., le vin vieux, le blé, le mouton pour le gigot de noces. Prêts sur gages fonciers : plus tard, les champs des débiteurs obérés viendront arrondir les terres de Masenx.

Mieux, Masenx, fermier-usurier, mentionne parfois, malgré l'Église, l'intérêt ou *paga* sur son livre de comptes : ainsi prête-t-il du blé au fils Mandret, de Vors, à 14 % en douze jours, soit 400 % par an. D'autres fois, l'intérêt est maquillé par un jeu d'écriture... D'autres fois, une erreur volontaire permet d'introduire l'usure dans la transaction : deniers transformés en sous, livres tournois métamorphosées en écus, trois quintaux de foin prêtés en 1538, et qui deviennent, Dieu sait pourquoi, cinq quintaux quand ils sont remboursés en 1539. Le livre de comptes fourmille de ces indélicatesses... Notre homme est aussi banquier de grain... L'astuce de Masenx consiste à prêter orge, seigle, avoine ou vesces et à se faire rembourser, setier pour setier, en froment. Ou bien à jouer sur des différences de prix, souvent forgées de toutes pièces : en 1545, il compte le blé qu'il prête à 4 l. 10 s. le setier; l'année d'après, il se le fait rembourser (en nature) au taux de 2 l. le setier, ce qui oblige le débiteur à lui servir une quantité de grain double de celle qu'il a reçue... au même moment, Masenx vend son froment sur le marché de Gaillac à raison de 5 l. 6 s. le setier... Il est aussi, quand il le faut, un créancier du travail; Paul Bru, du mas de Bru, achète à Masenx, en 1535, un quintal de foin; il n'a ni argent ni grain pour payer; qu'à cela ne tienne : il s'inscrit pour une journée d'araire. De même, Pierre Toulouse : en 1535-1536, il emprunte à Masenx blé, seigle, vesces, vin vieux. Insolvable, il s'acquitte en labourant chez notre homme. D'autres débiteurs nécessiteux moissonnent, curent les fossés, font des charrois, réparent la toiture de Maître Guillaume. Masenx ne fait pas de cadeaux.

... L'endettement... provoque le transfert foncier; Ramon Fabre, voisin de Masenx, lui achète à crédit du drap; en avril 1531, printemps cher, il lui emprunte du blé. Sept années passent; Masenx laisse dormir la dette. En 1539, Fabre emprunte à nouveau du grain; en contre-partie, il engage diverses terres, qui désormais paient à Masenx une « pension annuelle ». Finalement, il liquide sa dette de grains en vendant sa terre de Resals à Maître Guillaume (1545). En 1546, année de disette, même scénario. Le 8 avril, la famille Fabre n'a plus de grain pour manger. Une fois de plus, Raymond vient frapper chez Masenx... qui délivre à l'affamé sept demi-cartières de blé (1,20 hl.), de quoi faire subsister jus-qu'aux moissons une famille de quelques personnes. Raymond Fabre a le couteau sur la gorge; sa dette est payable « de jour en jour » à la volonté du prêteur. Pour s'en libérer, il devra vendre sa dernière terre : *paga cant vendet la terra*, note sèchement Masenx dans son journal. En 1546, la terre a payé le pain; les Fabre sont désormais bordiers, colons à mi-fruits de Masenx, sur la terre même dont leurs ancêtres étaient proprié-taires.

Masenx est un personnage total...

LE ROY-LADURIE,
*Les Paysans de Languedoc,
op. cit.*, pp. 303-306.

LECTURES COMPLÉMENTAIRES pour les chapitres IV, V et VI (monde rural)

1. Les principaux ouvrages ont déjà été cités à la fin du chapitre III (supra, p. 75).

Un exposé plus approfondi est donné par l'auteur du présent ouvrage dans le t. 2 de l'*Histoire économique et sociale de la France moderne, 1660-1789*, à la partie intitulée « Le poids du monde rural » (P.U.F., sous presses).

2. Ouvrages anciens

● ESTIENNE, Charles et LIEBAULT, Jean, *L'Agriculture et maison rustique...*, 1re éd., 1561, nombreuses rééditions.

● SERRES, Olivier de, *Théâtre d'agriculture et ménage des champs...*, 1re éd., 1600, nombreuses rééditions; la meilleure est celle du Consulat, assurée par François de Neufchâteau (1803).

● *Boisguilbert, Pierre de, ou la naissance de l'Économie politique*; Paris, Institut National d'Études Démographiques, 1966, 2 vol., 1 031 pages (surtout le t. II, qui contient les textes de l'auteur).

● VAUBAN, *Projet d'une dixme royale*, 1707, éd. Coornaert, Paris, Alcan, 1933, 296 p.

● *Quesnay, François, et la physiocratie*, éd. Institut National d'Études Démographiques, Paris, 1958, 2 vol., 1 005 p. (surtout le t. 2, qui contient les textes).

3. Ouvrages généraux fournissant des cadres

● BLOCH, Marc, *Les Caractères originaux de l'histoire rurale française*, 2e éd., 2 vol., Paris, A. Colin, 1952 et 1956 (t. 2 réalisé par R. DAUVERGNE).

(Il s'agit du grand livre initiateur, dont la 1re éd. était parue en 1931 à... Oslo !)

● BRAUDEL, Fernand, *Civilisation matérielle et capitalisme*, Paris, A. Colin, 1967, 463 p.

● DEVÈZE, Michel, *La Vie de la forêt française au XVIe siècle*, Paris, S.E.V.P.E.N., 1961, 2 vol., 473 p + 325 p.

● DION, Roger, *Essai sur la formation du paysage rural français*, Tours, Arrault, 1934.

Id., *Histoire de la vigne et du vin en France des origines au XIXe siècle*, Paris, 1959, 768 p. (sans doute le meilleur livre d'histoire des dernières décennies ?).

● DUBY, Georges, *L'Économie rurale et la vie des campagnes dans l'Occident médiéval*, Paris, Aubier, 2 vol., 1962 (le Moyen Age, surtout celui-là, c'est déjà l'Ancien Régime...).

● MEYNIER, André, *Les Paysages agraires*, coll. A. Colin, 1958 (réédition U 2) : (l'apport indispensable des géographes, présenté sobrement).

● SLICHER VAN BATH (B. H.) *The Agrarian History of Western Europe, 500-1850*, London, E. Arnold, 1963, 364 p. (l'ouvrage qui fait autorité).

● *L'Agriculture en Europe aux XVIIe et XVIIIe siècles*, rapports de Meuvret, Hoskins, Slicher van Bath, dans Xe *Congresso Internazionale di Scienze storiche, Roma, 1965, Relazioni*, vol. IV, éd. Sansoni, Firenze, p. 137-226. (Point de départ de toute comparaison en Europe.)

● *Étude comparée du grand domaine depuis la fin du Moyen Age* (nombreux collaborateurs) dans *Première conférence internationale d'histoire économique, Stockholm 1960,* Paris et La Haye, Mouton et Cie, p. 309-432. (Utile et inégal, comme ce genre de recueil.)

● *Villages désertés et histoire économique, XIᵉ-XVIIIᵉ siècle* (nombreux collaborateurs), Paris, S.E.V.P.E.N., 1965, 619 p. (contributions anglaise et allemande d'exceptionnelle qualité; le reste est inégal).

---

4. Monographies régionales

(En fin de compte, ce sont elles qui font avancer nos connaissances; les historiens ont suivi ici la piste tracée par d'excellents géographes.)

A. *France du Nord et Bassin parisien*

Aux ouvrages de LEFEBVRE, GOUBERT, DEYON, déjà signalés, ajouter :

● BRUNET, Pierre, *Structure agraire et économie rurale des plateaux tertiaires entre la Seine et l'Oise,* Caen, Caron et Cie, 1960, 552 p. + planches. (Thèse de géographie humaine appuyée de recherches d'archives approfondies.)

● DEMANGEON, Albert, *La Picardie et les régions voisines* (ou *La Plaine picarde*), Paris, Hachette, 1905 (cette thèse de géographie n'est pas périmée, malgré sa date, pour des historiens).

● DEYON, Pierre, *Contribution à l'étude des revenus fonciers en Picardie, les fermages de l'Hôtel-Dieu d'Amiens et leurs variations de 1515 à 1789,* Lille, R. Giard, s.d. (1967), 129 p.

● DION, Roger, *Le Val de Loire,* Tours, Arrault, 1933 (particulièrement important pour des historiens, et d'une rare pénétration).

● FONTENAY, Michel, *Paysans et marchands ruraux de la vallée de l'Essonne dans la seconde moitié du XVIIᵉ siècle,* dans *Paris et Ile-de-France, mémoires*

publiés par la fédération des sociétés historiques et archéologiques de Paris et de l'Ile-de-France, t. IX, 1958, p. 157-282 (l'une des meilleures études de détail, bien plus utile que des synthèses rapides, et beaucoup plus vivante).

● MIREAUX, Émile, *Une Province française au temps du grand roi : la Brie,* Paris, Hachette, 1958, 352 p. (ne vaut que par les documents d'archives utilisés : cet éminent polygraphe connaît mal le XVIIᵉ siècle).

● VENARD, Marc, *Bourgeois et paysans au XVIIᵉ siècle. Recherches sur le rôle des bourgeois parisiens dans la vie agricole au Sud de Paris au XVIIᵉ siècle,* Paris, S.E.V.P.E.N., 1957, 126 p. (les mêmes qualités que le Fontenay, cidessus).

B. *France de l'Ouest*

● BOIS, Paul, *Paysans de l'Ouest,* Le Mans, 1960 (fin de l'Ancien Régime et XIXᵉ siècle).

● GOUBERT, Pierre, *Recherches d'histoire rurale bretonne, XVIIᵉ-XVIIIᵉ siècles,* dans Bulletin de la Société d'Histoire Moderne, XIIIᵉ série, nᵒ 2, 1965 (résumé de travaux de bons étudiants).

● MERLE, Dr. Louis, *La Métairie et l'évolution agraire de la Gâtine poitevine de la fin du Moyen Age à la Révolution,* Paris, S.E.V.P.E.N., 1958, 252 p. (monographie de tout premier ordre : solidité du fond, éclat de la forme).

● MEYER, Jean, *La Noblesse bretonne au XVIIIᵉ siècle,* Paris, S.E.V.P.E.N., 1966, 2 vol., 1 292 p.; cette thèse de Rennes s'occupe inévitablement du monde rural breton, dominé par la noblesse.

● MUSSET, René, *Le Bas-Maine,* Paris, 1917 (thèse de géographie, non périmée).

● PLAISSE, André, *La Baronnie du Neubourg,* Paris, P.U.F., 1961, 760 p. (excellente et précise monographie).

● Sée, Henri, *Les Classes rurales en Bretagne, du XVIᵉ siècle à la Révolution*, Paris, Alcan, 1906 (n'a jamais été remplacé, bien que parfois superficiel).

● Sion, Jules, *Les Paysans de la Normandie Orientale*, Paris, 1909 (la meilleure de toutes les thèses de géographie régionale).

C. *France de l'Est*

Grâce à Roupnel, à Saint-Jacob et à quelques autres, la Bourgogne a été et demeure la province d'élection de la meilleure histoire rurale.

● Roupnel, Gaston, *La Ville et la campagne au XVIIᵉ siècle, étude sur les populations du pays dijonnais*, 2ᵉ éd., Paris, Colin, 1955, 357 p. (Thèse de Paris, qui avait passé presque inaperçue en 1922; en réalité, le premier grand livre d'histoire rurale, plein de talent, facile à lire, parfois un peu rapide — l'auteur ayant aussi été romancier et poète).

● Saint-Jacob, Pierre de, *Les Paysans de la Bourgogne du Nord...* 1960 (déjà signalé).

● Id., *Documents relatifs à la communauté villageoise en Bourgogne du milieu du XVIIᵉ siècle à la Révolution*, Dijon, Bernigaud et Privat, 1962, 157 p.

● Id., *Études sur l'ancienne communauté rurale en Bourgogne*, dans *Annales de Bourgogne*, années 1941, 1943, 1946, 1953, passim.

Les autres régions sont, pour le moment, en retard. On peut consulter :

● Juillard, Étienne, *La Vie rurale dans la plaine de Basse-Alsace*, Strasbourg, 1953 (thèse de géographie).

● *Paysans d'Alsace* (ouvrage collectif, inégal), Strasbourg, F.-X. Le Roux et Cie, 1959, 638 p.

D. *France méridionale*

Les livres de premier ordre sont, pour le moment, au nombre de trois : Baehrel (Basse-Provence), surtout Le Roy-Ladurie (Bas-Languedoc) et Poitrineau (Basse-Auvergne) déjà cités. De nombreux travaux très neufs sont en préparation.

On peut encore consulter :

● Deffontaines, Pierre, *Les Hommes et leurs travaux dans les pays de la Moyenne-Garonne*, Lille, 1932 (thèse de géographie).

Différents ouvrage de l'excellent géographe rural Daniel Faucher, par exemple : *La Vie rurale vue par un géographe*, Toulouse, 1962.

● Léon, Pierre (et collaborateurs), *Structures économiques et problèmes sociaux du monde rural dans la France du Sud-Est*, Lyon et Paris, 1966 (bonnes monographies de détail).

● Frêche, Georges, *La Région toulousaine au XVIIIᵉ siècle*, thèse de Droit, Paris, 1969, à paraître.

● Garden, Maurice, *Lyon et les Lyonnais au XVIIIᵉ siècle*, thèse de lettres, Lyon, 1969, à paraître.

CHAPITRE VII

LA NOBLESSE : A LA RECHERCHE D'UNE DÉFINITION

La place occupée par ce chapitre ne surprendra pas. Il a semblé raisonnable d'établir d'abord les fondements de la société d'Ancien Régime, et nous les avons trouvés à la campagne. Plus peut-être qu'aucun « ordre », « estat », « corps » ou « classe », la noblesse ne se conçoit hors du monde rural : sans lui, elle ne serait pas; de lui, elle tire presque toute sa substance.

Quant au premier « ordre » traditionnel — dont l'absence, à cette place, peut surprendre —, son unité spirituelle (l' « onction » sacrée) et sa remarquable organisation (surtout matérielle, et confisquée par les prélats) n'empêchent qu'il fut divisé socialement en deux classes nettement antagonistes — le mot n'est pas trop fort —; on les retrouvera partout et ailleurs (notamment au tome 2) et tout naturellement d'abord dans la noblesse.

Sauf en Angleterre et en Suède, où l'on sait parfaitement où elle commence et où elle finit, définir la noblesse est rarement une tâche aisée. En France, la futilité, l'incompétence, les vanités et les passions ont tellement brouillé la réalité, déjà mouvante et difficile à saisir, qu'on est bien obligé d'insister longuement sur ce que la noblesse n'est pas, ou n'est plus.

145

1 — Les éléments négatifs

Les erreurs banales

Les erreurs banales proviennent de la généralisation d'identifications qui ne furent pas forcément fausses en tel lieu ou à tel moment. Les plus courantes concernent la particule, les titres et les armes.

La particule, petit mot qui joint le véritable « nom », celui du baptême, au « surnom » devenu le patronyme, exprime en général une origine géographique familiale. Elle est fréquente chez les roturiers, surtout paysans : ainsi, Pierre de Frocourt et Jacques de Lihus, bourgeois de Beauvais au XVIIe siècle, descendaient de paysans issus des deux paroisses du voisinage dont ils portaient le nom. Chez les originaires des Flandres, si nombreux, le « de » est simplement l'article « le » : De Ridder signifie Le Chevalier. Beaucoup de nobles authentiques ne portaient pas de particule — au XVIe siècle, les Gouffier —, et les plus grands dédaignaient de l'inclure dans leur signature, réduite souvent à leur nom de baptême, ou à celui de leur principale terre : « Louis », ou « Noailles ». Il n'empêche que la particule faisait illusion, même sous l'Ancien Régime, et que de bons bourgeois, allongeant le nom de leur père du nom de leur métairie, jouaient sur cette illusion, et finissaient souvent par l'imposer. Mais, à elle seule, la particule ne prouve rien.

Il faut savoir aussi que les vrais **titres** (de baron à duc) sont ceux des terres, et non ceux des hommes, et qu'un seul mâle par génération peut en être revêtu. Il est vrai que des titres de complaisance — surtout celui de marquis — furent vendus, ou tolérés par « courtoisie », spécialement à partir du règne de Louis XIV, qui fit argent de tout, et eut une politique habituellement anti-nobiliaire. Et cependant la majorité des nobles n'étaient pas « titrés ». Pourtant, immédiatement avant ou après leur nom, un petit mot permet souvent de les identifier avec assez de sécurité. Dans presque toutes les provinces de France, c'est le mot « escuyer », ou, au degré supérieur, « chevalier ». Sauf en Normandie — semble-t-il — le titre de « noble homme » caractérise le roturier. Dans tout le Midi, au sud de cette ligne Gironde-Genève qui constitue l'une des grandes « frontières » du royaume, le signe habituel de noblesse est l'épithète « noble » mis en avant-nom. « Noble homme Jean Dupont » est à coup sûr un roturier (avec une possible exception normande); « Jean Dupont, escuyer » est un noble authentique, sauf fraude bien habile; dans les pays de langue d'oc, « noble Jean Dupont », également; qu'il écrive son nom « Du Pont » ne change rien, nulle part.

Quant aux « armes » — ou armoiries —, elles ne présentent plus sous l'Ancien Régime que l'intérêt d'une devinette. N'importe qui pouvait se décerner des armoiries, et même les faire enregistrer, contre espèces sonnantes, dans une officine royale qui développa une activité considérable à partir de 1696. Dès lors, et même un peu avant, l'héraldique n'enregistre plus que des vanités. Même l'ancien privilège noble des armoiries « timbrées » (surmontées d'un casque, ou d'une couronne, voire des deux) s'affaisse ; on vit bientôt Voltaire s'attribuer une couronne de marquis, et il ne s'agit point d'un trait d'humour.

Les confusions explicables

Seigneurie et noblesse

Dans le langage courant, un « grand seigneur » était à coup sûr un noble incontestable, ancien, aisé, puissant. Mais **la possession d'une seigneurie n'était juridiquement pas, ou n'était plus signe de noblesse** (*cf.* supra, chap. IV), puisqu'une seigneurie s'achetait comme tout autre bien. Mais il restait des souvenirs très vivants, qui liaient la noblesse à la possession de grands domaines sur lesquels elle exerçait des droits considérables, comme la justice. Si bien que l'acquisition d'une seigneurie restait, pour un bon bourgeois, l'un des moyens qui le mettaient sur le chemin de la noblesse, ou de son apparence.

Fief et noblesse

Le mot « fief », dont la signification apparaît si claire dans les travaux des médiévistes, est devenu, sous l'Ancien Régime, un vocable d'une confusion extraordinaire, dans laquelle se perdaient les meilleurs juristes : le dernier et le plus fin, Guyot, renonce à le définir. En Bourgogne, dans le langage courant, « fief » est tout uniment synonyme de seigneurie ; mais il se rapporte plutôt à la partie « centrale » de la seigneurie, à la « réserve », au « domaine » du seigneur. Le plus souvent, **« fief » qualifie les terres nobles** (et parfois certains droits spéciaux, que nous négligerons). Dans beaucoup de provinces, ces terres nobles, qui s'opposent aux **terres roturières** (les censives) présentent une « qualité » spéciale : elles ne se transmettent et ne se partagent pas comme les autres (elles vont à l'aîné, quand existe le droit d'aînesse), elles ne paient pas les mêmes droits, elles ne supportent pas les mêmes contributions. Elles n'en supportent même, dans le Midi, aucune. Mais la grande nouveauté de l'Ancien Régime, c'est **la séparation de la condition des hommes d'avec la condition des terres,** qui s'est peu à peu inscrite dans les diverses coutumes (sauf en Béarn) à la fin du xvie siècle, que ratifie l'article 258 de l'ordonnance d'Orléans, en 1579. Ce qui a entraîné deux conséquences :

a) Tout roturier qui « tient » un fief, donc une terre noble, et ne peut, de par sa condition, remplir les devoirs des tenant-fief, essentiellement le service militaire, doit en échange (sauf privilège local!) **le droit de « franc-fief »,** que le roi a confisqué pour ses finances. Ce droit est lourd : habituellement une année de revenu du fief tous les vingt ans, plus une autre à chaque changement de détenteur; il était fort mal vu, parce qu'à la fois humiliant (signe de roture), coûteux, et propre à faire baisser la valeur de la terre sur laquelle il pesait.

b) Dans la moitié nord de la France, les terres nobles ne diminuent pas la taille du roturier qui les possède; inversement, un « exempt de taille » (les nobles le sont toujours) ne paie rien, même pour ses terres roturières. Tout au contraire, dans la moitié sud, les terres nobles ne paient jamais la taille, quel que soit celui qui les tient mais naturellement les nobles les plus authentiques paient la taille pour leurs terres roturières. Du point de vue des rapports de la noblesse et de l'impôt essentiel, **Nord et Midi sont deux mondes contradictoires.**

Au-delà de ces complications, qui nous paraissent si lointaines, il résulte que, sous l'Ancien Régime, sauf en Béarn (mais il y faut cent ans!), **la qualité nobiliaire des terres ne se communique jamais aux personnes.** Inversement, la qualité des personnes n'anoblit pas les terres; mais pourtant des exceptions sont peut-être à découvrir dans les provinces qui appartinrent jadis à l'Empire.

2 — La survie des vieilles définitions

Classe militaire ?

Des schémas millénaires, qui viennent du vieux fonds indo-européen, repris par Aristote, par le christianisme, par Saint Thomas et par la plupart des théoriciens de l'Ancien Régime, divisaient la société en « *oratores, bellatores, laboratores* ». Tradition juridique et rhétorique, fort vivace, même si elle ne correspondait pas, ou ne correspondait plus à la réalité. Dès le xvie siècle — et de plus en plus — **la « classe militaire » comprend une considérable majorité de roturiers,** bien que les postes de commandement soient habituellement dévolus à la noblesse.

Nous approchons cependant, cette fois, des éléments d'une définition, mais d'une définition ancienne : au plus fort du Moyen Age, le noble fut habituellement celui qui combattait à cheval. D'où la survivance des termes de **chevalier** et d'**écuyer** pour qualifier habituellement les nobles authentiques. D'où aussi **l'idéal militaire** qui habita longtemps la majorité de la noblesse française, même pauvre — surtout pauvre, peut-être. Idéal militaire qui s'imposait d'ailleurs aux nobles de fraîche extraction : le port et l'usage de l'épée, de préférence à la tête d'une compagnie achetée, donnait une dignité supplémentaire à une noblesse récente et souvent moquée. Il est patent également que, dans la profonde réaction « catégorielle » qui s'empara d'elle au xviiie siècle, la noblesse mit au premier plan sa vocation militaire, et tâcha d'en tirer tous les avantages possibles, y compris un quasi-monopole des grades élevés de l'armée, monopole réalisé progressivement à la fin du siècle.

Mais il est plus évident encore que, si la noblesse provient (en partie) de l'ancienne classe militaire, tend à servir par l'épée et se fabrique un idéal militaire, il n'est pas sûr que la majorité des nobles aient été des militaires, et leur ascendance, bien moins encore. Nous constatons ici **la survie et la résurrection d'un idéal ancien.**

Classe féodale ?

Comme le mot « fief », le mot de « féodalité » représente, sous l'Ancien Régime, un nœud inextricable de confusions, et même de querelles. Il contient toujours, cependant, une marque d'ancienneté, qui fut interprétée tantôt comme chose respectable et sacrée, tantôt comme chose périmée et ridicule. On peut avancer que le mot recouvrait alors deux séries de représentations :

1o **La chaîne des vassalités,** qui avait uni les hommes aux hommes, depuis le dernier vassal jusqu'au premier des suzerains, le roi ayant su occuper très tôt cette place. Symboles complémentaires : l'inférieur prête au supérieur « foi et hommage » (imagerie connue) et reçoit de lui le « don » d'un « fief ». Cette cérémonie, qui est censée se passer entre nobles (ce qui n'est plus vrai sous l'Ancien Régime), n'est pas totalement disparue; mais elle s'est à la fois étendue et profondément modifiée.

Elle s'est étendue aux roturiers, d'une part parce qu'ils détenaient des fiefs, comme nous savons; d'autre part, dénommés parfois « vassaux » par leurs nobles seigneurs, ils ont parfois conservé, jusque vers le milieu du xviie siècle, le sentiment qu'ils sont protégés par ces derniers contre les méfaits des « gabeleurs » du roi. Bien mieux, il a longtemps survécu, dans les provinces attardées (Ouest, Centre, duché et comté de Bourgogne) des formes d'hommage ancestral que certains paysans rendaient à leur seigneur : agenouillements devant la porte du château, baiser au loquet, présentation de mariés, offrandes rituelles, etc. A la fin du xviiie siècle, de telles pratiques étaient habituellement vomies par les « vassaux ».

Dans le monde des gentilshommes, et même un peu plus bas, une coutume a longtemps survécu, au moins jusque vers 1660 : chez les plus pauvres, l'usage de se « recommander », de se « donner » aux plus puissants. Ceux-ci nourrissaient, logeaient et équipaient ceux-là, qui étaient à leur disposition, épées, corps et biens. La plupart des révoltes nobiliaires (et même certaines révoltes paysannes) ont tiré leur force de ces subordinations, de ces clientèles, de ces fidélités, au moins pendant quelque temps. Ces consécrations d'un homme à un autre ne sont d'ailleurs caractéristiques ni de l'époque « féodale », ni de l'Ancien Régime : on les trouve partout, dans les civilisations anciennes comme dans les nôtres; on les trouve autour des rois de France et de leurs principaux ministres, notamment de Richelieu, qui eut ses « créatures », et même de Colbert, qui fut entouré d'une sorte de « lobby », dont l'étude est à faire; il suffit d'ouvrir les yeux pour retrouver au xxe siècle des phénomènes du même ordre.

Il est sûr que ces liaisons originales, caractéristiques de certaines époques plus que de certains groupes, étaient alors particulièrement fréquentes dans le monde de la noblesse : elles y relayaient en quelque sorte l'ancienne vassalité. Elles ne suffisent pourtant pas à définir la noblesse, puisqu'elles existaient en dehors d'elle.

2º Dans les représentations mentales courantes, **féodalité, c'est l'image d'un puissant château, entouré de bonnes murailles et de riches domaines,** qui fait la loi dans tout un pays, voire une province; loi qui, aux temps lointains, mais non oubliés, de la faiblesse de la royauté, pouvait maintenir un minimum d'ordre, d'organisation et de sécurité dans le secteur considéré. Les « grands feudataires » avaient confisqué une partie des pouvoirs « régaliens », dont celui de juger, de lever des soldats et des impôts, et de battre monnaie. On ne comprendrait rien aux premières décennies de l'Ancien Régime si on oubliait ce passé proche, ce « passé présent ». La puissance ancienne des ducs de Normandie, des comtes de Toulouse et de Provence, des ducs d'Anjou et surtout de Bourgogne, était encore dans beaucoup de mémoires. Les luttes religieuses et les régences avaient donné un regain de puissance aux « grands » que la faiblesse des rois avaient dotés d'un apanage ou de « gouvernements » en province. La puissance de Mayenne et des Condé, pour s'en tenir à ces deux exemples, provenait des terres, des forteresses et des « gouvernements » dont ils étaient titulaires, dont ils s'estimaient possesseurs et « quasi-rois », dont ils utilisaient les ressources en argent et en hommes. Même après la Fronde, qui clôt une grande période « féodale », il a subsisté des fiefs encombrants, dont certains appartenaient à des monarques étrangers (le Charolais), dont d'autres conservaient le droit tout médiéval de battre encore monnaie : les principautés d'Orange, de Dombes, de Sedan, de Cugnan et le duché d'Henrichemont, en plein règne du « grand roi »...

Il est sûr que toute cette puissance provinciale, lentement grignotée par les rois, tenait en quelque sorte à la noblesse — du moins à la grande — et pouvait passer pour l'exprimer, ou l'avoir exprimée.

Classe propriétaire et terrienne ?

La liaison de la noblesse à la terre, d'où elle tirait ses divers types de rentes, forme l'un des éléments profonds de sa nature. Mais il l'est de moins en moins puisque, nous l'avons vu, les nobles s'éloignent de la terre, et la terre s'éloigne d'eux, captée qu'elle fut souvent par des « maîtres » et même des seigneurs qui venaient directement de la roture riche. Cette liaison ancienne et encore vivante de la noblesse et de la terre ne doit pas faire illusion : il n'est pas prouvé que les nobles aient été seigneurs de la majorité des terres françaises, et il est certain qu'ils en possédaient moins du tiers. La classe terrienne par excellence — et même la classe dont tous les lopins ajoutés font plus que tous les domaines nobles —, c'est tout de même la paysannerie!

Les éléments de définition qui viennent d'être proposés sont donc ou inexacts, ou insuffisants, ou périmés. En quoi donc réside la noblesse?

3 — Les éléments d'une définition : la noblesse, une race ?

Répéter, après les juristes, que la noblesse est le second des « trois ordres » du royaume ne signifie à peu près rien. Le premier ordre s'abîme dans les deux autres; et le troisième constitue, ou bien une sorte de poubelle (ce qui n'est ni clerc ni noble), ou bien un faux semblant : la bourgeoisie aisée et les officiers constituant exclusivement le Tiers, qu'ils prétendent

« représenter », le reste, l'énorme majorité, n'étant pas digne d'être cité. Ajouter que la noblesse est « l'un des deux ordres privilégiés » ne va pas beaucoup plus loin, puisque l'une des caractéristiques de l'Ancien Régime, c'est justement qu'à peu près tout le monde détient des privilèges, sauf les paysans du « vieux domaine » capétien. On ne répétera jamais assez que l'Ancien Régime fut le monde des « lois privées » (*leges privatae*, privilèges) qui renâcla jusqu'au bout devant la « loi générale ».

La noblesse se définit par son antonyme, la roture. Dans l'opinion courante, le roturier, le non-noble, l'ignoble, un peu comme l'ancien serf ou l'ancien vilain dont il a en quelque sorte hérité la bassesse, porte **une tache, une macule, un élément de souillure** : l'on disait couramment, sous l'Ancien Régime, que les futurs nouveaux nobles devaient d'abord subir une longue période d'attente, sorte de purgatoire, pendant laquelle ils se **« décrassaient »** de leur roture. Ces conceptions élémentaires et quasi-magiques sont fondamentales, et vives. Le temps n'est pas loin où la noblesse, à la suite de Boulainvilliers (œuvres parues en 1727 et 1732) et de toute une tradition, prétendra descendre d'**une race spéciale de conquérants,** les Francs, qui asservirent les paysans gaulois, et dont le « sang bleu » attestait l'originalité raciale. Sans aller forcément à ces excès, il est sûr que la noblesse d'Ancien Régime estime qu'elle appartient à **une race à part,** dont les vertus anciennes, l'honneur, le courage militaire, lui sont intégralement transmises par filiation. **Une race à part qui, depuis le fond des temps, transmet sa supériorité par le seul fait de la naissance :** telle est bien la manière dont la noblesse se conçoit elle-même; conception à laquelle beaucoup de non-nobles ne peuvent s'empêcher d'adhérer. Il n'y a pas un bien grave anachronisme à qualifier cette position de racisme.

Mais la conception française de l'hérédité de la race nobiliaire est à la fois étroite et large. Étroite, parce que limitée aux enfants légitimes : seuls, les bâtards des rois sont reconnus nobles. Étroite et large à la fois, parce que **seul l'homme transmet la noblesse;** la femme est indifférente : simple « vase », elle ne transmet que la qualité de son mari, non la sienne. Comme l'écrivit un jour Valéry, « noblesse, c'est liqueur séminale ». Contrairement aux usages de l'Empire (et c'est pourquoi certaines provinces anciennement impériales, comme une partie de la Franche-Comté, admettent que la noblesse puisse être transmise « par le ventre »), la femme peut bien être roturière : son mari suffit à lui anoblir ses enfants. Principe constant, qui rendra bien commodes les « fumures de terres » (Mme de Sévigné), c'est-à-dire le mariage des nobles pauvres avec des roturières bien dotées. Ce qui explique aussi qu'on compte habituellement en France la noblesse **par degrés** (du côté des mâles) et **non par quartiers** (des deux côtés); ce qui fait comprendre aussi le peu de cas que les filles nobles, et leurs parents, pouvaient faire d'éventuels prétendants roturiers : c'étaient là les véritables mésalliances.

L'ancienneté de la race est donc l'essentiel, pour les nobles eux-mêmes, et pour toute la législation, coutumière d'abord, royale ensuite. Mais comment la prouver? Il est bien évident que nulle famille ne peut aligner des « preuves » remontant jusqu'aux Francs, ni même souvent aux Croisades. Pour « prouver », on distingue habituellement trois cas :

a) Certaines grandes et puissantes familles, peu nombreuses, n'ont jamais à prouver leur noblesse, suffisamment établie depuis un temps **« immémorial »** comme on disait. Pas plus qu'aux Capétiens, ce serait injure de demander une preuve aux Rochechouart, aux Rohan, aux Harcourt, aux Montmorency.

b) Des familles moins illustres, ou moins puissantes, peuvent avoir à « prouver ». Ces preuves sont requises, tantôt par le roi (chasse aux faux nobles, fréquente sous Louis XIV), tantôt parce qu'elles demandent une charge réservée aux nobles, soit à la cour, soit à l'armée, soit pour entrer dans l'Ordre de Malte. Or, **on ne « prouve » que par documents écrits, authentiques,** émanant d'autorités reconnues : sentences de justice, actes notariaux, actes royaux, à la rigueur actes paroissiaux, qui doivent habituellement s'étendre sur la durée de trois générations, ou d'un siècle. Ces actes doivent prouver que **la famille a noblement vécu, sans déroger, en servant le roi, et en prenant toujours les qualificatifs nobles qui sont propres à la province** (en général, « escuyer »). La continuité légitime de la « race » pendant un siècle est alors tenue pour certaine.

On voit tout de suite que la loi de la province — la « coutume » — joue en cette affaire, comme en tant d'autres, le rôle essentiel; et les coutumes varient... On voit aussi que la « source » de la noblesse n'est pas alors donnée; elle est supposée « chevaleresque », ce qui peut être bien optimiste.

c) Le troisième cas est le plus simple, et devient le plus fréquent : la « race » est jeune, puisque la famille **a été anoblie à une date certaine, par acte du souverain,** qui seul peut faire de nouveaux nobles. Ainsi se constituait une noblesse que les anciens juristes appelaient **« moderne »,** par opposition à la noblesse dont la source est rejetée loin dans le passé, mais demeure inconnue : la noblesse **« ancienne ».**

Naturellement, la noblesse ancienne, qui se dit « de race », d' « extraction », d'épée, méprise cette nouvelle noblesse, surtout celle qui provient de charges anoblissantes et vénales, et l'assimile, comme Saint-Simon, à la « vile bourgeoisie ». Au-delà de ces vives querelles d'amour-propre et de susceptibilité, il n'empêche que **toute la noblesse était juridiquement la même,** jouissait sensiblement des **mêmes privilèges,** et **se transmettait de la même manière,** par la « liqueur séminale » des pères légitimes. Simplement, et à défaut aussi de descendance prouvée depuis les compagnons de Clovis, la « race » était née depuis un nombre de siècles, ou de générations, fort variable. Les querelles internes de la noblesse sont **des querelles d'ancienneté,** mélangées de duplicité, de fausses généalogies, et d'amours-propres malades.

La noblesse est une par son statut comme par les privilèges qui lui sont habituellement reconnus. Quels privilèges ?

4 — Privilèges et devoirs de la noblesse

Il est plus difficile qu'on ne croit habituellement d'énumérer les privilèges de la noblesse, tant ils ont varié dans le temps, dans l'espace, et dans les conceptions qu'on s'en faisait. Assez scolairement, on peut en distinguer trois catégories, puis en rejeter une quatrième.

Les privilèges d'honneur

Le port de **l'épée** demeure fondamental. Sauf s'ils sont très puissants en leur contrée, ceux qui la portent indûment sont poursuivis sévèrement ; les soldats exceptés, que Vauban rangeait parmi les « gens d'épée », avec les gentilshommes.

Le port d'**armoiries timbrées** fut longtemps essentiel ; Louis XIII et son fils ont éprouvé le besoin de confirmer ce privilège en 1634 et 1665. Mais après 1696, comme on le sait déjà, les excès de la « Grande Maîtrise d'Armes » du royaume, qui vendit les armoiries au rabais, ont compromis ce vieux privilège, que les roturiers aisés et prétentieux transgressaient sans scrupule et sans danger.

Troisième privilège d'honneur bien net : le noble est **jugé** au civil par le bailli lui-même, au criminel par le Parlement ; les châtiments qu'il encourt ne sont pas les mêmes que ceux qu'encourent les roturiers, et chacun sait qu'ils ne sont jamais pendus, mais « décollés ».

Habituellement, le privilège de la **chasse** leur est réservé (en Bretagne, pas toujours) ; mais ce privilège a aussi été accaparé par de riches seigneurs non nobles ; ajoutons qu'il est constamment tenu en échec par un gigantesque braconnage.

Bien qu'on ne puisse ici parler de privilèges, mais de mentalités, il exista évidemment des styles de vie spécialement nobles : vivre largement, monter à cheval brillamment, bien tirer les armes, ne pas se battre en duel contre un roturier, et surtout ne jamais travailler de ses mains à des occupations lucratives, viles, et mécaniques (sinon on déroge).

Les privilèges de service

Il existe, pour les nobles, ce qu'on peut appeler par anachronisme des « emplois réservés », spécialement à l'armée, à la cour, dans l'Église.

A l'armée

En dehors de l'obligation générale de « servir », en s'équipant à ses frais (le vieux devoir d'*auxilium* du vassal), ce que fait la majorité, il existait dans les régiments d'élite (comme les Gardes du Corps) et dans presque tous les autres, des postes réservés aux nobles. Une simple lieutenance, dans la plupart des régiments, n'est habituellement accordée qu'à qui peut prouver quatre degrés de noblesse. A ce sujet, les règlements et les usages ont varié. Dans la seconde moitié du xviiie siècle, la « réaction nobiliaire » fut particulièrement vive : les roturiers devinrent beaucoup plus difficilement officiers, ou furent confinés dans des grades subalternes, ou des corps « techniques » où la race ne pouvait suppléer la compétence, comme le Génie. Là réside sûrement l'une des nombreuses causes de la Révolution.

Quant à la Marine de guerre, tous les grades du « grand corps » étaient réservés aux nobles; les roturiers ne pouvaient devenir qu'officiers d'administration (parfaitement méprisés), ou se confiner dans le commerce et la course.

A la cour

Il est bien normal que le roi, noble d'entre les nobles, attribue les charges et emplois importants, et même secondaires, à sa « fidèle noblesse », comme on disait au xviie siècle, par inconsciente antiphrase. Les meilleurs « officiers de la Maison du Roi » (vénerie, fauconnerie, par exemple), les postes d'écuyers et de pages leur étaient réservés. Louis XIV, qui augmenta le nombre des pages, réclamait aux candidats de prouver une noblesse de deux cents ans; la difficulté de prouver obligea à quelques dérogations. Dans de nombreux corps ou institutions proches du roi, entraient seulement les nobles à quatre degrés. Quatre degrés au moins pour l'Ordre du Saint-Esprit; quatre degrés pour le Collège des Quatre-Nations fondé par Mazarin (l'actuel Institut); 140 années pour les filles admises à la Maison de Saint-Cyr, chère à Madame de Maintenon; quatre degrés encore pour les diverses écoles militaires fondées au xviiie siècle, même pour les écoles d'artillerie (1772) et du Génie (1776), où les aptitudes semblaient pourtant essentielles.

Dans l'Église

Depuis le concordat de 1516 (*cf.* tome 2), le roi détient le droit de « présenter », c'est-à-dire pratiquement de nommer à tous les bénéfices « majeurs », singulièrement à presque tous les évêchés et à la plupart des abbayes. Il se décide presque toujours en faveur de la noblesse; au xviiie siècle, toujours en faveur de la noblesse « ancienne ». Si bien qu'un certain nombre de familles nobles en venaient naturellement à penser que tels et tels bénéfices ecclésiastiques entraient en quelque sorte de droit dans leur patrimoine. Un seul exemple : sur les huit évêques qui se succédèrent à Beauvais de Henri IV à Louis XVI, cinq appartinrent à la grande famille parlementaire parisienne des Potier, anoblie sous François 1er; les autres descendaient d'une noblesse encore plus ancienne, puisqu'ils se nommaient Forbin, Beauvillier et La Rochefoucauld. Tous ceux-là, et presque tous les autres cumulaient aussi les revenus provenant d'abbayes plus ou moins lointaines, qu'ils possédaient « en commende », et où ils n'allaient à peu près jamais. Par le roi, les plus beaux bénéfices ecclésiastiques sont à la disposition de la noblesse. Pour le roi, leur attribution fut un moyen commode et peu coûteux de la subventionner.

Ajoutons enfin que seuls les nobles peuvent devenir chevaliers de Malte, et doivent alors fournir des « preuves » fort précises — malgré quelques rares complaisances.

Les privilèges fiscaux

Servant en principe le roi par les armes (ou par leurs conseils), les nobles n'ont pas à payer d'impôt, signe de roture, surtout l'impôt direct, la taille et ses divers et successifs accessoires et excroissances. Tel est le principe, ou plutôt la fiction. Il souffrait au moins trois sortes d'exceptions.

a) Répétons d'abord que **ce principe n'est en rien applicable au Midi,** où ce sont les terres qui paient la taille. Un noble payait exactement comme un roturier pour ses terres roturières, et ces dernières constituaient toujours l'énorme majorité de ses possessions foncières : 90 à 95 % dans le Haut-Languedoc; encore fallait-il prouver la « nobilité » des terres.

b) A partir de l'instauration de **la capitation** (1695) — date capitale, sur laquelle il faudra revenir —, le roi essaya de **faire payer les nobles.** On peut dire en gros qu'il y parvint; mais ils furent vite dotés d'une capitation spéciale, moins lourde que l'autre.

c) **La noblesse** (comme le clergé) était **loin d'être le seul groupe exempt** de la plupart des impôts directs — on ne le répétera jamais assez. Une foule de roturiers riches (beaucoup d'officiers), nombre de villes, et des provinces entières (Bretagne) étaient exemptes.

Les mêmes remarques peuvent d'ailleurs s'appliquer à tout le complexe système financier de l'Ancien Régime (qui sera présenté au tome 2) : les nobles en sont partiellement ou complètement exempts, mais ils sont loin d'être les seuls (roturiers riches, villes, provinces, comme pour la taille); et l'administration royale essaie toujours de « rattraper » quelque peu ces exemptions en inventant des taxes nouvelles, qui voudraient être « générales ».

Dans l'ensemble, les nobles étaient très faiblement touchés par l'impôt.

Privilèges plus seigneuriaux que nobiliaires

L'on a déjà souligné que les droits seigneuriaux, que l'Ancien Régime appelle féodaux (cens, champart, banalités, etc.) ne sont pas ou ne sont plus des droits propres à la noblesse, puisque n'importe quel possesseur de seigneurie les détenait.

De même, semble-t-il, pour quelques droits plutôt honorifiques, et d'origine ancienne : la girouette sur le manoir seigneurial, parfois aussi la bannière et les armes; le colombier à côté; le banc d'œuvre du côté de l'Évangile, les tombeaux dans le chœur, les « litres » funéraires suspendus ou peints sur les murs de l'église, etc.

Les devoirs de la noblesse : service, non-dérogeance

En échange de ces avantages, la noblesse a des devoirs, qu'on peut résumer en deux mots : servir, maintenir.

Servir le roi : Du vieil « *auxilium et consilium* » médiéval, il reste, en principe, le devoir militaire, le plus digne d'un noble; mais aussi — moins dangereux — celui d'assister le roi dans le gouvernement et l'administration : Conseils, justice, à la rigueur finances; quand le roi s'entoure de roturiers, ou de frais anoblis, la vieille noblesse s'estime toujours maltraitée.

Maintenir sa noblesse, c'est d'abord **ne pas déroger,** puis la **transmettre** par la procréation en légitime mariage, et si possible **l'accroître,** en méritant du roi des distinctions, des ordres, des titres; au besoin, pouvoir aisément

prouver, en conservant soigneusement les archives familiales, ce que tous ne font pas.

De tous ces devoirs d'honneur — auxquels il faut ajouter le maintien d'un « style de vie noble » déjà évoqué —, le plus important, le plus délicat, celui qui conditionne tous les autres, et qui en même temps éclaire à nouveau la nature profonde de la noblesse, c'est **la non-dérogeance.**

Déroger, perdre sa noblesse, c'est se livrer à des activités roturières, ignobles. Lesquelles ?

— Toute activité « mécanique » et manuelle, sauf la verrerie, les forges et plus tard les mines, considérées comme un « prolongement » du domaine ;

— Toute activité commerciale, au moins de détail, et parfois de gros, dans certaines provinces et à certaines époques fort pointilleuses ;

— Le travail de la terre échappe à la dérogeance dans certaines limites : s'il s'applique au « parc » enclos, ou à une superficie de terres comprenant une ou deux « charrues » (pas plus de vingt hectares), ou la distance que couvrirait le « vol d'un chapon » partant du manoir ; mais prendre un fermage est toujours déroger ;

— Le crime qui entraîne peine infamante fait perdre la noblesse ; mais seulement à la personne du criminel, et non à sa famille, au moins habituellement.

Contrairement à l'anglaise (et à la bretonne, qui s'en rapproche), la législation de nombreuses provinces françaises est sévère sur la dérogeance ; et les collecteurs de tailles y veillent de près. Cette sévérité était non seulement acceptée, mais chaleureusement approuvée par la majorité des nobles, qui refusèrent le plus souvent de pratiquer même le « commerce honorable », le commerce de mer, que plusieurs décisions royales faisaient pourtant échapper au risque de dérogeance, et qui en fin de compte empêchèrent toujours la création d'une « noblesse commerçante », malgré de beaux plaidoyers dans ce sens. On ne peut douter que cet état d'esprit et cette obstination aient causé les plus graves préjudices à la noblesse, et au royaume tout entier ; à cet égard, l'habituelle comparaison avec l'Angleterre conserve toute sa valeur.

Le nombre des nobles

« Anciens » ou « modernes », riches ou pauvres, de cour ou de province, d'épée ou d'écritoire, de prétoire ou de mer, combien étaient tous ces nobles ?

On ne sait. Les évaluations proposées par les contemporains oscillent entre 80 000 (pour la « vieille » noblesse) et 400 000 (pour la totalité). Les historiens, à tout hasard, avancent habituellement 300 000, soit 1 à 1,5 % des Français. Pour la seule Bretagne, des travaux récents et solides parlent de 40 000 personnes, au moins, vers 1670, soit 2 % des Bretons; mais la Bretagne était particulièrement riche en gentilshommes, ce qui signifie que cette proportion de 2 % fut loin d'être atteinte dans l'ensemble du royaume. Impossible de préciser.

Dans ce nombre, peut-être vingt types de nobles, qu'il n'est pas question d'énumérer. Au-delà de la race, du sang et de la rente, facteurs d'unité, c'est dans le cadre, le mode, le style de vie que reposent les distinctions majeures; les plus fortes opposent la noblesse « ancienne » et la « moderne ». Pourquoi ne pas suivre l'opinion habituelle? Elle correspond au moins à la réalité telle qu'elle était ressentie par beaucoup.

Le chapitre suivant essaie de présenter quelques types de nobles, parmi les mieux connus [1].

---

1. Textes et lectures complémentaires ont été regroupés avec ceux du chapitre VIII, p. 183.

CHAPITRE VIII

TYPES DE NOBLES D'ANCIEN RÉGIME

1 — Types de nobles « anciens »

Les « Grands »

Soit pour les encenser, soit pour les moquer, les écrivains d'Ancien Régime se sont abondamment préoccupés des « Grands ». On peut sommairement identifier ce groupe à l'aide des critères suivants :

a) **Une noblesse très ancienne :** on ne leur demande jamais de « prouver » (ce serait un affront), et l'on convient que leur noblesse est « immémoriale ». Ils sont titrés, par leurs terres, au minimum baronnies, le plus souvent au moins comtés. Tous les ducs et pairs (une centaine de « pairies » avaient été créées jusqu'en 1715, dont la moitié n'avait plus de titulaire à cette date), tous les « princes du sang » (parents du roi), et la plupart des grands prélats (archevêques, élite des évêques et des abbés), par leurs fonctions et

161

souvent par leur naissance appartiennent à ce groupe, quelques centaines de personnes.

b) **Une fortune brillante, mais dispersée et fragile**

Tous les Grands (prélats compris) possèdent plusieurs considérables châteaux, entourés de parcs et de chasses, dans le fond des provinces; ils ont également un « hôtel » à Paris; mais, au moins sous Louis XIII, il leur appartient rarement : ils le louent.

Les ensembles de domaines, fiefs, mouvances, seigneuries et droits seigneuriaux détenus par les Grands s'étendent sur des centaines d'hectares, assez rarement sur des milliers — ce qui leur confère de bien plus modestes dimensions que les grands domaines des « magnats » de l'Europe Centrale. Mais ils ne se groupent presque jamais en un seul « pays », ni même en une seule province. Des princes du sang comme les Conti, au milieu du XVIIe siècle, éparpillaient leurs « terres et seigneuries » du Soissonnais au Languedoc, de la Bretagne au Dauphiné. Des personnages moins illustres comme le marquis de Vassé, détenteur du célèbre château d'Azay-le-Rideau, avaient des biens de la Normandie au Poitou. Une telle **dispersion** ne facilitait pas la gestion, forcément confiée à des « intendants », à des « amodiateurs », à des « fermiers généraux », dont la compétence était souvent plus forte que l'honnêteté.

Les revenus annuels des Grands oscillaient habituellement entre 50 000 et 250 000 livres au XVIIe siècle : la première estimation concerne les Vassé, la seconde les Conti; au siècle suivant, le double : un Harcourt, le duc de Beuvron, avait 260 000 livres de rente en 1786. En un temps où un manouvrier pouvait gagner, bon an mal an, de 100 à 200 livres, ces revenus peuvent étonner. Et pourtant ils ne doivent pas faire illusion. La plupart du temps, **les dépenses des Grands excédaient leurs recettes,** et de beaucoup, sans d'ailleurs qu'ils en fussent troublés. Pour éviter les poursuites, les ventes forcées et les saisies, qui pourtant survenaient parfois, les Grands avaient recours au roi. Et il les sauvait habituellement, soit en leur conférant des bénéfices ecclésiastiques supplémentaires, ou des charges à la cour et en province, soit encore en payant simplement leurs dettes. La pratique a été constante, et les dons exorbitants faits à ses tendres amies, Lamballe ou Polignac, par la reine Marie-Antoinette, fournissent des exemples presque trop fameux d'une habitude qui était devenue une institution; une institution, après avoir été, sous Louis XIV, un moyen d'assujettissement et, plus tôt encore, un signe de la faiblesse royale, notamment durant les régences, et en même temps une raison de rebellion.

Autant que la dispersion des biens, c'était le mode de vie de leurs détenteurs qui rendaient si fragiles les fortunes des Grands.

c) **Des prétentions politiques**

La plupart des Grands n'ont jamais accepté — sauf contraints et rentés — ni le pouvoir « absolu » du roi, ni la toute-puissance des ministres et de leurs agents. En vertu de souvenirs, de traditions, d'idées vagues et d'illusions, ils pensaient que le roi ne pouvait gouverner sans eux, sans leur assistance et leur conseil, spécialement en cas de minorité royale et de régence, où la « famille » royale et l'ensemble des « grands vassaux » devaient se serrer autour du jeune monarque. Leur idéal politique, assez confus, mais exprimé tout de même de temps à autre, surtout en temps de faiblesse de la royauté, peut se ramener aux points suivants :

1. Les Grands du royaume, nommément les princes du sang et même les ducs et pairs, doivent entrer au **Conseil du Roi.** De fait, ils l'encombrèrent longtemps. Il fallut les efforts répétés d'Henri IV, de Richelieu, de Mazarin, puis la poigne souveraine de Louis XIV, et même l'intelligence du duc d'Orléans en 1718, pour les en chasser. Mais ils aspiraient toujours à y revenir, se disant « conseillers naturels »; les prétentions spéciales des ducs et pairs, qui rejoignaient celles des parlements, que nous retrouverons (au tome 2) vinrent, Saint-Simon aidant, se greffer sur les velléités traditionnelles.

2. Les Grands doivent jouir, en province, de **commandements importants,** généralement comme gouverneurs; et ils doivent y être tout-puissants, même à l'égard des intendants, qui pourtant s'installent au XVIIe siècle. De fait, la royauté fut longtemps menacée par les pouvoirs, les clientèles et les ambitions des Grands, gouverneurs de province, jusqu'au temps de la Fronde inclus. Le règne de Louis XIV brisa ces habitudes, qui ne reprirent pas.

3. Les Grands, qui avaient acheté ou s'étaient fait donner des régiments, des amirautés, la grand'maîtrise de l'artillerie, prétendaient être les maîtres dans ces fonctions. Richelieu, puis Louis XIV, liquidèrent ces prétentions, réglèrent les conflits entre généraux, et imposèrent une surveillance de l'armée par des « civils », les Intendants d'armée. Mais, sur terre comme sur mer, les **commandements militaires** furent presque toujours réservés aux Grands. De rares petits nobles (Vauban) ou des anoblis récents (Catinat, moins d'un siècle de noblesse) y parvinrent tout de même, par leur mérite. Mais ces ascensions se firent plus rares au XVIIIe siècle, où la réaction des anciens nobles fut puissante.

4. Les Grands eurent habituellement une attitude très critique à l'égard de **la fiscalité** royale. Par point d'honneur plus que par intérêt, ils refusaient toute taxe pour eux-mêmes. Par générosité et par intérêt personnel — curieux

alliage à parties fluctuantes —, ils soutenaient volontiers le « bon peuple » et leurs « vassaux » contre les progrès constants de la fiscalité royale, concurrente dangereuse pour la leur. Là gisent les raisons complexes qui les firent participer volontiers aux nombreuses révoltes anti-fiscales qui remuèrent spécialement la France du XVIIe siècle.

La conduite politique des Grands fut toujours un élément important de l'évolution du royaume. Indiscipline et révolte fréquente jusqu'en 1652; puis soumission dorée; puis réveil d'un idéal aristocratique revendicateur et « réactionnaire » autour de Fénelon, Boulainvilliers et Saint-Simon peu après 1700; succès sans lendemain de 1715 à 1718; renouveau aristocratique beaucoup plus grave à la fin du siècle : telles furent, en raccourci, les principales phases.

d) Médiocrité habituelle de pensée et de tenue des Grands

On cite toujours les Grands qui laissèrent un nom dans la littérature et la pensée : La Rochefoucauld, Saint-Simon. Il n'est pas sûr que les hommes d'Église, même Bossuet, Fénelon, et Gondi, cardinal de Retz (petit-fils de financiers italiens) aient vraiment appartenu à leur milieu. Ce qui frappe le plus chez les Grands, c'est plutôt leur légèreté. Jusqu'aux alentours de 1700, aucun corps cohérent de doctrine aristocratique n'apparaît en leur sein. Peut-on prendre au sérieux leurs intrigues, complots et prises d'armes? Beaucoup débordent de romanesque (Turenne se faisant frondeur pour Mme de Longueville) ou de ridicule (la « cabale des Importants » de 1643). Beaucoup agissent sur un coup de tête, ou ignorent ce qu'ils veulent vraiment, comme Condé au temps de la Fronde. D'autres personnifient la faiblesse et la lâcheté, y compris Gaston, frère de Louis XIII. Les personnalités franchement vénales, qui ne se révoltent au fond que pour de l'argent, sont légion : Condé le père, le duc de Longueville, et tant d'autres.

Si certains Grands paraissent fort cultivés — et l'on retrouve le grand Condé —, d'autres sont ignares, s'en vantent, affectent la vulgarité, comme Beaufort, le « roi des Halles ». Leur dévotion se réduit souvent à des simulations, stigmatisées par La Bruyère. Un grand nombre ont été et demeurèrent des libertins scandaleux, qui ne se cachèrent guère, sauf un moment sous Louis XIV. Le jeu, même à la cour, les passionnait. Leur grossièreté et leur saleté sont banales, sauf pour quelques malades raffinés, comme le frère de Louis XIV, inondé de parfums et de bijoux. Beaucoup furent compromis dans l'affaire dite des Poisons, dont Louis XIV se résigna à brûler lui-même les dossiers. Beaucoup croyaient (comme le peuple) à la magie, à la sorcellerie, à l'astrologie, aux « signes » du Ciel. Les dévôts sincères sombraient parfois dans le ridicule, comme le duc Mazarin, héritier du cardinal, préfiguration à peine masculine d'Arsinoé, ou dans l'odieux (les délations systématiques de la pieuse Compagnie du Saint-Sacrement, créée par le duc de Lévis-Ventadour, compagnie que Molière visa évidemment dans Tartuffe), — ou bien dans le repentir tardif, comme ces belles pécheresses qui vinrent prier confortablement à l'ombre de Port-Royal. Les « librairies » des Grands contenaient habituellement, outre des traités de généalogie et de héraldique et quelques livres de collège, tout Nostradamus, des grimoires astrologiques, et de nombreux romans de chevalerie, dont le *Don Quichotte*, probablement incompris.

A quelques exceptions près, et réservée l'évolution tardive du xviiie siècle des « lumières » et de la réaction aristocratique, il paraît assuré que **la culture et la religion des Grands ne valaient pas celles de la noblesse qu'on appelait « de robe ».**

La noblesse parlementaire : l'exemple breton

Une légende tenace, soutenue et entretenue par les nobles de cour, par les nobles fanatiques se disant de « race immémoriale » et par les cercles méprisants de la capitale, puis reprise par trop d'historiens, prétend que les juges des douze (puis treize) parlements du royaume appartenaient à la « bourgeoisie », formaient la « bourgeoisie parlementaire ». Même si l'on veut entendre par là que la noblesse des parlementaires était relativement récente par rapport à quelques autres, cette interprétation est radicalement fausse. On ne peut faire qu'une concession à l'opinion courante : la noblesse parlementaire était plus « fraîche » à Paris qu'ailleurs. **Dans la province majoritaire, c'est la grande et vieille noblesse qui siège majoritairement dans les parlements.**

La noblesse bretonne a participé très tôt à l'activité parlementaire. **L'opposition entre « robe » et « épée »** n'a, en Bretagne comme presque partout en province, **aucun sens. Le Parlement de Bretagne, c'est la fraction de la noblesse qui occupe le pouvoir judiciaire, et la fraction la plus élevée.** A partir de 1660, aucun véritable roturier n'a été accepté au sein du Parlement : en 130 années, tout au plus cinq candidats, de noblesse récente ou douteuse, ont osé frapper à sa porte.

L'ancienneté de cette noblesse parlementaire est exceptionnelle : sur 216 familles étudiées en 1670, 136 possédaient une noblesse remontant incontestablement avant l'an 1500. L'ensemble de la noblesse bretonne, quelque deux mille familles, offrait une ancienneté nobiliaire un peu moindre (28 % de nobles avant 1500), mais assez supérieure à la moyenne française, et très supérieure à celle du parlement de Paris.

Ce groupe nobiliaire se **mésallie** très peu. Sur 412 mariages connus, 119 furent conclus dans le milieu parlementaire, et près de 200 autres dans le reste de la noblesse ancienne. Une soixantaine de parlementaires seulement ont épousé des filles de bourgeois (souvent d'ailleurs sur le chemin de l'anoblissement), bien sûr richement dotées; presque jamais ils ne descendirent jusqu'à prendre femme dans les milieux du négoce et de la finance (4 cas sur 412).

La fortune des membres de l'« auguste Sénat » était assez variable. De pauvres ou de malaisés, point; quelques « médiocres » ont moins de 10 000 livres de rente, mais appartiennent alors à des lignées de cadets, fort défavorisés par le droit breton, qui laisse toujours plus des deux tiers à l'aîné. Au XVIIIe siècle, la majorité compte sur vingt mille livres de rente, qui font un capital d'un demi-million. Les très grands sont deux ou trois fois millionnaires. Cette noblesse ancienne est **une noblesse fort riche,** sûrement plus riche qu'à Toulouse, et peut-être qu'en d'autres provinces.

Jusqu'à la fin de l'Ancien Régime (et même après), **cette richesse est féodale, seigneuriale, terrienne.** L'aîné de la dynastie se pare toujours de son titre de « chef de nom et d'armes », plus significatif en Bretagne qu'un vague marquisat. Des deux cents plus grandes seigneuries de la province, « Messieurs » en détiennent une forte moitié, laissant la portion congrue aux anoblis (10 % des seigneuries) et aux nobles de Cour, en pleine débâcle. De quelque manière qu'on l'analyse, il n'est pas de revenu annuel, il n'est pas de fortune estimée et partagée où les biens ruraux n'occupent au moins les deux tiers du total. En 1752, la succession relativement modeste du père du célèbre La Chalotais dépassait le demi-million : les biens fonciers en constituaient plus des quatre cinquièmes, l'office parlementaire (aux revenus presque négligeables), moins de 6 %. Et cette énorme rente rurale demeure seigneuriale et féodale : les censives rapportent plus que le domaine; les banalités de moulin et les lods et ventes y fournissent des revenus qui n'ont rien de symbolique.

Comme à Dijon, l'administration des parlementaires se révèle rigoureuse. Les moins exigeants, les plus humains, ce furent les très riches, ou bien les gênés. Les autres pratiquent une **gestion dure et efficace,** ne souffrant aucun retard de paiement ou de livraison, attentifs au moindre droit, même honorifique et symbolique, se servant étroitement de la vieille coutume pour exiger la soumission du « vassal », et en particulier un nombre considérable de prestations de charrois, qui conserve aux paysans de l'Ouest quelque apparence du vilain « corvéable à merci ». Sauf exceptions, Messieurs du Parlement sont détestés, à Rennes comme à Dijon.

Cette noblesse orgueilleuse, magnifique et rapace, **bâtit, décore, reçoit, lit et écrit** beaucoup. Les ouvrages pieux et les livres d'histoire dominent en ses bibliothèques, dont certaines furent prestigieuses. Le mouvement philosophique, et surtout physiocratique, l'effleura peu : on préférait l'abbé Pluche et ses *Spectacles de la Nature*; mais les grands classiques, de l'Antiquité au XVIIᵉ siècle, même Molière et Pascal, furent partout à l'honneur. Les ouragans intellectuels et politiques des dernières années du XVIIIᵉ siècle bouleverseront cette culture traditionnelle et sage. A ce moment, nos parlementaires, tout en conservant généralement leur rigueur religieuse (beaucoup furent jansénistes), exagèreront leurs prétentions politiques (*cf.* notre tome 2).

Désormais bien connu, cet exemple breton aurait-il le défaut d'être seulement breton? Certes, Rennes n'est pas Paris, et face à l'« administration » habituellement détestée, ces Bretons s'accrochent farouchement à leur originalité. Mais il semble que « Messieurs » de Rennes ressemblent fort à leurs nobles collègues, moins bien étudiés, de Dijon et d'Aix, de Toulouse et de Grenoble. Ils témoignent en tout cas, avec une ancienneté nobiliaire inégalée, sur un aspect considérable du second ordre français, ces parlementaires si fiers, qui pourtant s'effondrèrent dans l'indifférence la plus complète aux premiers souffles de la Révolution.

Les gentilshommes campagnards

Une littérature souvent talentueuse — du *Capitaine Fracasse* au *Broyeur de lin* et même aux *Célibataires* — a popularisé à l'excès le type du gentilhomme aussi noble et pauvre que fier de l'être.

Difficiles à étudier (ils ont laissé peu d'archives), ces « hobereaux », comme on les a appelés, d'abord par dérision, paraissent répondre aux critères suivants :

1. Ils résident dans un manoir plus ou moins délabré, au centre de ce qui leur reste de domaine propre, de fiefs et de censives. **Leur gêne** les contraint à exiger âprement les droits féodaux qui leur sont dus; et leurs paysans, à qui la pauvreté impose moins que la richesse, ne manifestent pas toujours une obéissance empressée : on connaît des gentilshommes seigneurs d'un quart de paroisse qui se sont battus avec leurs censitaires, pour quelques sous, ou pour des vaches vagabondes. La gêne les aurait contraints parfois à empoigner la charrue ou la houe pour cultiver eux-mêmes leurs terres; c'est l'image trop connue du gentilhomme breton labourant l'épée au côté. Au plus bas degré, s'ils ont perdu fief et manoir, certains ont travaillé la toile et, plus fréquemment, noirci du papier dans les bureaux de la subdélégation ou de la Ferme des droits provinciaux; et beaucoup risquaient alors la dérogeance, que leur évitait, au moins en Bretagne, un système de « dormition » provisoire de la noblesse particulièrement généreux. Par appauvrissement et nécessité de travailler,

un certain nombre sont cependant tombés dans la roture, et ont été inscrits aux rôles de tailles.

2. **Pourquoi cette pauvreté nobilaire**? On allègue souvent le progressif endettement qui découle d'un style de vie trop ambitieux. Il faut attribuer un rôle important au coût élevé de l'équipement des fils qui partent pour l'armée, et aux dots des filles, soit pour le mariage, soit pour le couvent (ce dernier est cependant moins coûteux, ce qui a pu multiplier les « vocations » forcées). Il convient de rappeler aussi l'habileté des prêteurs, habituellement bourgeois, quelquefois religieux et même paysans, qui savaient abuser des gentilshommes faibles, insouciants, ou peu compétents, surtout en droit. Dans certaines provinces, un droit d'aînesse excessif (au moins les 2/3 à l'aîné, les autres se partageant le reste, en Champagne, Bretagne, Normandie, Poitou, Guyenne) a multiplié les cadets presque misérables, surtout dans les régions prolifiques et peu militaires, comme la Bretagne.

3. Cette noblesse pauvre entretient habituellement un culte profond pour **le métier des armes,** que celui-ci s'exerce au service des grandes familles provinciales ou au service du roi. Les deuils et les infirmités de guerre frappent souvent, et contribuent à appauvrir; ils témoignent aussi de beaucoup de courage et de fierté.

4. Sauf exceptions, **le niveau intellectuel** est assez bas. Les épaves de correspondances privées et les livres de raison qu'on trouve çà et là montrent une connaissance indigente de la langue, et une orthographe parfois phonétique. Les « librairies » sont rares, pauvres, tournées vers le passé : des livres pieux, des ouvrages de pratique féodale, de blason, de héraldique, et les inusables romans de chevalerie; et toujours Nostradamus. La foi est souvent celle du charbonnier, mais les querelles avec le curé ou le décimateur sont fréquentes : chocs d'amour-propre le plus souvent. L'ivrognerie est courante, les bâtards aussi (mais ils choquent moins s'ils sont issus d'un gentilhomme). La brutalité des mœurs n'est pas rare; le brigandage, assez fréquent au XVIe et même au XVIIe siècle (le témoignage de Fléchier sur l'Auvergne, en 1665, est irréfutable, et ne constitue pas une exception), s'atténue fortement au XVIIIe. Les liens avec les paysans ne sont pas toujours idylliques. A côté de « bons seigneurs » aimés, respectés ou supportés, d'autres sont franchement détestés; et surtout leurs privilèges, leur orgueil et leur jactance apparaissent de moins en moins justifiés : les cahiers de doléances le prouvèrent bien, quand les petits paysans parvinrent à s'exprimer.

Cette catégorie sociale pittoresque a été décrite, presque toujours, avec sympathie. L'historien doit pourtant se demander si la place qu'elle occupa effectivement justifie toute l'attention qui lui a été consacrée. Sa misère est souvent fort relative : même en Bretagne, les rôles de capitation de 1710, qui permettent de bien repérer ces gentilshommes, surtout autour de Tréguier et de Saint-Brieuc, apprennent aussi qu'ils avaient à peu près tous des domestiques; détail qui ne cadre pas avec une misère réelle. On peut même se demander si leur nombre fut vraiment notable. En Bourgogne, on a du mal à les découvrir. Dans tout le Beauvaisis, environ cent mille habitants, on dénombre vers 1690 exactement 23 familles d'écuyers pauvres — cent personnes, le millième du total! —; encore avouent-ils de 300 à 500 livres de revenu, ce qui ne saurait s'appeler misère (un curé à portion congrue perçoit alors 300 livres). Quelques milliers de familles, surtout dans l'Ouest et le Sud-Ouest, victimes probables d'une modalité de droit d'aînesse qui écrasait les cadets, on ne peut guère proposer d'évaluations plus fortes. Mais leur hostilité habituelle à toute « nouvelleté », surtout si elle vient de l'État, leur provincialisme profond, l'exploitation rigoureuse et souvent hargneuse qu'ils font de leurs « droits », puisqu'il leur faut vivre et paraître, tout cela leur confère comme une fonction de « réactif » social, autour duquel se nouent et se cristallisent les passions. Leur rôle compte plus que leur nombre : face à une société qui évolua lentement, puis décidément, ils furent des **noyaux de résistance** bien enkystés dans les provinces traditionnelles.

La moyenne noblesse de province : les « bons ménagers »

Les Grands, la noblesse parlementaire, les gentilshommes plus ou moins gueux, ces groupes assez bien connus ont-ils rassemblé à eux trois la portion la plus nombreuse de la noblesse « ancienne »? Sont-ce toujours les groupes les plus « typés » qui expriment la majorité? Ne serait-ce pas plutôt une certaine banalité?

Il a existé une sorte de noblesse « moyenne », que de rares monographies aident à apercevoir, et que la capitation bretonne de 1710 permet de dénombrer : au-dessus de 50 livres, forte taxe, 750 familles aisées; au-dessous de 10 livres, un peu plus de 1 300, qualifiées de « pauvres »; entre les deux, 40 % du total. En des provinces où le droit d'aînesse était moins rigoureux, la proportion a pu dépasser la moitié.

Rien de banal comme ce cas « moyen », qui a surtout été décrit dans le Midi. L'on possède gentilhommière rurale et « hostel » en ville; lentement, la résidence urbaine l'emporte. L'on possède aussi quelques centaines d'arpents, quelques bois, des chasses, un parc, plusieurs solides « corps de ferme », le meilleur joignant toujours le manoir, qu'il ravitaille. Deux ou trois seigneuries, où peuvent vivre et verser de la rente quelques milliers de paysans, quelques moulins ou pressoirs, le patronage d'une paroisse, quelques morceaux de dîmes, et toujours une « justice » qui fonctionne régulièrement, avec son bailli, son procureur fiscal, son greffier et souvent ses notaires. Des revenus sûrs, s'ils sont gérés sagement, comme Olivier de Serres conseilla de faire aux « bons ménagers » ses semblables en l'an 1600.

Les difficultés et les dangers qui menacent ces nobles rentiers du sol sont toujours les mêmes : des dépenses excessives, pour « paraître », et la facilité avec laquelle offrent leurs services les prêteurs bourgeois, puisque la fortune est encore solide, et si facile à hypothéquer... Mais cette vieille noblesse résistait assez bien aux tentations. Les uns faisaient en sous-main commerce de toisons, ou de cuirs; d'autres tenaient de très court leurs fermiers, métayers et « laboureurs » (laboureur, en Languedoc, c'est manouvrier à l'année); d'autres, comme ceux de la Gâtine poitevine, transformaient une plaine en bocage, et la découpaient en métairies, qui rapportaient plus; beaucoup extrayaient d'un vieux cabinet de titres d'invérifiables grimoires au nom desquels ils exigeaient des droits anciens et oubliés, quand ils n'en fabriquaient pas de nouveaux, avec l'aide des « feudistes ». Entre quelques dizaines d'exemples de l'une ou l'autre technique, on connaît particulièrement bien, en Languedoc, celui des Sarret de Coussergues : malgré des fils prodigues et des successions embrouillées, ils parvinrent à peu près à maintenir à travers les siècles un bel ensemble agricole et pastoral, un millier d'hectares, qui assurait vers 1750 une agréable rente d'environ trente mille livres.

Pour « tenir » ainsi, face aux tentations parisiennes et versaillaises, aux séductions du luxe, aux offres intéressées des détenteurs d'espèces sonnantes, il fallait du courage. Aucune statistique ne permet de trier ceux qui l'eurent, ceux qui faiblirent et ceux qui sombrèrent. Il est seulement sûr qu'un bon nombre sut « tenir »; mais plus sûr encore qu'une « nouvelle noblesse », issue des rangs de la bourgeoisie, montait à leurs côtés, et les remplaçait parfois dans leurs domaines, jusque dans les plus magnifiques.

2 — La noblesse « moderne »

Le mécanisme de l'anoblissement

Le principe est admis par tous : **le roi, le roi seul, peut faire de nouveaux nobles.** Aucun roi n'y a manqué. La vitesse d'extinction naturelle des anciens lignages (le quart ou le tiers chaque siècle, comme il a été calculé pour les ducs et pairs) rend d'ailleurs inévitable cette relève par voie autoritaire, si l'on veut qu'il existe encore une noblesse. Certes, les nobles qui se disaient d'« ancienne extrace », et même les roturiers, affichaient leur mépris pour des gens qu'ils persistaient à classer, avec Saint-Simon, dans la « vile bourgeoisie », et propageaient de subtiles distinctions comme celle-ci : « le roi peut faire des nobles, et non des gentilshommes », dicton qui courait. Ces mesquineries ne pouvaient empêcher que les anoblis aient été aussi nobles que les autres, que même ils aient pu le prouver mieux, et indiscutablement; qu'ils aient joui de tous les privilèges propres à la noblesse, dont celui qui exprime le fond du problème, d'engendrer désormais une race noble, définitivement noble. Et d'ailleurs, au bout de deux ou trois générations, la noblesse « nouvelle » avait suffisamment vieilli pour n'être plus discutée, sauf à mi-voix par quelques groupuscules de maniaques. Ces querelles mineures de datation noble, les historiens ont à les signaler comme traits de mentalité, puis à essayer de pénétrer plus avant.

La passion d'être distingué, de se classer hors du commun, d'entrer non seulement dans un ordre juridique, mais dans une espèce de groupe racial qui finit par croire que ses rites et ses modes de vie proviennent d'une texture physiologique exceptionnelle, voilà un phénomène qui n'a pas fini de faire réfléchir. Monarchiques ou non, les États ont toujours su l'utiliser, sinon y croire tout à fait, pour grouper les obligés, les serviteurs sûrs, les alliés indispensables. Et ce qu'on peut appeler l'opinion publique l'a pratiquement accepté : les âpres discussions que le phénomène suscite contribuent plutôt à le ratifier. Cette soif à la fois physiologique, mystique et mythique de distinction, la monarchie d'Ancien Régime a su s'en servir, tout en y croyant, au moins par moments. Et tout ce qui dans le royaume, ayant acquis richesse et compétence, voulait être puissant et respecté, a brûlé d'entrer dans ce corps mystique et passionné de la noblesse.

Deux voies d'anoblissement s'offraient aux candidats : la lettre, la charge.

L'anoblissement par lettres

Toujours individuelle, la lettre d'anoblissement paraît être née vers la fin du XIIIe siècle. Courante dès le XIVe siècle, elle a survécu jusqu'à la Révolution, avant d'être reprise par quelques monarques du XIXe siècle. Dès que cette lettre a été vérifiée et enregistrée par les principales institutions financières et judiciaires (Chambre des Comptes d'abord, puis Cour des Aides et Parlement), le titulaire et toute sa postérité légitime jouissent de la plénitude de la qualité noble. Les termes habituels des lettres patentes sont fort clairs :

> ... Nous avons de Notre grâce spéciale, pleine puissance et autorité royale, anobli par ces présentes signées de Notre main et anoblissons le sieur X... et du titre de noble et d'écuyer l'avons décoré et décorons, voulons et Nous plaît qu'il

soit censé et réputé noble... ensemble ses enfants, postérité et descendants mâles et femelles nés et à naître en légitime mariage ; que comme tels ils puissent prendre en tous actes et en tous lieux la qualité d'écuyer, parvenir à tous les degrés de chevalerie et autres dignités, titres et qualités réservés à Notre noblesse, qu'ils soient inscrits au catalogue des nobles, qu'ils jouissent de tous les droits, privilèges, prérogatives, prééminences, franchises, libertés, exemptions et immunités dont jouissent et ont accoutumé de jouir les autres nobles de Notre royaume...

Les rois n'ont pas abusé de ce mode d'anoblissement. D'après le catalogue naguère dressé par Jean-Richard Bloch, François 1er n'en aurait signé que 183 en 32 années de règne. Pour la seule Bretagne au dernier siècle de l'Ancien Régime, on n'a pas trouvé plus de cent de ces lettres. Une règle de trois un peu sommaire n'en supposerait pas plus de mille pour tout le royaume au même siècle. Seul, Louis XIV paraît avoir abusé, qui fit expédier par ses intendants, au temps de la ligue d'Augsbourg, près d'un millier de lettres de noblesse en blanc, à vendre 6 000 livres, dont personne n'a osé publier les étonnantes listes d'acquisition. Les historiens ne sont pas d'accord quant à la portée de cet appel fréquent aux finances de la vanité : Jean Meyer n'a découvert en Bretagne qu'une quarantaine de preneurs, pense qu'il n'y en eut que 600 dans toute la France, et que les dernières lettres en blanc furent difficilement « casées » ; l'opinion habituelle se situe aux antipodes de cette modération. Ce qui est sûr, c'est que le xviiie siècle montra plus de retenue dans l'expédition des lettres d'anoblissement, qui allèrent à des négociants considérables (les grands armateurs), à des militaires chevronnés et aux meilleurs serviteurs de la monarchie, particulièrement aux plus distingués des collaborateurs locaux des intendants, les subdélégués.

De l'examen des nombreux cas connus, il résulte que le choix du roi fut rarement contestable, et souvent excellent. Des roturiers méritants furent vraiment distingués. Un point demande pourtant quelque précision : **ces anoblissements furent rarement gratuits.**

Juridiquement, ils ne pouvaient l'être, puisque l'anobli devait régler des « droits d'enregistrement », et « compenser » durant quelques années le manque à percevoir de son ancienne cote de taille (dont il était affranchi), et même faire un don aux organismes charitables de sa paroisse. En outre, le roi pensa très tôt à ses propres deniers. Dès le temps de François 1er, 153 au moins des lettres d'anoblissement connues furent agrémentées d'une « finance » à verser au trésor royal : quelques centaines de livres, plus d'un millier à la fin du règne. Le texte même des lettres d'anoblissement le dit ingénument : elles sont vendues « pour subvenir, satisfaire et fournir aux grans, somptueux et pressez affaires que nous avons à supporter et à conduire » (1522), ou bien pour aider aux « excessives et extresmes despenses que nous sommes astrainctz de faire pour l'entretenement et conduicte des grosses forces que nous avons préparées et dressées par mer et par terre... pour resister aux entreprises ennemyes de noz adversaires » (1544). La coïncidence du mérite ou du service rendu avec la fortune de l'impétrant n'est pas fortuite ; les lettres d'anoblissement vont toujours aux riches roturiers : il n'est pas de noblesse acquise par un mérite pauvre. Et pourtant, l'anoblissement par lettres fut utilisé avec mesure par la royauté. Il n'en fut pas de même pour les massifs anoblissements par « charges ».

L'anoblissement par charges

De loin, ils furent les plus nombreux. Mais la législation et les usages concernant ce type d'anoblissement offrent une inextricable complication, bien caractéristique d'ailleurs des institutions d'Ancien Régime. En effet, les conditions varient d'une charge à l'autre, d'une province à l'autre, d'une période à l'autre. Une seule constante est attestée : les charges s'achètent, se lèguent et se vendent à des prix élevés. On ne peut donner ici qu'une idée d'ensemble, après avoir précisé une distinction assez sérieuse :

Certaines charges anoblissaient immédiatement et entièrement leur titulaire, à condition qu'il l'exerce durant vingt ans, ou qu'il meure « en charge ». Ces dernières étaient les plus recherchées et les plus coûteuses. Mais **les autres conféraient seulement la « noblesse graduelle »** : il fallait alors que deux générations au moins les aient exercées durant vingt ans (ou soient décédées à la tâche) pour que la noblesse soit définitivement acquise aux descendants. Ces dispositions fréquentes aboutissaient à créer une sorte de classe provisoire et bâtarde qui n'était plus la roture et pas encore la noblesse (les plus malheureux furent ceux qui acquirent de telles charges après 1768 : la Révolution les laissa dans l'incertitude de leur noblesse, que leurs descendants eurent le loisir d'interpréter à leur manière, au gré des souffles de la conjoncture politique !).

Quatre catégories principales de charges étaient susceptibles de donner la noblesse :

a) Les charges de « commensal du roi »

L'idée qui préside à cet anoblissement, généralement au premier degré, est que ceux qui partagent la vie du roi, et théoriquement sa table (commensal) doivent être nobles. Ainsi, les grands offices de la Couronne, les charges de secrétaires d'État, de conseillers d'État et de maîtres des requêtes donnaient la noblesse au premier degré ; au moins en principe, car ceux à qui le roi acceptait qu'on vendît ces charges coûteuses et prestigieuses étaient presque toujours nobles avant d'en être pourvus. La charge de **« secrétaire du roi »** faisait exception, et connut une prodigieuse fortune.

En principe, les « conseillers et secrétaires du roi », dans le cadre de la chancellerie royale, expédiaient et scellaient le courrier du roi, et vivaient ainsi dans son intimité. Ils obtenaient donc la noblesse au premier degré, plus d'autres privilèges, comme celui de pouvoir faire le négoce en gros. A l'origine, ils auraient été soixante; sous Louis XIV, deux ou trois cents. Sous Louis XVI, selon Necker (qui exagère), peut-être neuf cents. Outre les secrétaires de « grande chancellerie » (auprès du roi), il en fut créé des compagnies auprès des « chancelleries » des parlements de province. C'étaient d'aimables sinécures. Le prix de la charge, et donc de la noblesse, qui atteignait 70 000 livres à Paris vers 1700, passa 100 000 livres vers 1750, frisa les 200 000 après une réforme de 1771, et même 300 000 livres vers la fin de l'Ancien Régime : la valeur d'un luxueux hôtel bien meublé dans une capitale provinciale! Dans les petites chancelleries de province, le prix des charges correspondantes se tenait à la moitié de ces cotations. Malgré ces écarts, la « savonnette à vilains », comme on l'appelait couramment, atteignait tout de même un prix exorbitant — si l'on osait comparer, celui d'une dizaine de voitures de course dans le troisième tiers du xxe siècle... Le plus souvent, un aïeul l'achetait; comme il mourait vite, et forcément « en charge » (aucune condition de résidence n'était exigée), il anoblissait ipso facto toute sa descendance... qui revendait alors la merveilleuse savonnette, si possible en n'y perdant pas. Car la vénalité et (depuis 1604) l'hérédité de tous ces offices assuraient leur pérennité, leur bonne circulation et la prolongation de leurs effets anoblissants. La « savonnette » suscita, certes, des moqueries sans fin; elle fabriqua tout de même une bonne partie de la noblesse d'Ancien Régime, y compris, dès le xvie siècle, des familles plus tard parlementaires qui devinrent illustres, indiscutées, et qu'on classait parmi les plus grandes, par exemple celle des Le Fèvre, devenus d'Ormesson en 1568; y compris aussi des hommes qui illustrèrent le royaume de manière bien différente, comme Racine, Boileau, Jussieu, Mahé de La Bourdonnais, et même Beaumarchais.

b) Les charges de judicature

Anoblissaient au premier degré deux cours de justice qui siégeaient auprès du roi : le Grand Conseil, les Requêtes de l'Hôtel (où se trouvaient les Maîtres des Requêtes, pépinière d'administrateurs, déjà cités). Mais leurs membres étaient souvent nobles avant d'y entrer.

Les parlements anoblissaient, au premier ou au second degré, leurs conseillers, leurs « gens du roi » (notre Parquet) et parfois leur greffier en chef. Mais la plupart des parlementaires n'avaient aucun besoin de cet anoblissement, puisque nous savons que la grosse majorité, surtout en province, possédait déjà une noblesse ancienne, parfois « immémoriale ». Même à Paris et au XVIIIᵉ siècle, les personnages importants et riches qui achetaient une charge parlementaire n'étaient roturiers que dans la proportion du dixième. Les parlements tendaient à former une caste nobiliaire fermée. Antérieurement à 1660, il n'en avait pas toujours été ainsi : par exemple, les Lamoignon eurent besoin d'acheter une charge au parlement de Paris en 1557 pour entrer dans la noblesse.

Enfin, les conseillers du Châtelet de Paris étaient les seuls juges de bailliage que leur charge anoblissait, au premier ou au second degré selon leur importance.

c) Les charges de finances

Là résida sans doute (avec les secrétaires du roi), la principale source de nombreux anoblissements : anoblissements lents (deux générations étaient nécessaires), et quelque peu méprisés. Avec de nombreuses variations de détail, les grandes cours financières du royaume (chambres des comptes, cours des aides, cours des monnaies de Paris et de Lyon), et les bureaux des finances des généralités, « décrassaient » lentement de leur roture leurs principaux officiers.

d) Les charges municipales

Il était admis depuis longtemps que les « capitouls » de Toulouse comme le prévôt des marchands et les échevins de Paris étaient anoblis ipso facto (mais les rois, à partir du XVIIᵉ siècle, n'y tolérèrent que des nobles). Une quinzaine de villes anoblissaient tout ou partie de leur échevinage : d'anciennes villes-frontières qui avaient su résister à des sièges (La Rochelle, Angoulême, Poitiers, Niort, Saint-Jean d'Angély, Abbeville, Péronne) ou qui aidèrent financièrement Louis XI (Angers, Tours, Bourges), et plus tard Lyon et Nantes. Beaucoup de ces villes perdirent leurs privilèges, ou les virent restreints au maire seul, au cours du XVIIᵉ siècle. De toute façon, cette noblesse qu'on disait « de cloche » (la cloche de l'Hôtel de Ville) faisait sourire, et cherchait souvent à acquérir des titres plus reluisants (lettres patentes, charge de secrétaire) afin d'être prise un peu plus au sérieux.

On sait déjà que **la possession d'un fief n'anoblit jamais** son détenteur. On rappellera aussi que **le métier des armes n'anoblit pas** le roturier, sauf décision exceptionnelle du roi, et que ce ne fut qu'à partir de 1750 qu'on envisagea d'anoblir les officiers généraux et les familles que l'ordre de Saint-Louis (distinction militaire) avaient décorées pendant trois générations; ces décisions de Louis XV touchèrent une poignée de grands soldats, et furent pratiquement annulées par les règlements postérieurs qui réservaient aux nobles presque tous les grades. Ces cas réservés, l'armée reste pleine de roturiers.

Anoblissement par lettres ou anoblissement par charges, aucun ne démarre si le candidat ne possède une fortune substantielle. Sans doute existe-t-il toujours, à un moment donné, **un choix** opéré par le roi, par ses services, ou par le corps visé par l'impétrant. Sont contrôlées sa « vie » et ses « mœurs » (un certificat de curé y suffit) et théoriquement imposées des conditions d'âge et de compétence (aisément tournées par des dispenses largement distribuées). Il n'empêche que **ce soit, pour une large part, la fortune qui conduise à la noblesse.**

Elle conduit même à en donner l'apparence; une apparence qui finit par devenir réalité, et même réalité juridique, par un processus qu'on a pu appeler l'**« agrégation »** à la noblesse. Ce processus a souvent été décrit, mais comme une collection d'aventures particulières plutôt que comme un mécanisme social d'ensemble. Il se ramène à ceci :

Un roturier riche achète des fermes, un manoir, une seigneurie et les droits « féodaux » qui y sont attachés. Il a sa justice, son notaire, sa rivière, son meunier, ses fermiers, sa place d'honneur à l'église et à l'assemblée communale : le voici seigneur et plus ou moins « maître » du village. S'il est frotté de droit, il a acheté aussi quelque office de bailliage, ou d'élection, qui n'anoblit pas, mais qui exempte de taille, donne du prestige et de la puissance : le voici juge et contrôleur d'impôts dans son « pays ». Comme leurs parents l'ont toujours fait, ses paysans, ses « vassaux », le nomment sans doute « notre maître », ou « notre seigneur »; s'il est seigneur du village du Plessis, on l'appelle « Monsieur du Plessis » : il n'attendait que cela : ce sera désormais son nom. Sur sa terre du Plessis, il jugera, commandera, paradera, chassera, portera un jour l'épée; sans qu'on les contraigne, un greffier, un notaire, un prêtre finiront par lui donner de l'« écuyer » dans leurs grimoires. Une ou deux générations plus tard, cette habitude bien ancrée persuadera les enquêteurs d'une « recherche de noblesse »; enquêteurs qui pourront être des amis, ou des gens qui ne méprisent point l'argent, ou qui simplement constateront que les Du Plessis ont porté paisiblement sur leurs terres le titre d'écuyer, n'ont point été inscrits aux tailles, ont mené un type de vie noble... Alors la famille sera légitimement « agrégée à la noblesse ».

Combien de fois s'est produit ce type d'anoblissement? Impossible de savoir, d'autant que les pistes ont été et restent fort bien brouillées. On a parfois soutenu que cette mécanique adroite et persévérante fut majoritaire. La chose est difficile à croire : d'une part, parce que la vieille noblesse, dans nombre de provinces traditionalistes et à certaines époques (le xviiie siècle) a étroitement surveillé sa « pureté »; ensuite parce que, pour les plus riches, l'achat d'un solide office anoblissant facilitait tout de même l'opération.

176

Quelle que fut la méthode utilisée, **la ruée des roturiers riches vers la consécration suprême montre ce que fut le prestige de la noblesse,** dont on pourrait presque soutenir qu'**elle fut l'idéal obstinément poursuivi et le stade ultime de la bourgeoisie,** si les choses n'avaient tout de même été plus compliquées que nous venons de l'exposer, pour celle-ci comme pour celle-là.

3 — Deux problèmes pour la noblesse ——————

Essayer de cerner sa nature, ses niveaux et son processus de renouvellement, ce n'est pas rendre compte de manière suffisante de l'ensemble du phénomène nobiliaire français. Il faudrait étudier systématiquement, par de délicates enquêtes, toutes les « représentations mentales » de la noblesse, dans son sein et surtout hors d'elle. Il faudrait la suivre dans le clergé et dans l'armée, qu'elle domine. Il faudrait voir de près, au xviiie siècle, sa réaction aux « lumières », plus compliquée et plus nuancée qu'on ne croit parfois. Grâce à des travaux récents (certains inachevés), deux aspects au moins commencent à s'éclaircir. L'un touche le politique, l'autre l'économique.

Noblesse et monarchie

Deux catégories importantes de l'ancienne noblesse, les Grands et les gentilshommes de province, les seconds dévoués aux premiers, eurent, de 1560 à 1660, dates rondes, une attitude politique fréquemment douteuse à l'égard de la monarchie. Révoltés les armes à la main, ou soutenant des révoltés plus modestes, ou complotant au besoin avec l'étranger (Espagne surtout), ou de fidélité douteuse, ils furent constamment un souci et un danger pour le roi : aussi bien dans les guerres de religion du xvie siècle que dans les deux Régences, et même au temps de Richelieu. S'y ajoutaient leur prétention d'entrer au Conseil, de transformer leurs « gouvernements » de province en semi-satrapies, de mobiliser des clientèles fidèles et guerrières. Aussi les rois, dès qu'ils le purent, essayèrent de se passer d'eux pour gouverner le royaume. Pour cela, ils avaient besoin d'hommes sûrs, compétents et qui leur dussent tout, même si leur « race » ne remontait pas très loin.

La sélection essentielle s'opéra dans le bref siècle qui sépare Henri II de Mazarin. Deux hommes l'effectuèrent avec la plus grande compétence : Henri IV, Richelieu. Henri III leur montra peut-être la voie, mais ce roi intelligent et cultivé est mal connu. Grâce aux recherches de Mousnier et de ses élèves, on commence à bien apercevoir ce haut personnel monarchique. Il s'agit en majorité de juristes et de Parisiens, formés habituellement dans les cours souveraines, donc déjà anoblis, mais fort récemment. Comme tant d'autres, ces Parisiens viennent des provinces (mais rarement du Midi) où leurs parents furent officiers et propriétaires terriens, et leurs aïeux souvent marchands. Ils ont su, avec un remarquable « flair » politique, prendre le bon parti (celui qui allait gagner) au moment le meilleur, suffisamment tôt : le groupe de « politiques » du temps de la Ligue, la clientèle de Richelieu trente ans plus tard. Autour d'eux, de solides familles, un cercle d'amis, de « créatures », de l'argent, de la compétence, du dévouement; qui n'était pas noble en temps utile fut anobli, comme les Colbert, issus de la clientèle des Le Tellier. Louis XIV hérita de ces compétences soumises, de cette noblesse soutenue ou créée par ses prédécesseurs, sut la garder, la doter, la couvrir d'honneurs et d'argent. Pas un ministre du « grand roi » qui ne fût hérité des clientèles précédentes et qui ne fût parfaitement noble, contrairement aux allégations rageuses de Saint-Simon. Que leur noblesse n'ait pas été habituellement très ancienne n'offre qu'un intérêt anecdotique, et politiquement nul. Et d'ailleurs cette noblesse de gouvernement fut abondamment titrée, et s'allia sans peine à la noblesse qui se disait « de race ».

Toutes les deux, on les retrouve intimement unies au xviiie siècle, après l'intermède réactionnaire avorté de la polysynodie (1715-1718). Elles se fondent dans un groupe nouveau, qui affleure par moments sous Louis XV, et s'offre bien en vue au temps de Louis XVI, pour le malheur de ce roi : le « parti de la cour », celui qui ne sut pas réformer la monarchie.

Ces groupes de nobles qui gouvernèrent, ou qui collaborèrent étroitement au gouvernement après 1660, n'appartiennent habituellement pas à la noblesse « immémoriale »; ils ne furent pas non plus de récents et visibles anoblis, et la « savonnette à vilains » fonctionna peu pour eux. Une ancienneté nobiliaire de 150 à 200 ans leur conféra une part de leur prestige. Mais l'essentiel leur vint du roi, de l'État, de la pratique du gouvernement. Pour ces Séguier, ces Le Tellier, ces Colbert, ces Phélypeaux et ces Le Voyer d'Argenson, il faudrait inventer le terme de **noblesse politique.**

Noblesse et richesse

« En fait, **c'est l'argent qui règle l'évolution sociale des familles.** La richesse précipite cette évolution, comme l'indigence l'entrave », concluait Gaston Roupnel, étudiant en 1922 le milieu parlementaire dijonnais au xviie siècle.

Quarante ans plus tard, François Bluche, traitant de la « nobilité » des parlementaires parisiens du xviiie siècle, avoue carrément : « **La première condition à remplir est d'être riche et influent.** » Rappelons enfin que, pour une somme comprise au xviiie siècle entre 60 000 et 200 000 livres, la rapide efficacité de la charge anoblissante de secrétaire du roi était à la disposition des amateurs fortunés.

D'où venait donc tant d'argent? La rente foncière y suffisait-elle? A défaut d'une étude systématique, qui n'a jamais été effectuée et paraît difficile à entreprendre, quelques exemples peuvent fournir des indications, qui tendent à corriger fortement les habituels schémas.

Pour le XVIIIe siècle, les précisions convergent. Sur 58 personnes qui comparurent en 1789 pour élire le député de la noblesse du bailliage de Beauvais, 27 venaient de familles anoblies dans le siècle qui venait de s'écouler, presque toujours par charge de secrétaire du roi; cinq portaient le patronyme de Regnonval, cinq celui de Danse, six celui de Michel (allongés de quelques noms de seigneurie); tous descendaient de pères ou d'aïeux qui avaient remué des serges ou des toiles au xviie siècle. Certes, une part de leurs fortunes avait été investie dans des terres, des manoirs, des seigneuries; mais il est absolument sûr que ce fut d'abord la concentration des étoffes pour leur achèvement et leur expédition, puis le grand commerce de mer (Antilles, Pacifique, Chine) qui furent à l'origine de la montée accélérée de leurs fortunes; les bénéfices de la concentration commerciale et du négoce colonial s'investirent exactement dans la noblesse. Sur les trois centaines d'anoblissements qu'une dizaine de techniques firent en Bretagne au xviiie siècle, les grands négociants forment le groupe le plus important : il n'est pas une seule des grandes lignées d'armateurs, d'hommes de finance et de négriers qui ne s'y retrouve, les Danycan, les Magon et les Trouin à Saint-Malo comme les Michel, les Grou, les Piou, les Montaudoin et tant d'autres à Nantes. **La noblesse est la décoration finale de familles négociantes qui ont réussi.** Le grand trafic maritime, colonial et négrier aboutit à la récompense suprême : on fera désormais souche d'une race supérieure.

Ces traits ne seraient-ils pas propres au seul xviiie siècle? Une remontée dans le temps permet pourtant de déceler des phénomènes à la fois différents et comparables. L'un des plus saisissants se dégage des travaux de François Bluche sur **l'origine et la fortune des familles parlementaires parisiennes au XVIIIe siècle.**

Par rapport aux parlements de province, celui de Paris offre de nombreux traits d'originalité : l'ancienneté, le prestige, les prétentions. Il était en particulier le moins anciennement noble des parlements du royaume : sur 590 familles, moins de 6 % pouvaient prétendre à une noblesse antérieure à 1500!

Pourcentage ridicule, qui scandalisait la conservatrice province. Mais ce demi-millier de lignées d'anoblis offre un bel avantage à l'historien : elles lui lèguent involontairement l'histoire de leur anoblissement.

Les lignes d'ensemble sont bien connues. On trouve presque toujours un ancêtre marchand (auparavant, c'est l'obscurité), un aïeul officier de justice en province, ou avocat près d'un parlement. La noblesse, souvent antérieure à l'entrée au Parlement, vient fréquemment d'un office de finances (chambre des comptes, trésoriers de France), ou de secrétaire du roi. Mais dans la plus grande partie de ces généalogies sociales, il existe un moment où la lignée semble opérer **une sorte de saut, à la fois dans la hiérarchie des honneurs et dans celle de la fortune.** Un principe d'enrichissement et de promotion sociale apparaît comme **l'étape indispensable à la grande réussite : à Paris, il ne vient pas du commerce, mais de ce qu'on peut appeler la « finance ».**

La finance, ce pouvait être la gestion de la fortune d'un très grand personnage : ainsi, les Lamoignon ont préparé leur ascension en administrant les biens du duc de Nevers au xve et au xvie siècle; les Doublet, ceux des maisons de Soissons et de Longueville un siècle plus tard. La gestion des immenses capitaux du clergé de France produisait les mêmes effets, avec les La Briffe venus d'Armagnac (et marquis de Ferrières en 1692) ou la recette des évêchés poitevins, avec les Dreux devenus marquis de Brézé en 1685. Mais **la source essentielle de la fortune et de l'illustration, ce furent tout de même les finances du roi.** On ne compte pas les familles nobles et puissantes qui descendent de grands ramasseurs de gabelle (comme les Feydeau), de munitionnaires pour l'armée (comme tels ascendants de Mme de Sévigné), de fermiers des états de Languedoc ou de Bretagne (comme les Crozat ou les Pennautier), de tout le groupe nécessaire et prévaricateur des fermiers et sous-fermiers et même des simples « receveurs généraux des finances » de chaque généralité, qui spéculaient à l'avance sur le produit des impôts qu'ils étaient chargés de ramasser : le « dictionnaire » de F. Bluche en fournit des exemples abondants.

L'épreuve inverse a été effectuée. Retenant les plus riches parmi les parlementaires parisiens, F. Bluche constate que les plus grosses fortunes, largement millionnaires, furent celles qui ont été réunies ou léguées par **le père ou le beau-père financier du noble parlementaire.** Il ne décèle qu'une exception, la famille Aymeret de Gazeau, du moins jusqu'en 1733 : à partir de cette date, deux descendantes de fermiers généraux font exécuter un « bond » à la tranquille fortune familiale.

Les affaires des Grands, du clergé et du roi ont donc ravitaillé de sang frais la noblesse de France. De sorte que, si la noblesse ancienne et féodale se nourrissait de rente foncière de manière majoritaire, des sources tout à fait différentes de revenu nourrissaient et augmentaient à leur tour l'effectif noble. Au xvie aussi bien qu'au xviiie siècle, les plus prestigieux anoblis sortent des milieux marchands, plus encore de la « finance », du ramassage d'impôts, de la fourniture aux armées, de tout un système de collectes, de prêts, d'anticipations et de prélèvements sur les revenus d'autrui. Les plus habiles auxiliaires (ou parasites) de la noblesse et de l'État ont forcé sans peine les portes de celle-là, et aussi de celui-ci. Bien qu'on les ait taxées d'exagération, les diatribes des mazarinades, de La Bruyère et de Lesage contre les « partisans » et les « financiers » furent peut-être au-dessous de la réalité.

Mais une fois nobles, ces descendants d'intendants, de fermiers et de munitionnaires ne se sont-ils pas appliqués à vivre désormais sagement et traditionnellement de leurs domaines et de leurs charges d'État? Pour ne pas « déroger », ne se sont-ils pas écartés de l'activité négociante et du monde des affaires? On répond habituellement par l'affirmative, et l'on disserte de la « stérilité économique » de la noblesse, tout en saluant quelques gentilshommes éclairés, tentés par la physiocratie. Il apparaît désormais que de telles idées ne correspondent pas souvent à la réalité.

Il faut d'abord observer que la noblesse produite par la charge de « secrétaire du roi », et même par quelques lettres d'anoblissement, n'entraînait pas du tout l'obligation, même morale, de cesser le « grand Commerce », celui de la mer, des « Isles », et des esclaves. Ainsi, il n'existe pas d'exemple d'armateur nantais ayant arrêté son activité pour cause d'anoblissement.

Mieux, la noblesse la plus ancienne participe aux opérations maritimes : ainsi, l'on voit le père de Chateaubriand se faire armateur, et même négrier; il n'est pas le seul. La grande noblesse ne dédaigne pas de placer ses capitaux sur mer et aux « Isles » : elle employait simplement des hommes de paille ou des prête-nom : ainsi les Montaudoin de Nantes jouaient ce rôle pour les familles de Bourmont et de Maurepas. Les Charette (ancêtres du chef chouan) prêtaient à la grosse aventure dès 1715 sur les vaisseaux qui allaient à la Martinique. A Paris, aucun des fermiers généraux du xviiie siècle n'admettait de demeurer roturier pour percevoir à la place du roi les impôts dont ils avançaient le produit : **la finance ne supportait plus la roture.**

A son tour, **l'industrie, surtout la nouvelle, est pleine de noblesse, surtout d'ancienne noblesse.** Dès 1656, les forges dites de « Brécilien » appartenaient à deux grandes familles parlementaires bretonnes, les Andigné et les Farcy, qui les gardèrent jusqu'à la Révolution. Autres grands propriétaires de forges dans la lointaine province : les Condé, les Rohan, les Villeroy, le duc de Chaulnes. Un autre encore achète une faïencerie et fonde une manufacture de toiles, Pinczon du Sel des Monts, que soutinrent de leurs deniers les états de Bretagne, bastion pourtant de la plus vieille noblesse.

TYPES DE NOBLES D'ANCIEN RÉGIME

Si la forte majorité de la noblesse resta longtemps étrangère à toute activité manufacturière, le changement fut profond au XVIIIe siècle — à moins que les documents plus abondants et plus clairs permettent seulement de mieux savoir. **Louis XVI régnant, la plus grande noblesse s'est installée dans l'industrie** (et dans les « affaires », sans doute beaucoup plus tôt) : le duc de Penthièvre est maître de forges en Champagne, le maréchal de Lorges en Bourgogne, les dynasties dauphinoises dans les Alpes, et les Wendel fraîchement anoblis là où ils sont toujours. A Anzin, le marquis de Cœuvres et le prince de Croy se révèlent des hommes d'affaires de premier ordre, comme les Montmorency et d'autres à Saint-Gobain. Pendant ce temps, le marquis de Waldner et le duc de Deux-Ponts créent les premières manufactures de toiles d'Alsace, et le duc d'Orléans s'intéresse à la naissante industrie chimique. Quant aux spéculations immobilières et à l'agiotage, les princes du sang et les archevêques y côtoient journellement les aventuriers de toute nationalité. Bref, une partie de **la noblesse est déjà installée dans un « nouveau régime » économique,** alors que se traîne, dans les représentations politiques et les mythes sociaux, ce qu'on va bientôt appeler l' « Ancien Régime ».

TEXTES

32. Les Grands : la fortune des Condé et des Conti

1º LES CONDÉ, ANNÉES 1701-1710 :

Revenu total : 1 680 000 Livres (d'après les comptes conservés)
  dont revenus fonciers : 783 000 Livres
        revenus mobiliers : 897 000 Livres

Ventilation des revenus fonciers :

Ile-de-France, Enghien, Chantilly	138 920
Bourgogne.................	60 374
Berry et Bourbonnais.......	193 863
Anjou et Bretagne	102 450
Senonches et Guercheville (Beauce)	57 838
Clermontois (Argonne et environs)	150 500
Normandie	31 500
Divers	77 625

Ventilation des revenus mobiliers :

pensions royales annuelles... (pour 4 personnes)	443 000
charges royales de « M. le Prince » .... (fils du Grand Condé)	365 000
dots et successions réglées par rentes annuelles	79 000
divers, dont une action de la Compagnie des Indes	10 000

Estimation, lors des successions, du capital global, au début du XVIIIᵉ siècle.

Total : 31 à 32 millions de livres, dont
  Fortune mobilière : environ 12 millions (dont 5,5 de pensions et charges royales).
  Fortune immobilière : plus de 19 millions.

D'après ROCHE, Daniel, « Aperçus sur la fortune et les revenus des princes de Condé à l'aube du XVIIIᵉ siècle », dans *Revue d'Histoire Moderne et Contemporaine,* juillet-septembre 1967, pp. 217-243.

2º LES CONTI

Revenus annuels moyens : (d'après les comptes)
  1655-1660 : 1 130 000 livres
  1661-1665 : 1 220 000 ....
  1666-1670 : 725 000 .... (le prince a perdu des charges et des pensions royales.)
  .....
  1676-1680 : 529 000 ....
  .....
      1789 : 3 743 000 ....

Fortune globale, d'après les comptes de partage de 1752 :

13 110 266 livres, dont 7 235 363 l. de biens fonciers (55 %).
(En 1783, le seul capital foncier, presque entièrement vendu, atteignait 17 millions de livres.)

Répartition des biens fonciers :

1. Groupe de la vallée de l'Oise (région de l'Isle-Adam et Vexin).

2. Autres terres du Bassin parisien (Fère en Tardenois, Beauvaisis, Perche, Normandie).

3. Région du Centre : Berry (Sancerre), Bourgogne (Vosne, Nuits...) et Auvergne (duché-pairie de Mercœur).

4. Terres de Languedoc et Dauphiné (cœur : le comté de Pézenas).

Revenus de ces biens fonciers :

Exemples des terres de :	1671	1752
Baronnie de Fère	11 100 livres	40 000 livres
Baronnie de l'Isle-Adam	25 000 livres	50 000 livres
Beauvaisis (Mouy)	11 060 livres	15 000 livres
Pézenas, Bagnols, Pierrelatte..................	30 200 livres	40 500 livres
Revenu foncier total	138 515 livres	350 000 livres

D'après Mougel, François, *Fortune des princes de Bourbon-Conti, revenus et gestion*, mémoire de maîtrise d'Histoire moderne, Nanterre, juin 1968, 145 p. dactylographié, doit être publié sous forme d'article.

33. Les revenus des nobles du bailliage de Beauvais en 1697

I. Les revenus des 109 familles nobles ont été estimés (largement, semble-t-il) par le lieutenant général de ce bailliage. En voici une répartition sommaire :

A. Gentilshommes étrangers au bailliage par leur résidence habituelle : 39.

Revenus totaux de ces « étrangers » : 188 000 livres (70 % du total) (en moyenne : 4 800 livres).

Trois plus forts revenus :

le marquis de Mannevillette (Hanyvel, financier anobli) : 20 000 ;

le prince de Conti : 14 000 l. ;

le maréchal de Noailles : 12 000 l.

B. Gentilshommes campagnards domiciliés : 70 familles, ayant un revenu total de 81 000 livres (en moyenne, 1 160 l.) ; sur ces 70 familles, 23 ont un revenu estimé à 500 l. (le revenu moyen d'un curé de campagne).

II. Extraits de lettres de gentilshommes ruraux demandant leur détaxe ou leur exemption de l'« arrière-ban » (qui les obligeait, ou à servir le roi, ou à lui payer une taxe représentant en principe le cinquième de leur revenu annuel) :

Jean de Carvoisin, 1692 :

« N'estes vous pas bien convaincu qu'elle *(la taxe)* est hors de mon pouvoir ? Faut-il que vous en cognoissiez davantage ? J'ay assez de gloire et de cognoissance de ce que je doibs a ma naissance pour taire le malheureux estat ou je suis pour une somme aussi mediocre. Si je trouvois a l'emprunter, j'aymerois mieux n'en jamais parler. Mais ou trouve-t-on ? et quand rendre ? »

Adrien de Villepoix, 1693 : il est chargé de plus de 25 000 livres de dettes... « en sorte qu'il ne possede pas seulement un sol, mais qu'il s'en manque de plus de moitié qu'il n'ait de quoy païer ses dettes... ses créanciers aïans mis ses biens en saisie réelle... ils sont convenus de les vendre à l'amiable... »

La demoiselle de Pauville, épouse d'Antoine de Sulfour, 1695.

« Sy vous voulé prandre la paine d'anvoier ché nous, vous verray sy je ne vous dy pas la verité et sy tous la messon nes pas a moitié fondu et les couverture tout a jour... Nous somme au désespoir, bientôt faudra aller a l'aumone... »

Documents tirés du dossier de l'arrière-ban des Archives départementales de l'Oise, en partie cités dans Goubert, Pierre, *Beauvais et le Beauvaisis... de 1600 à 1730*, Paris, S.E.V.P.E.N., 1960, p. 210-212.

34. La noblesse poitevine et le remembrement rural

Quelques exemples :

A la fin du xviie siècle, la Lunardière est une métairie noble qui s'étend sur plus de 60 hectares en bordure de la petite rivière de Saumore, affluent de l'Autize. Sa constitution a été commencée dès 1537 par Raoul de La Porte, arrière-grand-père du maréchal de la Meilleraie et du cardinal de Richelieu... Son fils François, le fameux avocat du Parlement de Paris, grand-père du cardinal, poursuivit l'œuvre commencée en s'attachant à faire jouer le retrait féodal aussi fréquemment qu'il le put. Par sept contrats s'échelonnant de 1558 à 1580, il réunit à son fief toutes les tenures des paysans du village... : nous assistons à l'éviction progressive des habitants du village, qui abandonnent la place au métayer du seigneur de la Lunardière.

A la Follardière, dont le tènement relève en partie du fief des La Porte, Raoul procède pareillement à des acquisitions multipliées au cours des années 1530, 1531, 1532 et 1533. Pendant ces quatre années, on relève onze contrats, intéressant chacun quelques boisselées de terre ou quelques journaux de pré, cédés par les tenanciers du village. Après cette flambée, on enregistre un temps d'arrêt qui se prolonge jusqu'aux alentours de 1560. Cette année marque le début d'une nouvelle campagne qu'entreprend François de La Porte et que continue Charles Ier, son fils. Elle se prolonge jusqu'en 1609, date à laquelle la métairie est constituée.

... Georges Thibault de la Carte, seigneur du Vieux-Brusson, dont le fief englobe en partie les tènements (de la Berlandière et la Perrochère, à cheval sur les limites des paroisses d'Allonne et de Fenioux...), prend possession de son héritage... en 1646... Dès l'année suivante il se met à l'œuvre. Il la poursuit sans désemparer et l'achève en moins de vingt ans (1647-1664) au cours desquels, par 21 contrats d'acquêts ou d'échanges, il substitue aux multiples tenures qui entouraient ces deux villages, deux métairies d'une quarantaine d'hectares chacune. Plus tardive et plus rapide que les précédentes, l'opération s'est déroulée suivant le même processus, pour aboutir au même résultat.

Conclusions :

La crise qui a suivi la guerre de Cent Ans, de même que celle déclenchée au xvie siècle par la baisse du pouvoir d'achat de la livre, ont conduit la noblesse de Gâtine à promouvoir un vaste rassemblement des terres, dans le but de maintenir ses revenus et même de les accroître.

Ce rassemblement s'est communément opéré autour du *fief*, et souvent aussi par le jeu du retrait féodal. Il a pour résultat de dissoudre les petites tenures des censitaires dans une entité agricole... nouvelle... (de) faire disparaître un grand nombre de lieux habités et (de) transformer beaucoup de villages, jadis peuplés de plusieurs feux, en métairies donnant asile à une seule famille.

La dissolution des tenures dans les métairies n'a eu qu'un très médiocre retentissement sur les méthodes culturales... la Gâtine, à la fin de l'Ancien Régime, continuait à ne pas recueillir assez de blé pour nourrir ses habitants.

... L'appauvrissement progressif des métayers, au cours de ces trois siècles, a converti cette catégorie sociale en un véritable prolétariat agricole... En augmentant les revenus de la moyenne et de la petite noblesse, la création des métairies paraît avoir maintenu les gentils-hommes gâtineaux sur leurs terres. Le certain est qu'ils y étaient encore nombreux en 1789.

MERLE, Dr. Louis, *La Métairie et l'évolution agricole de la Gâtine poitevine...*, Paris, S.E.V.P.E.N., 1958, pp. 60-61 et pp. 202-203.

35. Les cours de la « savonnette à vilains » en province

BRETAGNE (charges de Secrétaire du roi auprès de la Chancellerie de Bretagne).
— 1680 à 1700 (5 cas) :
    de 23 000 à 27 800 livres;
— 1723 à 1736 (5 cas) :
    de 37 000 à 43 000 livres;
— 1751 à 1755 (10 cas) :
    de 51 000 à 67 500 livres;
— 1766 à 1788 (17 cas) :
    de 70 000 à 95 000 livres.

MEYER, Jean, *La Noblesse bretonne au XVIIIe siècle*, Paris, S.E.V.P.E.N., 2 vol., 1292 p. 1966, t. I, pp. 257-260.

BORDEAUX
... Elles sont les « savonnettes à vilain » par excellence. Aucun grade n'est demandé aux candidats. A Bordeaux, les secrétaires font en principe fonction de sceller et d'expédier les notes judiciaires dans les chancelleries près le Parlement et près la Cour des Aides. En fait, ils ne font absolument rien...

Pendant les dernières années du règne de Louis XIV, elles se vendaient à un prix assez bas : ... 17 750 livres; en 1717, on en trouve même à 10 000 livres. Mais dès ce moment commença une montée qui devait être très prononcée. De 1720 à 1730, on les paya entre 20 et 26 000 livres, et en 1730 jusqu'à 52 000 livres... De 1730 à 1740, on ne tombe jamais au-dessous de 25 000 livres, le maximum étant 61 000 livres... Vers 1775 on les payait au-dessus de 70 000 livres... Avant 1780 elles dépassèrent 100 000 livres et le prix de 125 000 livres, le plus élevé du siècle, fut payé en 1785. La valeur de cette charge était donc la plus élevée de la ville, dépassant même celle d'une présidence à mortier au Parlement.

DOYLE, W., « Le prix des charges anoblissantes à Bordeaux au XVIIIe siècle », dans *Annales du Midi*, janvier-mars 1968, p. 75.

36. Les nobles armateurs et négriers de Nantes au XVIIIe siècle

... Nous avons retenu 6 300 cas... Notre sondage familial porte donc sur la majeure partie du commerce des « isles » et du trafic négrier, comme sur les expéditions aux îles de Bourbon, à la Louisiane, au Canada et aux colonies anglaises d'Amérique. Ces 6 300 expéditions ont été effectuées par environ 200 familles d'armateurs, soit une moyenne de 31 à 32 voyages par famille. ... Les nobles d'extraction... sont peu

nombreux : 5 groupes familiaux; mais ils arment pour 385 voyages, soit une moyenne de 75 par groupe... (parmi eux) les de Luynes, apparentés aux Talley-rand-Périgord... arment pour au moins 182 expéditions.

Les anoblis de la première moitié du siècle, dont l'assimilation à la noblesse a été quasi totale, sont au nombre de 8 groupes familiaux, totalisant le chiffre énorme de 748 envois de navires... Les

Montaudoin, dont on connaît les alliances avec les Du Plessis de Grénédan et les Huchet de la Bédoyère, ont armé pour au moins 357 voyages...

Quant aux anoblis de la seconde moitié du siècle, ils sont au nombre de 9, totalisant 592 voyages. Ces chiffres élevés sont dus à l'activité des Drouin (au moins 112) et des Bouteiller (au moins 171). A la veille de la Révolution, ces deux familles sont d'ailleurs intimement associées, tant sur le plan familial que commercial.

Les trois catégories que nous venons de citer sont donc numériquement très restreintes : à peine une vingtaine de familles (sur 200). Mais leurs armements (au moins 1 725) représentent 27 % des cas analysés.

MEYER Jean, *L'Armement nantais dans la deuxième moitié du XVIIIe siècle*, Thèse complémentaire de doctorat ès-lettres, Rennes, 1966, pp. 44-45 des exemplaires dactylographiés.

37. La noblesse et quelques écrivains, grands ou moins grands

1. MOLIÈRE ET LA PARTICULE (1662)

Chrysalde :

Qui diable vous a fait aussi vous aviser,
A quarante et deux ans, de vous débaptiser,
Et d'un vieux tronc pourri de votre métairie
Vous faire dans le monde un nom de seigneurie?

Arnolphe :

Outre que la maison par ce nom se connaît,
La Souche plus qu'Arnolphe à mes oreilles plaît.

Chrysalde :

Quel abus de quitter le vrai nom de ses pères
Pour en vouloir prendre un bâti sur des chimères!
De la plupart des gens c'est la démangeaison;
Et, sans vous embrasser dans la comparaison,
Je sais un paysan qu'on appelait Gros-Pierre
Qui, n'ayant pour tout bien qu'un seul quartier de terre,

Y fit tout à l'entour faire un fossé bourbeux,
Et de Monsieur de l'Isle en prit le nom pompeux.

École des Femmes, I, 1

2. LA BRUYÈRE ET LES GRANDS (1692)

Pendant que les grands négligent de rien connaître, je ne dis pas seulement aux intérêts des princes et aux affaires publiques, mais à leurs propres affaires; qu'ils ignorent l'économie et la science d'un père de famille, et qu'ils se louent eux-mêmes de cette ignorance; qu'ils se laissent appauvrir et maîtriser par des intendants; qu'ils se contentent d'être gourmets ou coteaux *(fins gourmets)*, d'aller chez Thaïs ou chez Phryné, de parler de la meute et de la vieille meute, de dire combien il y a de postes de Paris à Besançon, ou à Philisbourg; des citoyens s'instruisent du dedans et du dehors d'un royaume, étudient le gouvernement, deviennent fins et politiques, savent le fort et le faible de tout un État, songent à se mieux placer, se placent; s'élèvent, deviennent puissants, soulagent le prince d'une partie des soins publics. Les grands, qui les dédaignaient, les révèrent : heureux s'ils deviennent leurs gendres.

Caractères, IX, 24, 7ᵉ édition, 1692

3. Un poète oublié : Étienne Pavillon
(pièce publiée après 1705)

Le Gentilhomme de l'arrière-ban ¹ (1789)

Dans ma maison des champs, sans
[chagrin, sans envie,
Je passais doucement la vie
Avec quelques voisins heureux,
Peu guerriers et fort amoureux,
Ma bergère, mes prés, mes bois et mes
[fontaines...
. . . .
On parlait de l'amour et jamais de la
[guerre.
Je plaignais le roi d'Angleterre ²
Sans dessein de le soulager...
... Et je me piquais de noblesse
Seulement pour ne pas payer
La taille et les impôts que paie un
[roturier.
Aujourd'hui j'ai regret d'être né gentil-
[homme :
Ce titre glorieux m'assomme.
Hélas! il me contraint dans ce mal-
[heureux an
De paraître à l'arrière-ban.
O vous, mon bisaïeul de tranquille
[mémoire,
Dont les armes n'étaient que l'aune et
[l'écritoire,
Qui viviez en bourgeois et poltron et
[prudent,
Reconnaissez en moi votre vrai des-
[cendant.
Pourquoi de votre argent votre fils et
[mon père
A-t-il acquis pour moi ce qui me déses-
[père,

Cette noblesse enfin, qui par nécessité
Me fait être guerrier contre ma volonté?...

PAVILLON, Étienne, pièce publiée par ALLEM, Maurice, *Anthologie poétique française, XVIIᵉ siècle*, t. 2, p. 301, coll. Garnier-Flammarion, Paris, 1966.

4. Chamfort juge la « race » noble
(fin du XVIIIᵉ siècle)

Le titre le plus respectable de la noblesse française, c'est de descendre immédiatement de quelque trente mille hommes casqués, cuirassés, brassardés, cuissardés qui, sur de grands chevaux bardés de fer, foulaient aux pieds huit ou dix millions d'hommes nus, ancêtres de la nation actuelle. Voilà un droit bien avéré au respect et à l'amour de leurs descendants! Et, pour achever de rendre cette noblesse respectable, elle se recrute et se régénère par l'adoption de ces hommes qui ont accru leur fortune en dépouillant la cabane du pauvre hors d'état de payer ses impositions.

CHAMFORT, cité par TAINE, *L'Ancien Régime*, Paris, Hachette, 4ᵉ éd., 1877, p. 420.

5. Un pamphlétaire rennais anonyme
(XVIIIᵉ siècle)

... entrés toujours dans les maisons d'un air bruyant, ouvrés les portes avec fracas, n'en fermés aucune... quand on vous fait la révérence, ne salués pas, mais par un mouvement de tête, faites reconnaistre que vous le remarqués... ne joués à des jeux ou l'on puisse se familiariser, car le jeu comme l'amour

---

1. L'arrière-ban, vieille coutume féodale ressuscitée à plusieurs reprises au XVIIᵉ siècle, consistait à convoquer à l'armée les gentilshommes qui n'y allaient pas d'eux-mêmes; en réalité, la plupart se rachetèrent en payant.
2. Il s'agit de la *Glorious Revolution* de 1688-1689, qui chassa Jacques II.

egalle tout le monde... qu'une nombreuse et superbe livrée vous suive en tous lieux, qu'elle insulte le bourgeois, que le peuple la révère, on juge de la grandeur du maître par l'insolence de ses valets... Qu'il soit escrit en lettres d'or sur votre maison HOSTEL DE... que l'on y trouve un suisse à moustaches retroussées, chausses plissées, grand baudrier, longue épée et chapeau brodé, que toute la rue retentisse de son bruyant sifflet... que vostre écusson ne paraisse jamais nud, qu'on le voye en tous lieux revestu des marques de votre dignité, qu'un grand et superbe manteau l'environne...

Extrait du « grand et superbe cérémonial du Mortier de Bretagne...», pamphlet non daté cité par J. MEYER, *La Noblesse bretonne au XVIIIe siècle*, t. 2, p. 1007, note 3.

6. UN CURÉ BRETON, 1783

Les grands nobles, qui ne résident pas dans leurs terres... ne donnent, ne présentent, ni par aumônes, ni par les travaux journaliers, aucun soulagement aux pauvres, quoiqu'ils reçoivent tous les ans le revenu le plus clair et le plus net de nos campagnes; la capitale est un gouffre qui engloutit et ne renvoie rien à la circonférence...

Royan, recteur de Trébivan, à l'Intendant; cité par J. MEYER, *ibid.*, p. 861.

LECTURES COMPLÉMENTAIRES

En ce domaine où la passion a multiplié les ouvrages médiocres, ou pires, deux historiens montrent actuellement une compétence inégalée, François Bluche et Jean Meyer. Qui désirera mieux se renseigner sur les problèmes propres à la noblesse se reportera à leurs travaux et à leurs abondantes bibliographies; mais la tentative de réflexion et d'analyse la plus récente et peut-être la plus pénétrante s'est sans doute exercée à propos de la Bretagne.

● BLUCHE, François, *Les Magistrats du Parlement de Paris au XVIIIᵉ siècle (1715-1771)*, Paris, Belles-Lettres, 1960, 460 p.

● ID., *L'Origine des magistrats du Parlement de Paris au XVIIIᵉ siècle*, dans *Paris et Ile-de-France, Mémoires publiés par la Fédération des Sociétés historiques et archéologiques de Paris et de l'Ile-de-France*, t. V-VI, 1958.
ID., *Les Honneurs de la Cour*, Paris, Les cahiers nobles, 1957, 2 vol.

ID. (en collab. avec DURYE, Pierre), *L'Anoblissement par charges avant 1789*, Paris, 1962, 2 vol.

● MEYER Jean, *La Noblesse bretonne au XVIIIᵉ siècle*, Paris, S.E.V.P.E.N., 1966, 2 vol., 1292 p. (Thèse de Lettres de Rennes).
(Toute étude de la noblesse doit désormais partir de cette grosse et riche thèse, qui périme presque toute la production antérieure, ou en définit la valeur et les limites.)

Pour une première initiation, on peut se reporter à quelques ouvrages de la collection Que sais-je? comme :

● DU PUY DE CLINCHAMPS, Philippe, *La Noblesse*, Paris, P.U.F., Que sais-je?, 1959, 128 p.
Enfin, une information inégalement abondante figure dans les ouvrages d'histoire régionale souvent signalés, par exemple ceux de MERLE, LE ROY-LADURIE, GOUBERT, DEYON, etc.

1. La ville, définition et organisation

2. La société urbaine

CHAPITRE IX

LES VILLES ET LA SOCIÉTÉ URBAINE

Étudier, même scientifiquement, les villes de la fin du XXᵉ siècle n'offre aucune utilité pour comprendre les villes d'Ancien Régime. Là comme ailleurs, il importe à l'historien de se défaire de son temps.

Nous savons déjà que le fait urbain était largement minoritaire. Paris n'atteignit le demi-million qu'au XVIIIᵉ siècle, et ne groupa guère plus de 2 % des Français; six villes entre soixante et cent mille âmes, une dizaine autour de trente ou quarante mille, moins de cinquante autour de dix-quinze mille, quelques douzaines de gros marchés et de petits centres administratifs : le total arrive difficilement à 3 millions de personnes, à peine 15 % des Français.

Mais il est sûr que l'importance des villes ne dérive pas du nombre de leurs habitants. Elles ont pris, de plus en plus, la direction du royaume. Elles en concentrent les richesses, les talents, tout ce qui brille, tout ce qui compte, tout ce qui détient le pouvoir, la puissance et la culture. La minorité urbaine domine.

1 — La ville, définition et organisation ―――――――――

Villes et murs

Tous les vieux dictionnaires reflètent l'expérience courante : ce qui fait la ville, ce sont d'abord **les murs,** presque toujours précédés de terrasses et de fossés. Il n'est de ville que murée, du moins jusqu'au moment où, après le XVIIe siècle, nombre de murailles seront abandonnées, puis détruites, en attendant de devenir boulevards à promenades. Cette rigoureuse définition entraîne des conséquences qui surprennent : des agglomérations de quelques centaines d'âmes conservaient le titre — et les privilèges — de « villes » si elles étaient murées, ou l'avaient été : ainsi, les insignifiantes bourgades de Gerberoy et surtout de Bulles, aux confins du Beauvaisis et des provinces voisines, anciennes places-fortes qui avaient pu avoir une utilité vers le XIIe siècle, et qui gardaient encore vers 1700 leur titre de « ville », leurs statuts, leurs privilèges. Survivances bien caractéristiques de l'Ancien Régime, qui respecte et vénère le passé, même absurdement.

Bon nombre de ces villes avaient construit leurs premiers murs, souvent doublés de fossés, lors des invasions du Bas-Empire; d'autres, puis de nouvelles, dans le millénaire qui suivit. Beaucoup les conservent encore, au moins comme reliques. L'on sait que les villes qui grossirent le plus furent amenées à construire des cercles plus ou moins concentriques d'enceintes successives, dont celles de Paris donnent seulement un exemple. Jusque vers le milieu du XVIIe siècle, un peu plus tard pour les villes demeurées ou devenues frontières, où passa Vauban, ces murs jouèrent un rôle effectif de défense; longtemps en effet, y compris sous Louis XIV, les guerres furent conçues comme un jeu estival d'attaque et de défense de places plus ou moins fortes. Les citoyens et les deniers de la ville entretiennent les murs, les pourvoient habituellement d'artillerie, de munitions, de défenseurs; le gouvernement n'intervient que dans les cas graves. Chaque soir, les portes de la ville sont solennellement fermées, avec tout un cérémonial, et les citadins peuvent dormir en paix, à l'abri des pillards, soldats, vagabonds, voleurs, ennemis même. Jusqu'en plein XVIIe siècle, les paysans se réfugient, avec familles, charrettes et bestiaux à l'abri des grands murs lorsqu'une menace apparaît, réelle ou imaginaire.

A la même époque, les rois, que des décennies de révoltes provinciales avaient rendu prudents, se sont attachés à désarmer les murailles et les villes, et obligèrent parfois à leur démolition. Mais les murs, même abandonnés, même croulants, ont profondément marqué les villes.

D'abord, en y facilitant un **entassement** extravagant, dont les derniers îlots du « vieux Paris » — la ville la plus dense du monde — donnent aujourd'hui encore le saisissant spectacle. Entassement qui favorisa, en des siècles dont le manque d'hygiène surpassa celui du Moyen Age (qui aima les bains et les étuves), le pullulement des parasites et la marche foudroyante des épidémies. Qui favorisa peut-être aussi cet esprit de clocher qui marqua longtemps la mentalité des citadins, persuadés d'habiter la ville la plus remarquable de toute la province, sinon de l'univers, et jalousant jusqu'à la haine et aux empoignades au moins verbales tous ceux qui osaient en douter.

L'essentiel est pourtant que ces murailles, même vétustes et ruinées, marquent fortement des **limites juridiques.** Bien que le « ban » d'une ville ait pu s'étendre, à certains égards, à des « lieux » (banlieue, sens premier) qu'elle faisait bénéficier d'une partie au moins de ses privilèges — de marché, de justice, de finances —, c'est à l'intérieur des murs que ces privilèges prenaient toute leur force.

Villes et privilèges

Car **le privilège caractérise la ville autant que le mur.** Les plus petites comme les plus grandes détiennent depuis longtemps (bien avant le XVIe siècle) une foule inextricable de **privilèges** et de **libertés** (les deux mots sont presque synonymes), honorifiques ou très matériels, dont elles font dresser des recueils, qu'elles font confirmer à chaque changement de monarque, non gratuitement d'ailleurs. Beaucoup, comme Bordeaux, comme Paris, comme Rouen, comme Angers (sauf une paroisse!), comme Beauvais et tant d'autres, sont exemptes de tailles. Avantage considérable, tempéré par l'usage qu'instaurèrent vite les rois d'y lever des « subsides » ou des « subventions », d'abord extraordinaires, puis permanents, mais qui demeuraient bien inférieurs à ce qu'aurait été la taille. Si bien que l'idée grossière qui veut que la taille ait été l'impôt du roturier — idée fausse pour tout le Midi —, est inexacte aussi dans les pays de taille personnelle du Nord. D'innombrables, d'inattendus, de contradictoires privilèges financiers s'ajoutaient ou se substituaient à celui-là : dégrèvements ou taux spéciaux pour les diverses taxes à la circulation, à l'entrée, à la sortie de certaines marchandises; franchises partielles du sel; facilités pour le ravitaillement en bois ou en vin; tout ce que la tradition, les tractations, les divers rapports de forces, les

193

protections seigneuriales, les originalités locales et les particularismes ont pu inventer ou conserver. **En fait, la ville est toujours plus « libre », c'est-à-dire plus « privilégiée » que la campagne voisine.**

Villes et échevinages

Mais le privilège essentiel des villes, c'était de s'administrer elles-mêmes, au moins en principe. Les « communes » du Moyen Age continuent d'exister aux temps modernes (Henri IV n'en supprima qu'une, Amiens, et Louis XIII deux, Saint-Jean-d'Angély et La Rochelle), même si le pouvoir royal essaie, lentement, inégalement, incomplètement, de les affaiblir ou de les « grignoter », surtout à partir de Louis XIV. Chaque ville a son « corps de ville », son échevinage, son « consulat » (Midi), sa jurade comme Bordeaux, son capitoulat comme Toulouse. Organismes « eslus » au sens ancien, c'est-à-dire choisis selon des procédés qui n'ont aucun rapport avec ce qu'on appela plus tard suffrage universel; le plus souvent, une simple cooptation parmi les notables, avec une survivance plus ou moins symbolique d'anciens choix préalables par les principaux de chaque métier ou de chaque « estat »; de plus en plus fréquemment, une simple désignation par le gouvernement ou l'intendant.

Quelle qu'en soit l'origine — jamais « démocratique » — le corps échevinal représente la ville, et jouit de pouvoirs longtemps considérables, que même les tentatives centralisatrices et autoritaires de Louis XIV et de Louis XV ne parviendront jamais à annihiler.

L'échevinage, et spécialement son chef, son « premier », son « maire », son « mayeur », **c'est la ville elle-même,** tout au moins **son image** et **son symbole.** Il ouvre ou ferme les portes, accueille les visiteurs illustres, préside en grand costume et grand cérémonial aux rites majeurs de la cité, grand' messes, processions, réjouissances et deuils.

L'échevinage a détenu, et détient souvent encore un certain **droit de justice,** plus ou moins imbriqué, ou en conflit avec celui du seigneur et celui du roi. A Bordeaux, par exemple, les jurats conservèrent longtemps la juridiction civile et criminelle sur tous les habitants, même étrangers, qui résidaient dans le territoire urbain et dans une vaste banlieue. A Beauvais, bien plus petite ville, la « justice patrimoniale des maire et pairs » eut de la peine à retenir une compétence réduite à la « simple police » devant les progrès du bailliage seigneurial de l'évêché-comté-pairie; et pourtant Colbert ressuscita la vieille justice communale pour la transformer un moment en tribunal des marchands, avec juridiction sur les manufactures textiles. L'échevinage d'Amiens, longtemps avant le bailliage royal, puis en concurrence avec lui, régenta la première manufacture de France, reçut des testaments et régla même des successions privées.

Assurer l'entretien des murs et la défense de la ville conférait aux échevins des **pouvoirs militaires** qui furent longtemps importants (les vieilles « milices communales »), mais prirent lentement, au cours du xviie siècle, un caractère plus ou moins décoratif, voire « folklorique » (compagnies d'arbalétriers, d'arquebusiers, occupées surtout du « concours » annuel), sauf dans quelques provinces aux traditions vivaces et à la position de frontière, (Boulonnais, Roussillon, par exemple). Quoi qu'il en soit (les questions militaires seront reprises au tome 2), les tâches militaires des villes entraînaient la nécessité de « cottizer » les habitants.

En effet, **les pouvoirs financiers** des villes furent longtemps considérables, presque extravagants; et même quand le pouvoir parvint à les contrôler de fort près, surtout avec Colbert qui tâcha de liquider les dettes (énormes) des communautés (villageoises comme urbaines), ces pouvoirs financiers demeurèrent importants, bien plus qu'au xxe siècle, par exemple. Toute ville possédait des terrains, des immeubles, des droits, notamment d'octroi. Toute ville recrutait un corps d'employés municipaux, qu'elle devait salarier : dès 1550, Bordeaux en comptait une cinquantaine, qui s'occupaient des affaires financières, judiciaires, des divers greffes, de la police intérieure de la cité (sergents, huissiers, hallebardiers, tambours...). Toute ville a le devoir de contribuer à une élémentaire voirie, se préoccupe de son « pavé », puis de ses « lanternes »; de contribuer aussi à une hygiène encore plus élémentaire, avec des fontaines, des boues et déjà des « éboueurs », plus un ou deux médecins ou chirurgiens des épidémies, les uns et les autres salariés. Toute ville a la charge de ses pauvres, dont le nombre peut croître brusquement ors d'une cherté, d'une épidémie, d'un accident politique et militaire, ou les trois à la fois : or, la soudaine montée de l'effectif des « pauvres du dedans », jointe à l'afflux presque inévitable des « pauvres du dehors » posent tous les problèmes à la fois : médicaux, politiques, et surtout financiers. Enfin toute ville importante contribue à l'entretien d'un collège, parfois d'une université. De plus, le pouvoir central et particulièrement l'intendant contrôle de très près toutes ces activités. Mais il les subventionne rarement. La ville continue donc à avoir un budget, à percevoir des taxes pour son propre compte; elle a ses assesseurs et ses collecteurs qui travaillent, souvent fort bien, au dénombrement des contribuables et à l'adaptation de la contribution urbaine à leurs ressources, puis à sa perception. Ces mêmes techniciens municipaux assurent aussi l'établissement et la collecte des impôts du roi, au moins en partie. Ainsi, la monarchie dispose d'auxiliaires à peu près gratuits et souvent compétents, fournis par l'administration urbaine.

Définie par ses murs, ses privilèges et ses encore puissants échevinages, la ville d'Ancien Régime l'est encore par son cadre, aujourd'hui si souvent oblitéré qu'il n'est pas superflu de l'évoquer en quelques traits.

Paysages urbains et fonctions urbaines

Derrière la triple protection que lui confèrent ses fossés, ses remblais et ses murs, la ville d'Ancien Régime, héritière directe de celle du Moyen Age, offre des aspects devenus inattendus, que révèlent de vieux plans et d'anciennes descriptions.

Ce qui saute aux yeux, c'est **un apparent désordre.** Mises à part quelques géométriques bastides méridionales, quelques villes artificielles ou reconstruites après incendie, c'est un entrelacs inextricable de ruelles tortueuses, de carrefours irréguliers, de places biscornues, entremêlé de chapelles, d'églises, de croix, de bornes, de ruisseaux, de cimetières et de cloaques. Un peu d'attention révèle pourtant des noyaux de peuplement, des zones organisées, et de grands espaces vides.

Bien rares sont les villes qui ne comportent pas **une cité** et **une grand'place.** La cité — il est fréquent qu'elle soit directement issue de l'urbanisme romain, dont elle conserve alors les tours et les pierres — se groupe solidement autour de la cathédrale, ou de la collégiale : palais épiscopal, maisons canoniales, minuscules paroisses, chapelles, pieuses personnes, lieux de justice, gens de justice. Des remparts, des portes, au moins des bornes séparent ou ont séparé la cité du marché, autour duquel se sont établis les négociants et les boutiquiers, qui ont leurs paroisses bien à eux, leurs saints patrons, leurs lieux de réunion, leurs institutions, leur « maison commune », longtemps rivale de la maison du seigneur ou de celle de l'évêque. A ces deux noyaux peut s'ajouter une citadelle. Au-delà, un tissu plus diffus de quartiers et de paroisses est habité par l'indispensable petit peuple des compagnons, des ouvriers, des journaliers. Un long passé a pourtant marqué puissamment cet apparent désordre. Des limites anciennes et capricieuses entourent les paroisses — de 10 à 50 dans les villes vieilles et consistantes —; d'autres bornent les seigneuries, et donc les justices seigneuriales; d'autres isolent des « quartiers », sortes de sous-multiple administratif et policier de la ville, avec ses « quarteniers », ses « dizeniers », bientôt ses « commissaires »; une géométrie cadastrale assez mystérieuse et au moins médiévale assigne à chaque maison un « espasse » de tant de pieds, surtout en façade, car il importe d'avoir pignon sur rue, pour l'intérêt matériel et pour l'honneur : seuls, les riches ont pu bâtir ou rassembler des maisons couvrant plusieurs espaces. Au-delà de cette géométrie de l'habitat (qui rappelle invinciblement l'ancien *mansus* déjà repéré à la campagne) et de ce puzzle de bornages seigneuriaux, paroissiaux ou autres, la nécessité, l'habitude ou l'obligation continuent de spécialiser les quartiers et les rues. Les tanneurs et les teinturiers ne peuvent qu'aligner leurs ateliers et leurs demeures au long des rivières et des ruisseaux. C'est la commodité ou la tradition qui groupent en maisons jointives les joailliers et les fourreurs. Une sorte de ségrégation géographique sépare souvent les quartiers opulents des quartiers pauvres, sinon misérables, — banalité qui cependant n'est pas toujours exacte. En effet des sortes de divisions verticales compliquent assez souvent ce cantonnement horizontal : dans les plus grandes villes, qui s'accroissent plus aisément en hauteur qu'en largeur, l'ouvroir, la boutique ou l'étable est en bas, les familles aisées à l'étage « noble » (le premier, aux plafonds plus élevés), et la misère monte progressivement le long des escaliers. Ailleurs, de minuscules et presque rurales chaumières (ardoise et tuile sont plus rares et plus chères, sauf exceptions locales) groupent des familles modestes, souvent une par pièce — autour du puits commun où aboutissent d'infimes jardinets engraissés par les sous-produits du ménage.

L'extension des **espaces vides** (vides de maisons) est plus surprenante. Outre les places et les cimetières (en pleine ville jusqu'à une déclaration royale de 1776), ils comprennent aussi des prés, des vignes, de vastes jardins enclos, parfois de véritables champs. Raison de commodité et raison de prévoyance : il fallait bien qu'une ville assiégée puisse se nourrir, et offrir des pâturages aux bestiaux réfugiés. Puis les goûts, les modes et les privilèges ont pris le relais de la nécessité, et conservé à la plupart des villes leur couleur semi-campagnarde. Les couvents multipliés, les hôtels nobles, et même les maisons bourgeoises, pour le plaisir autant que par tradition, ont gardé leurs parterres et leurs potagers. Tout citadin non misérable sent le besoin de faire pousser des raves et des choux, de nourrir si possible trois poules et un cochon; plus riche, il a écurie et étable, et parfois un pré. De nombreuses villes ont encore leur troupeau commun, et élisent leurs bergers et leurs porchers. Il faut bien aussi que les bouchers disposent de quelque espace (souvent dans les faubourgs) pour faire « rafraîchir » un bétail qui vient de loin, et naturellement à pied; il faut bien encore que blanchisseurs et teinturiers possèdent aussi de grands prés d'étendage, de séchage, et de vastes entrepôts. L'échevinage possède enfin ses jardins ou ses terrains de manœuvre pour que la milice urbaine s'exerce à l'arc ou à l'arquebuse, consciencieusement, puis plaisamment en vue de quelque joyeux concours.

Les espaces les plus considérables sont souvent occupés par les **nombreux couvents** que la Contre-Réforme a installé dans les villes, en sus de ceux que leur avait légués le Moyen Age : ainsi à Angers, treize nouveaux couvents s'ajoutent aux dix anciens entre 1596 et 1640, en attendant les cinq qui suivront avant la fin du siècle. Bâtiments, jardins et parcs occupent habituellement de très vastes surfaces, où la vie urbaine ne pénètre pas, et achèvent de donner aux villes anciennes leur couleur si intensément ecclésiastique : une trentaine d'églises et de chapelles à Beauvais, soixante-neuf à Angers ; les plus récentes, il est vrai, campant aux limites de la ville, et dans les faubourgs.

Toutes les villes ont habituellement leurs **faubourgs** étirés le long des routes principales. Bien que situés par définition hors des murs, ils appartiennent souvent à la « banlieue » juridique de la cité, et participent donc à tout ou partie de ses privilèges. Ils jouissent même fréquemment de privilèges supplémentaires, surtout d'échapper à certains « octrois » qui ne se perçoivent qu'aux portes : s'y installent donc les bouchers, les blanchisseurs de toiles et les guinguettes (où le vin nouveau se boit à moitié prix hors taxe), prompts à profiter d'une « liberté » supplémentaire. Pour le reste, les jardins maraîchers, les vignes et les prés des faubourgs, largement ruraux, contribuent à nourrir la ville. L'instabilité des faubourgs — en temps de guerre, fort menacés, parfois détruits, ils repliaieht leurs hommes et leurs richesses « intra-muros » — cesse au XVIIIᵉ siècle ; avec la paix intérieure, ils s'étendent ; dans les plus grandes villes ou les plus prospères, ils sont même annexés.

Passés les faubourgs, les dernières franchises, les derniers échos des privilèges urbains, commence la vraie campagne, cette mouvance économique, seigneuriale, financière et mentale de la ville, — de la ville parfois détestée des paysans, puisqu'elle aspirait le plus clair de leur production sans leur rendre apparemment en bienfaits ce qu'elle tirait de leurs richesses. **L'opposition de la ville et de la campagne apparaît aussi clairement alors que leur interdépendance.**

Cette interdépendance est trop évidente pour qu'on y insiste longtemps. Outre le marché, point de rencontre, d'échange et parfois de disputes, il existe de fréquentes solidarités de travail. A l' « aoust », journaliers et escholiers refluent vers les moissons et les vendanges ; dans les régions textiles, le tisserand rural a des contacts fréquents avec les ateliers et les marchands urbains, etc. On n'oubliera pas enfin les aspects démographiques, si complexes : si les villes expédient fréquemment des nourrissons vers les campagnes, elles en reçoivent un afflux important et irrégulier d'immigrants qui, par le biais de l'apprentissage et de la condition domestique, contribuent à leur richesse, à leur développement, mais aussi à remplir leurs hôpitaux et leurs cimetières.

Mais les paysans qui venaient à la ville, épisodiquement ou définitivement, y trouvaient une société plus structurée, plus rigide, plus hiérarchisée que celle qu'ils venaient de quitter. Cette société urbaine, bien connue dans quelques villes, mérite une étude attentive.

2 — La société urbaine

La société urbaine telle qu'elle se voyait : des corps

Quelques douzaines d'ecclésiastiques et de légistes ont essayé de décrire la société dans laquelle ils vivaient, mais au sein de laquelle ils occupaient une place de choix. Ils l'ont toujours fait en se reportant, consciemment ou non, **à des modèles très anciens** : ils voulaient en retrouver les contours, qu'ils tenaient pour éternels et sacrés. Ainsi Charles Loyseau assimile constamment les « ordres » du temps d'Henri IV à ceux de Rome, ou du Ciel. C'est dire que Loyseau et ses semblables témoignent bien plus sur leur propre mentalité que sur la réalité contemporaine. Il n'empêche que leur mentalité appartient à cette réalité, et qu'elle aide à la comprendre; de plus, quelques-uns de ces rhéteurs sont parfois aussi des observateurs, plus ou moins pouvus d'œillères, ou de lunettes déformantes. Ils témoignent à leur manière : partiellement, partialement, insuffisamment; mais il convient de les écouter.

D'un commun accord, ils n'aperçoivent les hommes **qu'en groupes.** Si l'on met à part les abstractions des moralistes, des littérateurs et des philosophes, qui se ramènent à des singuliers collectifs (le chrétien, le sage, l'honnête homme, etc.), **l'homme isolé leur paraît à la fois inconcevable et scandaleux :** ils ne sont pas loin de le soupçonner de noirs desseins, comme d'avoir commerce avec le Malin (ou avec Dieu, si c'est un ermite). Ce que nous appellerions aujourd'hui les « marginaux » ou les « asociaux » — en gros, les « mendiants » du temps — constitue en effet assez rarement des unités individuelles séparées, mais des groupes fort organisés, avec des chefs, des lois au moins tacites, des sites et même une langue, déjà appelée argot.

Tous ces hommes en groupes s'insèrent aisément dans la très vieille (indo-européenne?) classification juridique des **ordres** : ceux qui prient, *oratores*; ceux qui en principe guerroient, *bellatores*; ceux qui travaillent afin que les précédents puissent prier et guerroyer, *laboratores*. La vénérable distinction des « trois ordres » survit évidemment, bien que recouverte de gloses poussiéreuses et défigurée par de multiples glissements de sens : si le premier ordre se définit par l'onction sacrée, le second découle de la race plus que de l'épée, et le troisième ne correspond plus qu'à une immense poubelle qui ramasse tout ce que ne retiennent pas les deux autres. L'originalité de la **ville** par rapport à la campagne, c'est qu'à l'intérieur des trois ordres **se dessinent avec une exceptionnelle netteté des corps presque parfaitement définis, et conscients de l'être.**

A la campagne, on l'a vu, les éléments de la masse paysanne ne se distinguent habituellement que par leur place dans la production et leur niveau de vie; les groupes que l'historien parvient à distinguer dans ce magma peu constitué ne correspondent presque jamais à des statuts légaux ou coutumiers, ni même à des dénominations claires : il n'y a pas de « corps » de laboureurs ou de métayers, et le sens de ces deux derniers termes, quand ils en ont un, change d'une province à l'autre.

Rien de semblable en ville. Chacun y appartient à un corps. Chaque corps possède un **statut juridique** approuvé, et souvent octroyé, par l'autorité judiciaire et administrative. Chaque corps revêt **un caractère religieux**, symbolisé souvent par sa consécration à un « saint patron », et par des cérémonies religieuses célébrées en commun. Chaque corps a des **rites** d'admission, une **hiérarchie,** des chefs, habituellement capables d'ester en **justice** et de gérer un **budget,** tout au moins une « caisse ». Chaque corps a un **état d'esprit,** une **symbolique,** et surtout une **place** âprement revendiquée dans une hiérarchie à la fois ascendante et processionnelle qui se manifeste ostensiblement dans les grands défilés urbains comme les processions solennelles, et même dans les actes politiques rescapés de l'ancienne vie municipale, comme les élections à l'échevinage, qui s'effectuent souvent par corps. Le **rang** dans la procession, le rang dans le scrutin expriment exactement l'estime rituelle dans laquelle la mentalité du temps tient le corps qui vote ou qui défile par rapport à ceux qui le précèdent et le suivent, et dont la somme forme à peu près l'ensemble de la société urbaine telle qu'elle apparaît aux contemporains.

Mais il est trop évident qu'il y a corps et corps, que du « mestier » jugé fort vil des « cordonniers en vieil » (les savetiers) à la « compagnie » de « Messieurs du Présidial » — et à plus forte raison du Parlement —, il apparaît non seulement une considérable différence de dignité et de qualité, mais peut-être aussi une différence de nature.

Sous le vocable de **« corporation »,** parfaitement anachronique mais ratifié par l'usage, on désigne habituellement les groupements professionnels stricts qui se dénommaient eux-mêmes « corps et communautés d'arts et mestiers », ou plus simplement « *mestiers* ». Leur extraordinaire diversité, maintes fois soulignée, ne voile pourtant pas leurs traits d'ensemble.

Ce sont des communautés **professionnelles** parfois très étroites (éperonniers, cordiers, peigneurs de laine), parfois assez larges (drapiers), d'effectif tantôt fourni, tantôt insignifiant (à Paris au xviiie siècle, un heaumier et trois mille merciers). L'unité d'activité habituellement manuelle, « mechanique » selon le langage du temps, saute aux yeux; pourtant les « artistes », comme les médecins et bientôt les apothicaires tiennent à se distinguer du vulgaire groupé dans les « mestiers », forcément plus vils.

L'unité **juridique** est plus frappante encore. Les autorités urbaines, surtout les autorités seigneuriales, et bien entendu l'autorité judiciaire émanant du roi ont autorisé, reconnu, pourvu (ou non) de statuts chaque métier, qui est toujours placé sous une ou plusieurs tutelles. Aucun ne peut se réunir, lever des deniers ou rendre des comptes sans l'autorisation particulière de l'une au moins de ces autorités.

Ainsi encadrée et surveillée, la corporation essaie furieusement de maintenir **un monopole de travail,** querelle les corporations voisines au moindre soupçon d'empiètement ou, comme on disait, d' « entreprise », instaure entre ses membres une discipline religieuse (messes, dévotions, œuvres), une discipline de travail (statuts souvent tâtillons, mais pas toujours), une discipline financière (cotisations), une discipline morale plus ou moins stricte, volontiers doublée d'une légère confraternité charitable (secours aux orphelins, aux malades, frais funéraires, presque jamais d'aide aux chômeurs).

Presque toujours, ces associations légales de travailleurs manuels spécialisés dépendent strictement d'un groupe étroit de grands patrons, les « maîtres », « jurés », « gardes » (la terminologie est inépuisable). Ils se succèdent par filiations entières, et constituent de **véritables oligarchies apparentées,** qui commandent en fait et en droit, — le droit suivant le fait, comme il est de règle.

La poignée de puissants et la masse de compagnons rassemblés dans le « mestier » avaient du moins en commun ce trait de mentalité particulièrement vivace : un amour-propre professionnel jaloux, une foi obstinée dans le « tour de main », voire le « secret » de la profession, une opposition radicale et presque maladive à toute transformation, à toute « nouvelleté » impie, un culte naïf de la tradition, dont l'excellence et le caractère sacré ne sont presque jamais mis en doute.

Mais les « communautés de mestiers » constituent simplement la catégorie de « corps » la mieux connue, sans doute aussi la plus répandue dans les villes anciennes. Il en était de plus modestes; il en était de plus brillantes.

Ces dernières confisquaient plus volontiers le vocable assez distingué de « **corps** » (avec l'acception de nos actuels « corps constitués »), ou prenaient celui de « **compagnies** », qui l'était plus encore. A l'intérieur donc du Tiers État, mais aux dignités et aux rangs les plus élevés, marchaient donc les premiers les officiers de justice du Roi — une dizaine dans une ville moyenne —, puis ses officiers de finances, un peu plus nombreux, puis les juges seigneuriaux puis, dans l'ordre, ces auxiliaires indispensables : les avocats, les procureurs (nos avoués), les greffiers, les notaires (alors modestes), les huissiers, les sergents; chaque compagnie avec ses statuts, ses privilèges collectionnés, ses chefs, ses habitudes de réunion, sa caisse, et une mentalité corporative si accusée qu'elle avait abouti, avant Louis XIV, à la création de « syndicats » (mot du temps) assez fortement structurés et revendicateurs pour avoir contribué au déclenchement de quelques frondes. Parmi ces hommes en noir, détenteurs d'une parcelle de l'autorité royale, s'étaient glissés les médecins (qu'on n'appelait jamais « docteur »), qui disputaient aux avocats leur place à la procession.

... « Après les principaux praticiens » (du droit), écrivait Loyseau au début du XVIIe siècle, « suivent à Rome et en France les marchands... les derniers du peuple qui portent qualité d'honneur, estans qualifiez honorables hommes ou honnestes personnes et bourgeois des villes, qualitez qui ne sont attribuées ni aux laboureurs, ni aux sergens, ni aux artisans, et moins encore aux gens de bras qui sont tous reputez viles personnes [1]. » Parce que les marchands remuent des objets matériels, les gens de basoche comme Loyseau ne leur accordent, et même aux négociants, qu'une estime médiocre; leur rôle réel est évidemment plus considérable que leur simple rang. Il faut pourtant souligner que les plus grands marchands constituent rarement un « corps » très structuré. Presque tous sont fortement individualistes, anti-étatistes, partisans d'une liberté économique totale, et séparés par de dures concurrences d'entreprises. Aussi s'organisent-ils collectivement d'une manière souvent lâche, ou épisodique : lutte contre des « corps » (drapiers contre négociants en draps, par exemple) voisins aux prétentions inacceptables, contre les prétentions « dirigistes » des ministres, « sociétés » plus ou moins éphémères, élection indispensable, en leur sein, des juges des très utiles tribunaux consulaires, créés au XVIe siècle sur le modèle lyonnais, survivants encore au XXe siècle.

A l'autre extrémité de l'échelle des corps urbains, les nombreux **agriculteurs des villes** offrent aussi, mais pour d'autres raisons, une assez **médiocre organisation.** Cette médiocrité réalisait une sorte de compromis entre l'inorganisation propre aux gens de la campagne et le « corporatisme » de ceux de la ville. On trouvait habituellement une ou deux communautés mal liées de laboureurs, jardiniers, vignerons, que n'attachaient guère que le festoiement tout juste religieux de quelques saints rustiques, des requêtes nécessaires pour la « fermeture » et le ban des vignobles, et parfois un rôle de dernier plan dans l'élection des échevins. Quant aux journaliers et « gaigne-deniers », qu'ils se soient ou non rattachés à un quelconque « mestier » où ils œuvraient épisodiquement, cela n'ajoute rien à leur situation de fait, instabilité et misère.

Ordres, mestiers, corps et communautés ne renfermaient jamais la totalité de la société urbaine. Toutes les femmes seules (sauf quelques veuves de

---

[1]. *Traicté des Ordres et Simples Dignitez...*, édition de 1613, VIII, 45.

maîtres), si nombreuses dans le célibat et la « viduité » (veuvage), tous les domestiques (assez près du dixième de la population urbaine), presque tous les manouvriers, tous les instables, les marginaux et les asociaux se mouvaient hors des « cadres corporatifs » classiques. L'on sait déjà qu'ils étaient à peu près inexistants à la campagne; à la ville, ils ne réunissaient pas, loin s'en faut, la totalité de la population; encore découvrirait-on, sur ce point précis, d'étonnantes variations locales, qu'on ne peut évoquer ici.

Faut-il redire que cet échelonnement de groupuscules exprime bien plus **une vision traditionnelle** que des **réalités profondes**? Que les lettrés de l'Ancien Régime (surtout avant le xviiie siècle), hommes aisés formés par l'enseignement le plus sclérosé qui fut jamais, étaient incapables de bien voir la réalité sociale, soucieux qu'ils étaient d'y reconnaître seulement les « ordres divins » et les « ordres romains », et de justifier par des sophismes la place de choix qu'ils occupaient, ou prétendaient occuper dans cette société?

La société urbaine telle que la voient les historiens : des classes inégalement formées

Deux exemples — **le clergé**, la **manufacture textile** — permettent de saisir aisément ce qu'a d'insuffisant et de trompeur la vision traditionnelle par ordres, estats, corps et communautés.

Fortement unifié par son onction sacrée et sa robuste organisation, spirituelle et surtout temporelle, le « premier ordre » du royaume rassemble en un « comprimé » partiel la société française, surtout l'urbaine, mais surtout pas la majorité populaire. La plus haute noblesse dans les évêchés et les abbayes; la grande bourgeoisie dans les chapitres et la plupart des couvents (mêlée avec de la petite noblesse); ce qu'on appellera grossièrement et provisoirement « classes moyennes » dans les cures, les bons vicariats, les couvents plus modestes; le peuple, nulle part, ou presque : quelques moines effectivement mendiants, quelques prêtres « habitués », non pourvus de bénéfice. Des décisions juridiques de 1695 et 1698 ont ratifié la coupure du clergé en deux classes, évidemment appelées « ordres » (le « premier » et le « second » ordre du clergé, lui-même premier des trois ordres) : elles consacraient l'assujettissement du bas-clergé aux évêques.

Dans la première « industrie » d'alors, la manufacture textile, il était courant (mais non général) que tous les drapiers, du plus misérable compagnon au plus opulent chef d'atelier, fussent installés dans la même « corporation ». Il est superflu de redire que les ouvriers n'y jouaient aucun rôle, les plus puissants maîtres détenant tous les postes de direction. Les humbles s'en accommodaient parfois mal, et entraient alors dans des compagnonnages plus ou moins clandestins, premiers organismes, encore archaïques, d'une lutte de classes confusément ressentie. Le plus souvent, ils se contentaient de rumeurs ou d'émotions épisodiques, ou se résignaient. Mais l'unité corporative était plus apparente que profonde.

Comme dans les campagnes, c'est la notion fondamentale d'indépendance économique qui permet le mieux de distinguer les « classes » urbaines en formation, ou vraiment formées.

Les classes dépendantes : les premiers contours des prolétariats urbains.

Les prolétariats urbains — un pluriel nuancé est ici plus exact qu'un singulier sommaire — ont probablement constitué **les groupes les plus nombreux** des villes, sinon la majorité. Leur définition rassemble des caractères simples.

Ils sont à peu près **exclus de la propriété foncière, de la propriété des moyens de production, et très faiblement possesseurs de biens mobiliers.** En d'autres termes, ils ne détiennent ni maison, ni terre, ni outillage autre qu'individuel et manuel. Tous sont locataires, entassés dans une pièce ou deux et paient mal leur loyer, toujours en retard. Mobilier sommaire, vaisselle de terre, linge de chanvre usagé, réserves monétaires ridicules ou nulles, dettes chroniques. **L'endettement** envers le propriétaire, l'usurier de quartier ou le patron constitue peut-être un trait dominant.

Sauf les meilleurs compagnons des métiers délicats (bâtiment, ameublement, ferronnerie), assez bien payés (couramment le double des autres), la plupart de ces pauvres hères présentent **une qualification professionnelle extrêmement faible,** accompagnée inévitablement d'une grande **instabilité.** Beaucoup sont successivement, et presque simultanément fileurs, aides à maçon, moissonneurs, vendangeurs, cureurs de fossés, terrassiers et passagèrement « oysifs », c'est-à-dire chômeurs, sans la moindre indemnité de chômage. Que la maladie, la vieillesse ou la crise économique survienne, et l'« oysiveté » risque de devenir permanente, ce qui ouvre la route à la misère, à la mendicité, au vagabondage. En temps normal, les salaires familiaux (car la femme et les enfants de huit ans travaillent, à moitié ou à quart de prix) couvrent les besoins matériels élémentaires, permettent rarement l'épargne, et ne laissent espérer aucune « promotion » : dix sols par jour au temps de Louis XIV, pour un homme, soit 100 à 120 livres tournois par an, l'équivalent d'une quinzaine de livres de pain par jour en « bonne » période; le double si la femme et deux enfants peuvent travailler; et en temps de cherté, deux à trois fois moins de pain, si le chômage ne survient pas. Une grande **vulnérabilité,** liée à la fois à la santé familiale, au nombre des jeunes enfants, à l'état du marché et de la « conjoncture ».

Le niveau mental de ces populations accroît encore cette vulnérabilité. Alphabétisation nulle ou insignifiante (on sait dessiner au plus ses initiales, ou une marque de métier), pratiques religieuses fortement teintées de magie et de superstitions remontées d'un lointain passé, alimentation déséquilibrée (trop de céréales, de féculents et de mauvaise « piquette »), hygiène nulle, « fièvres » fréquentes, forte morbidité épidémique, hyper-sensibilité aux racontars, aux rumeurs, aux paniques, facilité, violence et brièveté des « émotions » locales, assez aisément réprimées à partir du règne de Louis XIV.

Une faible part de ce prolétariat est consciente de sa situation; elle cherche à lutter pour ses salaires et son emploi, le plus souvent au sein de divers compagnonnages, d'ailleurs rivaux, obstinément poursuivis par l'Église et l'État; il s'agit alors des métiers du bois, du cuir, des métaux, du livre, qui comportent le plus de qualification. Le monde du textile est capable, au plus, de briser parfois les vitres des patrons les plus durs : cette partie des ouvriers, à la fois la plus nombreuse et la plus proche du prolétariat industriel du XIXe siècle, est l'une des moins organisées et des moins conscientes; sa faible qualification, son bas niveau de vie et sa forte demande de travail semblent la confiner dans l'hébétude ou la résignation. Une frange inférieure assez considérable, sans véritable spécialité, sans grand esprit, sous-prolétariat d'occasion, oscille de la mendicité aux menus travaux, agricoles ou urbains. Enfin tous les marginaux, généralement mieux organisés, profitent, clandestinement ou non, d'une société qui les a rejetés, ou qu'ils rejettent. De ce groupe mal connu de paresseux, d'incapables, de francs voyous, de prostituées et de vide-gousset, il n'est pas interdit de rapprocher des inadaptés passagers comme les soldats en rupture de solde, ou brusquement libérés par la paix. Tels sont les quatre probables « étages » de ces basses classes populaires des villes, encore insuffisamment connues, faute d'études approfondies plus que de documents d'archives.

Malgré ces lacunes de notre information, la dépendance économique, sociale, politique et mentale de ces hommes ne peut être mise en doute. Ils sont à la merci des employeurs, sans jamais aucune garantie d'emploi; ils sont à la merci de fluctuations économiques qu'ils ne comprennent pas; ils sont à la merci des pouvoirs administratifs ou répressifs de toutes sortes, y compris du pouvoir religieux, au fonctionnement desquels ils ne participent jamais, sinon comme témoins muets. **Ils sont systématiquement parqués dans leur condition,** puisque toutes les maîtrises et tous les ateliers sont pratiquement héréditaires. Les quelques cas de « promotion » ou de simple élévation sociale connus relèvent d'aventures individuelles, issues le plus souvent de mariages heureux avec des veuves de maîtres, plus rarement de parrainages bienfaisants ou de dotations pieuses, comme les bourses pour le collège ou le séminaire. La crainte, l'habitude, la religion et les éternels « tranquillisants » (alcool, festivités, littérature orale et écrite d'évasion) assurent les classes supérieures et l'État de leur soumission quotidienne.

Aux confins de l'indépendance économique : « les médiocres ».

« Médiocres » au sens classique, c'est-à-dire **moyens,** ainsi appelait-on avant 1750 les gens qui n'étaient ni « aysés », ni « pauvres ». De petits patrons, des chefs d'atelier, des boutiquiers, les moins opulents des marchands et des rentiers, et aussi des officiers modestes, comme les greffiers et les procureurs : occupations et statuts aussi divers que possible, fortunes et revenus comparables, indépendance habituelle.

Leur foisonnante variété professionnelle ne peut voiler l'essentiel : ces hommes sont **tous propriétaires,** au moins d'un atelier ou d'une boutique, souvent d'une maison entière. Il est rare qu'ils ne possèdent pas aussi un jardin ou une vigne de banlieue, parfois quelques arpents de terre dans le voisinage. Ils ont habituellement **une servante et un ou plusieurs employés,** permanents ou temporaires. Ils détiennent toujours quelques écus bien dissimulés, et un petit paquet de créances, parfois de gages, sur leurs ouvriers, leurs fermiers ou leurs voisins.

Pourvus d'**un minimum d'instruction,** ils savent compter et écrire, s'ils ne lisent guère que des ouvrages pieux, et encore pas toujours. Ils se distinguent du commun par des vêtements corrects et sombres, mais non recherchés, et par une place déjà enviable à la messe, qui peut les conduire jusqu'au poste assez honorifique de marguillier de paroisse. Maîtres dans un « mestier », ou membres d'une « compagnie », il arrive qu'ils y tiennent le rôle de comptable, de trésorier, de garde-juré, et qu'ils concourent au premier degré à l'élection des échevins. Bons clients des notaires, et même des tribunaux, ils veillent de près sur leurs intérêts, arrangent comme autant d'affaires le mariage de leurs enfants, et essaient d'en pousser un au séminaire, un autre au couvent. **Petits notables** de quartier, de métier, de carrefour, au contact des plus grands et des plus petits qu'eux, ils ont pu jouer un rôle dans des querelles locales, dans une émeute, dans une Fronde, mais rarement jusqu'à se compromettre vraiment et payer de leur personne ; beaucoup devaient s'engager plus avant au moment de la Révolution. Cette classe active de moyens boutiquiers, de petits patrons, d'entrepreneurs modestes, de rentiers économes, a le sentiment de son importance, et vise à l'accroître.

Elle n'est pourtant **pas à l'abri des aléas de la conjoncture ;** ses revenus, son pouvoir, son indépendance habituelle peuvent être menacés, et même disparaître. En temps habituel, quelques mauvais payeurs, des faillites en chaînes, un changement des goûts ou des techniques, même une mauvaise santé, suffisent à mettre en danger un atelier ou une boutique, même à le faire sombrer. Quelques prêts malheureux, une mauvaise gestion, l'initiative de concurrents plus hardis ou plus habiles ont parfois vite fait de détruire des entreprises modestes. Quand interviennent la guerre, un blocus même relatif, des désordres monétaires ou de marché, quelque incertitude politique, ou ces grandes périodes souvent alternées de « crise économique de type ancien » ou de contraction d'ensemble (seconde moitié du xviie siècle), bien des « médiocres » succombent, leurs entreprises absorbées par d'autres, et deviennent ouvriers, parfois mendiants, plus souvent ces « pauvres honteux » que l'Église du temps secourait avec dilection. Un certain processus de « prolétarisation » a parfois pu être observé, dans quelques villes, entre l'époque de Mazarin et celle du « Système ».

Inversement, les plus intelligents, les plus adroits ou les plus solides **s'élevaient,** généralement par le négoce, presque toujours par une usure semi-légale, plus rarement, à ce niveau, par la participation aux « affaires » du roi (fermes d'impôts, fourniture aux armées, prêts déguisés). Il était pourtant exceptionnel qu'ils atteignent d'emblée à des offices substantiels et honorables, de bailliage ou d'élection (il fallait une étape intermédiaire).

Les « médiocres », présents dans toutes les villes, qui évidemment ne pouvaient se passer de « maîtres », de petits commerçants, de modestes entrepreneurs dans toutes les activités banales, y ont constitué des minorités nombreuses, souvent à l'aise, parfois remuantes, en définitive stables : de véritables dynasties de drapiers, de maçons, de bouchers, de tanneurs, de procureurs et de notaires s'y observent couramment pendant de longues périodes, avec des patronymes qui changent peu, ou lentement; dans ce milieu, les ascensions et les reculs ne sont pourtant pas exceptionnels, mais l'historien repère plus difficilement les reculs.

Et pourtant, sauf pendant quelques périodes agitées (la Ligue, la Fronde), ils ne jouent jamais le rôle essentiel. A aucun titre ils ne dominent.

Les classes dominantes urbaines

Dans toute ville importante, et toute noblesse mise à part, quelques dizaines de patronymes, au plus, reviennent comme un leit-motiv dans les listes d'échevins, de chanoines de la cathédrale, d'administrateurs des hôpitaux, de juges au bailliage, à l'élection, au consulat. On les retrouve chez les notaires, où ils constituent les plus grosses dots, laissent les plus fortes successions, effectuent les plus importantes transactions et les plus gros investissements, en rentes ou en terres.

Ces **oligarchies urbaines soigneusement apparentées** détiennent des **fortunes** qui, vers 1700, s'expriment couramment par des **nombres de six chiffres,**

parfois sept. Elles appartiennent au plus fort négoce, aux meilleures compagnies d'officiers, à la plus hardie spéculation sur les terres, les rentes, les impôts et les guerres; presque toujours aussi, mais avec de plaisantes exceptions, à la meilleure culture; pour tout dire, à la meilleure bourgeoisie. Elles méritent donc une attention particulière, d'autant plus que la polémique et la confusion s'étant installées dans le vieux problème de la bourgeoisie française d'Ancien Régime, il faut tenter d'y voir clair.

TEXTES

38. Une définition de la ville en 1679

Vile ou *ville*, s.f. Lieu plein de maisons, et fermé de terrasses et de fossez, ou de murailles et de fossez.

Dictionnaire françois, tiré de l'usage et des meilleurs auteurs de la langue, par P. RICHELET, A Genève, chez Jean Herman Widerhold, M DC LXXI, 20 + 480 + 560 + 88 p.

39. Bordeaux en 1715 : les murs

Bordeaux est toujours une ville close, enfermée dans son enceinte du XIVe s., qui la sépare des faubourgs, « hors les murs ». Vers la terre ou vers la mer, on franchit toujours la muraille par les vieux *portaus* incommodes de Saint-Julien, de la porte Dijeaux, du Chapeau-Rouge, des Paux...

Les particuliers ne se faisaient pas faute... d'ouvrir pour leur compte des brèches ou des passages privés dans le mur de ville, d'adosser à celui-ci des échoppes ou des stocks de matériaux. Abus immémoriaux, sans cesse renaissants, comme la législation municipale, qui prétendait les réprimer en obligeant les contrevenants à maçonner ces ouvertures indues et à faire disparaître les constructions abusives. En vain...

La muraille débile facilitait du moins les contrôles policiers. Elle protégeait encore le sommeil du bourgeois. Le rétablissement de l'ordre intérieur et l'éloignement de l'ennemi extérieur n'avaient pas encore assoupi toutes les vieilles angoisses. La nuit venue, à 8 heures en hiver, à 10 heures en été, les portes sont closes. Les jurats ou les portiers en conservent les clés. Seules (5 portes sur une douzaine) s'entrouvrent, aussitôt refermées, à ceux qui arrivent de nuit par marée, ou veulent s'embarquer, ou bien viennent du côté de la terre.

Mal entretenue, pauvre de tours, dévorée par la lèpre des constructions parasites, la muraille n'a plus de valeur militaire. Vestige de temps révolus, dépassée par la croissance des faubourgs, faisant obstacle au développement du port, elle est condamnée aussi bien par les nécessités économiques et la croissance de la ville que par les progrès de l'art militaire...

Dans cette enceinte qui développe son long circuit sur 5 250 mètres (dont 3 050 du côté de la terre) se trouve encore rassemblée une bonne partie de la population...

Bordeaux de 1453 à 1715, t. IV de l'*Histoire de Bordeaux*, par BOUTRUCHE et collaborateurs, pp. 508-510.

40. Dernière confirmation des privilèges de Dijon (1781)

Louis, par la grâce de Dieu Roi de France et de Navarre, à tous présens et à venir, salut. Nos chers et bien amés, le vicomte mayeur, échevins et habitants de notre ville de Dijon, capitale de notre province et duché de Bourgogne, nous ont très humblement fait exposer que les privilèges qui leur ont été accordés par les ducs de Bourgogne leurs premiers souverains, confirmés ensuite par les rois nos prédécesseurs depuis que le duché de Bourgogne est réuni à notre couronne, et en dernier lieu par le feu roi notre très honoré seigneur et ayeul suivant les lettres patentes du mois de juillet mil sept cent dix neuf, outre la justice haute moyenne et basse, civile criminelle et politique [1] dans lad. ville, faubourg et banlieue qui leur est patrimoniale, il leur appartient toutes places communes, épaves, confiscations, dations de tutelles et confection d'inventaires [2] de ceux qui décèdent dans lad. ville..., le pouvoir de condamner et faire exécuter jusqu'à la somme de soixante-cinq sols sans qu'il soit possible d'en appeler... décision et jugement en première instance des crimes et délits... gardes des portes, guet de jour et de nuit...; que lesd. habitans ont d'ailleurs le pouvoir d'élire chacun an le vicomte mayeur qui peut aussi nommer six échevins à la pluralité des suffrages [3] pour l'administration des affaires de lad. ville... que les exposans ont pareillement le pouvoir de tenir et

posséder francs-fiefs et nouveaux acquêts sans pouvoir pour ce payer aucune finance [4], ni être assujetis au ban et à l'arrière-ban [5], qu'ils ont en outre la liberté de tirer aux jeux d'arc, arbalète et arquebuse..., la permission de chasse et de pêche [6] ainsi qu'aux autres villes capitales de notre royaume, le droit de foire franche les premiers de février et de juillet... et plusieurs autres franchises et exemptions, droits, coutumes et libertés... dont ils ont toujours paisiblement joui... (et ont) supplié de leur accorder nos lettres de confirmation... *(tous ces droits sont confirmés par la suite du texte)*

Donné à Versailles au mois de décembre l'an de grâce mil sept cent quatre vint un et de notre règne le huitième. Signé Louis. Visé Hue de Miromesnil et, plus bas : Par le Roi, signé Amelot.

Extrait des archives communales de Dijon, publié dans *La Bourgogne des Lumières, 1715-1789*, éd. par Académie de Dijon, Centre Régional de Documentation Pédagogique, 1968, pp. 87-88.

41. Bordeaux en 1715 : aspects des quartiers

... En dehors des jardins conventuels, des *cazaus* privés et de la place de l'Ombrière (ou du Palais), les espaces libres et les places publiques sont rares. Les cimetières ou « porges » en tiennent lieu... (Presque partout) l'entassement des maisons interdit les déploiements de foule. A l'exception de la rue d'Albret, aucune voie nouvelle n'avait été ouverte dans les vieux quartiers, dont l'aspect ne

s'était guère modifié depuis le XVe siècle. Les rues étroites, leurs ruisseaux médians, les eaux croupissantes, les odeurs sont les mêmes que jadis. Là où ils n'ont pas été recouverts, la Peugue et la Devèze laissent voir les mêmes eaux souillées. Des maisons vétustes menacent ruine, et s'effondrent parfois... En dépit des arrêts du Parlement, aucun souci d'alignement n'impose un frein aux constructions

---

1. Politique, de police; administration urbaine.
2. Ces trois droits appartiennent habituellement à la justice seigneuriale, ou au notaire qui y est attaché (le seigneur pouvant être le roi).
3. En réalité, cette élection n'est plus qu'un simulacre depuis le XVIIe siècle.
4. Droit, habituellement payant, des roturiers d'acquérir des fiefs (terres nobles).
5. Service militaire, d'origine féodale, encore demandé sous Louis XIV.
6. Habituellement, droits stricts du seigneur, ou même du seul noble.

anarchiques ou aux empiètements des riverains...

Dans ce fouillis, chaque quartier conserve une certaine originalité, qu'il tient de son passé, de ses traditions, de ses fonctions économiques et de la qualité sociale de ses habitants. Vers 1715, la vie des quartiers est encore le reflet d'un état de chose qui remontait au xiiie siècle. Les limites imprécises de ces communautés de fait ne coïncident pas forcément avec celles des quinze paroisses urbaines, au territoire souvent exigu... Les quartiers ne sont pas non plus des ensembles parfaitement homogènes... Les plus beaux ont leurs verrues. Les plus moisis recèlent de belles demeures...

Bordeaux de 1453 à 1715, op. cit., pp. 510-511.

42. Le « contenu » socio-professionnel d'une ville moyenne à la fin du XVIIe siècle

Analyse du « roolle » de la « subvention » (équivalent local adouci de la taille) de la ville de Beauvais en 1696.

Le « roolle » est dressé, maison par maison, suivant un itinéraire traditionnel parcourant les 12 paroisses de cette ville d'environ 13 000 habitants. L'imposition atteint chaque chef de famille non exempt; un feu correspond ici à peu près à une famille, plus tous les célibataires vivant seuls et âgés de plus de trente ans.

1. *Feux exempts d'imposition (privilégiés)* : 1 050 feux ou personnes.

Ecclésiastiques : 460 personnes (séculiers et réguliers).

Familles de gentilshommes : 4 (nobles du terroir résidant en ville, fait rare).

Officiers non nobles, mais exempts : 57 feux (Présidial 15; Election 16; maisons royales et princières 17; divers 9).

Ouvriers privilégiés de la Manufacture royale de tapisserie : environ 100 (feux).

Pauvres renfermés : environ 350 personnes (Bureau des Pauvres 300; Hôtel-Dieu 50).

Jeunes mariés de l'année : 39 (dans cette ville, ils sont exempts la première année de leur union).

Chefs de famille absents parce que partis à la guerre : 51.

Chefs de familles absents sans raison connue : 49

... et celui qui a abattu le papegai! (concours de tir annuel).

2. *Feux imposés : le monde du textile (laine et lin) 745 feux.*

Marchands : 99.

Fabricants de draps et de serges : 104 (il s'agit à la fois de moyens et de petits patrons).

Ouvriers du textile : 542 feux (sergers 130; tisserands 117; peigneurs 96; laneurs 64; tondeurs 26; fileuses nommément désignées 68; teinturiers 18, etc.).

3. *Feux imposés : le monde banal de la boutique et de l'artisanat* : 582 feux.

Alimentation : 211 (boulangers 60; bouchers 28; cabaretiers près de 100... etc.).

Vêtement : 204 (tailleurs 21; couturières 34; cordonniers 37; savetiers 54, etc.).

Habitation, outillage : 167 (maçons 26; menuisiers 27; serruriers 11; cloutiers 14; chaudronniers 8; cordiers 12, etc.).

4. *Feux imposés : petites gens dont la profession n'est pas indiquée, mais la « cotte » faible — moins de 10 livres — :* 468 feux.

211

Les « veuves » imposées à moins de 10 l : 230;

Les « filles » : 111;

Les « pauvres » nommément désignés, imposés à quelques sols : 127 feux (en général, ces trois catégories filent de la laine).

5. *Bourgeois, hommes de loi et « artistes » non exempts : 317 feux.*

Bourgeoisie rentière : « bourgeois » nommément désignés, 58; « veuves » taxées à plus de 10 l., 49; « filles » taxées à plus de 10 l., 29.

Hommes de loi, auxiliaires de justice, etc. : 159 (dont 5 notaires, 15 avocats et 24 procureurs).

Corps de santé : 22 (6 médecins, 5 apothicaires, 11 chirurgiens — les deux premiers groupes prétendant exercer un « art » et non un « mestier »).

6. *Semi-ruraux de la ville et des faubourgs : 221 feux (l'effectif d'un gros village).*

Laboureurs : 7.

Airiers (jardiniers) : 37.

Vignerons : 80.

Manouvriers : 24.

Artisans semi-agricoles : 69 (dont 18 tonneliers et 15 maréchaux-ferrants).

Arch. dép. de l'Oise, B 1638, rôles d'imposition de Beauvais, analyse sommaire.

N. B. — La répartition de l'imposition totale (14 878 livres, en moyenne 6,60 livres par feu imposé) ne manque pas d'intérêt; en voici un tableau sommaire :

Moins de 2 livres.........	1 218 feux
De 2 à 9 livres.........	617 feux
De 10 à 30 livres.........	297 feux
De 30 à 60 livres.........	99 feux
De 60 à 90 livres.........	17 feux
Plus de 90 livres.........	4 feux

(le plus imposé est le « receveur » de l'Évêché : 400 livres)

Total des feux imposés.... 2 252

Moins de 10 % des contribuables règlent la moitié des impositions de la ville.

GOUBERT Pierre, *Beauvais et le Beauvaisis..., op. cit.,* pp. 256-261 *passim.*

43. Quelques témoignages sur les anciens prolétariats urbains

1. MAMERS : UN TESTAMENT DE 1752

(Jean Launay, compagnon serger demeurant en la maison de François Le Roy, sieur de l'Auberderie, fabricant d'étamines à Mamers, malade au lit, dicte son testament le 31 janvier 1752) :

... « veut et entend que tous ses linges et hardes, consistant en un habit de drap gris blanc, une veste, une culotte de panne couleur marron, un chapeau, deux paires de souliers, six chemises, deux tours de col, un habit et veste de droguet bien usé, deux mouchoirs de coton, trois paires de bas tant bons que mauvais, une tabatière de cuivre dont il est nanty, soient vendus, et le prix d'iceux employés à payer ses dettes, et le surplus ses frais funéraires et à faire dire et célébrer des messes, déclarant n'avoir aucun argent en main et ne luy estre rien deu. »

Minute notariale de Mamers, étude Chevalier, publié par DORNIC François, *L'Industrie textile dans le Maine et ses débouchés internationaux, 1650-1815,* éd. Pierre-Belon, Le Mans, 1955, XXVI-318 p., p. 210.

2. Beauvais : quelques données chiffrées

— *Inventaires après décès :*

Les centaines d'inventaires après décès des ouvriers en laine qui reposent dans les pesantes liasses des justices seigneuriales beauvaisiennes offrent plusieurs traits communs. Ils sont courts et mal écrits : le greffier savait qu'il avait peu de chance de recevoir salaire pour un tel travail. Ils s'achèvent par une renonciation à la succession, assez régulièrement déficitaire. Vendus ou estimés, les meubles des défunts atteignent rarement une valeur de 100 livres tournois, le prix d'un bon cheval... Antoine Bara, serger, septembre 1617, moins de 20 livres ; Jean Comédé, peigneur, mai 1645, 95 livres 10 sols ; Thibault Saulnier, dit « Bicque », tisserand, janvier 1647, 63 livres 11 sols ; Pierre Crestien, peigneur, juin 1650, 62 livres ; Antoine Régnier, laneur, janvier 1651, 64 livres 9 sols. Sautons au siècle suivant : Louis Béranger, tisserand, février 1722, 86 livres ; Antoine Lamory, serger, novembre 1738, 85 livres 17 sols. Les rares papiers signalés aux inventaires ne parlent que de rentes dues, et surtout de petites obligations ; jamais de maison, jamais une « mine » de terre, jamais une « verge » de vigne...

GOUBERT Pierre, *Beauvais et le Beauvaisis, op. cit.,* p. 304.

— *Contours chiffrés de la « populace »,* d'après les rôles d'impositions.

... En 1696, 1 218 feux sur 2 252 étaient taxés à moins de 2 livres... (soit) trois ou quatre journées de travail... Qui étaient ces beauvaisiens ménagés par les collecteurs ? Presque tous les ouvriers du textile. Dans la paroisse Saint-Étienne, la plus peuplée et la plus variée de la ville, 46 sergers sur 54, 20 tisserands sur 23, 22 peigneurs sur 26 et la totalité des fileuses ne pouvaient payer quarante sols d'imposition ; la moitié d'entre eux ne payait pas dix sols. A Saint-Martin, aucun compagnon du textile n'atteignait 40 sols. A Sainte-Marguerite, 50 sur 56 ne dépassaient pas 20 sols. En 1696, dans toute la ville, 106 tisserands sur 117, 119 sergers sur 130, 88 peigneurs sur 96, et toutes les fileuses restaient au-dessous de 40 sols ; 385 sur 481 n'atteignaient pas 20 sols...

Les ouvriers en laine ne formaient pas la totalité des menus contribuables : avec eux, auprès d'eux, l'on retrouve la majorité des compagnons maçons, menuisiers, serruriers, la troupe des savetiers, 35 de ces boulangers qui n'étaient que des cuiseurs de pain à façon, des petits merciers sans grande pratique, presque toutes les couturières et tous les manouvriers, sans compter 82 filles trop anciennes et 178 veuves trop sages, que leur quenouille ne nourrissait pas. En somme, les déchets sociaux du petit commerce, du modeste artisanat et de l'aventure familiale manquée, à côté de la presque-totalité des salariés : telle était la « populace » de Beauvais...

ID. *ibid.,* pp. 262-263

— *Le salaire des bons tisserands valides à la fin du XVIIᵉ siècle*

Il était de 55 sols par semaine, soit environ 9 sols par jour ouvrable... Un ouvrier qui ne connaissait aucun chômage percevait son salaire 270 jours par an : il disposait donc de 7 sols 1/2 par jour... Le pain bis se vendait, dans les bonnes années, 5 ou 6 deniers la livre, poids de Beauvais... soit 1/2 sol la livre poids de marc (489 grammes). Théoriquement, il pouvait en acheter 15 livres. Pour un célibataire, c'était une petite aisance, puisqu'il n'en consommait pas plus de 4 livres. Pour un jeune ménage élevant un ou deux enfants, la vie matérielle se trouvait à peu près assurée, surtout si la femme gagnait deux ou trois sols en filant. Pour un foyer surchargé de jeunes enfants, c'était la gêne... Ces conditions de vie représentent les conditions les meilleures pour les ouvriers... Elles supposent un emploi constant, un coût de la vie reposant sur le pain bis à 6 deniers la livre, des charges familiales modérées et une bonne santé... Or, le prix du pain doubla en 1609, en 1618, en 1623, en 1627, en 1631 et 1632, en 1643, en 1647, en 1674, en 1679, en 1699, en 1714, en 1720. Il tripla en 1649, en 1651, en 1661-1662; il quadrupla en 1693-1694 et en 1710...

ID., *ibid*,. pp. 298-300.

3. AMIENS : LE « GRAND RENFERMEMENT »
(milieu du XVIIe siècle)

(En 1641, un curé donne deux maisons pour y installer un hôpital, et précise qu'on pourra l'utiliser pour l'enfermement des pauvres) « afin de les retirer de leur mauvaise vie, de soulager le peuple de leurs importunités et d'éviter les désordres provoqués par les mendiants dans les églises. »

(En 1654, l'évêque suggère l'internement de tous les « pauvres », et propose un règlement) : « Les pauvres seraient instruits des voies de leur salut et des moyens de gagner leur vie... ils seraient occupés aux arts et métiers qu'ils sauraient, comme de tisserans, tapissiers, sculpteur et autres métiers... et s'ils n'en connaissaient point, à ce qu'ils sauraient mieux faire comme bas, filature et faire ciment. »

(En 1717, l'échevinage accuse les pauvres d'infecter la ville) : « Les vagabonds exhalent une puanteur capable de mettre l'infection dans la ville, et les tristes exemples des enfants nés avec les marques des imaginations de leurs mères, qu'avait frappées le spectacle des estropiés ou des malades, doivent faire prendre par les magistrats les précautions convenables ». »

(Et l'historien conclut) : « La pauvreté n'est plus sainte, elle devient coupable. Parce que l'aumône est impuissante à atténuer la misère et ne suffit plus à entretenir la bonne conscience, la tentation est forte de rechercher le vice et l'imprévoyance à l'origine de la pauvreté. Il faut enfermer les pauvres pour les secourir, pour les mettre à l'abri des tentations funestes, mais aussi pour les punir... »

Documents et textes extraits de DEYON Pierre, *Amiens capitale provinciale... op. cit.*, pp. 352-354.

LECTURES COMPLÉMENTAIRES

Sur les villes en général

Énorme bibliographie, mais synthèses de qualité fort rares.

L'instrument de travail le plus récent :

● DOLLINGER, Philippe et WOLFF, Philippe, *Bibliographie des villes de France*, Paris, Klincksieck, 1967, 752 p.

D'assez nombreux ouvrages anciens ne sont pas périmés, comme :

● BABEAU, Albert, *La Ville sous l'Ancien Régime*, Paris, 1880 (surtout d'après des sources champenoises).

Les ouvrages axés sur l'histoire des institutions sont fort utiles :

● DOUCET, Roger, *Les Institutions de la France au XVIe siècle*, Paris, Picard, 1948, 2 vol. (ouvrage difficile, mais d'une rare solidité).

● ESPINAS, Georges, divers *Bulletins d'Histoire urbaine* parus dans la revue *Annales d'Histoire Économique et Sociale* depuis 1929, surtout en 1933, 1935, 1937, 1939 (critique très judicieuse).

● PETIT-DUTAILLIS, Ch., *Les Communes françaises, caractères et évolution des origines au XVIIIe siècle*, Paris, Albin Michel, 1947, 400 p.

Précieuse somme de démographie urbaine :

● MOLS, Roger, *Introduction à la démographie historique des villes d'Europe*, Louvain et Gembloux (Recueil des travaux d'histoire et de philologie de l'Université de Louvain, 4e série), 1954-1956, 3 vol.

Dans la collection *Les Grandes Civilisations*, deux mises au point récentes :

● DELUMEAU, Jean, *La Civilisation de la Renaissance*, Paris, Arthaud, 1967; le chap. VIII (et le chap. IX) d'une remarquable tenue.

● CHAUNU, Pierre, *La Civilisation de l'Europe classique* (ibid., 1966), le chap. VIII sur la ville et le cadre urbain et surtout le chap. X (Société) sont plus rapides et surtout plus contestables.

Le mieux consiste sans doute à lire de bonnes études urbaines récentes. Deux modèles peuvent être donnés par les thèses de ROUPNEL (Dijon) et DEYON (Amiens) déjà citées à plusieurs reprises.

La réussite récente la plus évidente est l'*Histoire de Bordeaux* (t. IV et V) sous la direction de Ch. HIGOUNET, souvent utilisée dans ce chapitre et le suivant.

Sur la société urbaine, outre les ouvrages précédents et les thèses régionales récentes (la plupart énumérées à l'issue du chap. III, supra p. 75), il est bon de lire ou relire les ouvrages suivants, parfois anciens :

● COORNAERT, Émile, *Les Corporations en France avant 1789*, Paris, Gallimard, 1941, 306 p. (c'est l'ouvrage de base, à peu près définitif).

● Id., *Les Compagnonnages en France du Moyen Age à nos jours*, Paris, Les Éditions Ouvrières, 1966, 435 p. (même appréciation).

● HAUSER, Henri, *Ouvriers du temps passé, XVe-XVIe siècles*, Paris, Alcan, 5e éd., 1927, XLII-262 p.

● Id., *Travailleurs et marchands de l'ancienne France*, ibid., 2e éd., 1930, VIII-231 p.

● Id., *Les Débuts du capitalisme*, ibid., nouv. éd., 1931, XII-326 p.

(Recueils d'articles généralement remarquables, périmés seulement pour quelques idées d'ensemble, comme le

« capitalisme » ou la « modernité » du xvɪᵉ siècle).

Parmi les nombreuses monographies relativement récentes, on peut utiliser :

● Daumard, Adeline et Furet, François, « Structures et relations sociales à Paris au xvɪɪɪᵉ siècle, *Cahiers des Annales* nᵒ 18, Paris, A. Colin, 1961, 97 p. (qui a soulevé des critiques exagérées, et demeure valable).

● Lefebvre, Georges, *Études orléanaises*, t. I, *Contribution à l'étude des structures sociales à la fin du XVIIIᵉ siècle*, Commission d'Histoire économique et sociale de la Révolution, Mémoires et Documents, XV, Paris, 1962, 276 p. (le dernier livre de ce maître indiscuté).

CHAPITRE X

BOURGEOIS ET BOURGEOISIES

On pourrait se contenter de définir globalement « la bourgeoisie » d'Ancien Régime en quatre traits : une espèce **urbaine, roturière, riche, avide de pouvoir** : et l'on obtiendrait un portrait d'ensemble sans risque et sans nuance. Avec plus d'exigence, puisque l'esprit de confusion et l'esprit de passion ont marqué de leur empreinte les vocables de « bourgeois » et de « bourgeoisie », on pourrait proposer une étude systématique et statistique de leurs acceptions successives ou simultanées : au prix d'un gros labeur, de quelques machines et d'un peu de finesse, cette analyse savante donnerait sans doute des résultats.

Nous nous résignerons à une méthode simple, en deux temps : appréhender d'abord, en demeurant près des textes, ce qu'on appelait « bourgeois » dans la France d'Ancien Régime; puis, passant selon une formule devenue banale du « vécu » au « réel », essayer d'atteindre ce qu'on appelle parfois les « structures »; ou, plus simplement, essayer d'interpréter et de comprendre, au-delà des apparences dont se contentaient souvent les contemporains, en tentant de restituer aux divers groupes bourgeois la place qu'ils détenaient à l'intérieur du régime dominant, parfois aussi sur ses marges, peut-être encore en dehors de lui.

1 — Les bourgeois d'Ancien Régime vus par leurs contemporains

Les dictionnaires, les œuvres littéraires et, beaucoup plus significative, la masse des archives permettent de soutenir qu'**une bonne dizaine d'acceptions étaient couramment données au terme de « bourgeois ».**

Les représentations globales et passionnelles

La plus banale et la plus ancienne se ramène pourtant à une pure constatation de **résidence** : le bourgeois habite la ville, la localité où se tient un marché (les premiers « bourgeois » médiévaux ont souvent été liés à des marchés tenus auprès de très vieilles cités, qui s'agrandirent), par opposition au rural, à l'homme de la campagne; la notion de bourgeois se distingue aussi de celle de petit peuple urbain, et désigne une élite urbaine de fait, puis de droit.

Encore cette acception très globale souffre-t-elle, surtout dans le Midi, de notables exceptions, d'ailleurs significatives. En Haut-Languedoc et en Bigorre au moins, des documents aussi courants et incontestables que les compoix (cadastres non dessinés) donnent le titre de « bourgeois » aux plus forts propriétaires résidant sur leur mas, en pleine campagne, et dirigeant effectivement et uniquement leur exploitation. En somme, **une appellation d'estime** accolée au patronyme des paysans les plus riches.

Cet hommage envers la propriété, la réussite et la puissance n'est pas isolé. Au XVIIe siècle, dans le langage courant des ouvriers, il est habituel d'appeler l'employeur (pas forcément le patron) « le bourgeois » : le dictionnaire de Richelet signale cette acception dès son édition de 1679.

Vers 1600, à La Rochelle et sans doute dans d'autres ports, les propriétaires de navires étaient couramment désignés sous le nom de « bourgeois de la nef », y compris dans les contrats notariés; lesdits « bourgeois » pouvaient d'ailleurs parfaitement être nobles.

Il apparaît donc que le terme, sinon le titre de « bourgeois », affirmé par ceux qui le portent et par leurs inférieurs, exprime à la fois la propriété substantielle, l'aisance et la puissance, généralement urbaines (mais pas toujours), généralement roturières (mais pas toujours non plus).

Mais il apparaît aussi souvent que la dénomination de « bourgeois » renferme une assez lourde charge de **mépris** : il est alors prononcé et comme asséné par des hommes ou des groupes d'hommes qui prétendent se situer très au-dessus de la condition bourgeoise. Dans ce domaine, la littérature dite classique peut fournir une imposante quantité d'exemples connus ou oubliés; M. Jourdain en constitue la populaire caricature.

Les nuances les plus fortement péjoratives proviennent naturellement de milieux qui s'estiment d'une qualité exceptionnelle, très au-dessus du « vulgaire » dans lequel ils rangent tout ce qui n'est pas eux, et à l'égard de qui ils prennent bien soin de marquer les distances. Mépris du militaire et du marin envers les « civils », toujours bons à tracasser, qui s'exprime, par exemple, par ce qualificatif de « soldats de bourgeoisie » donné par l'armée régulière aux milices provinciales, de composition surtout paysanne. Mépris de tout ce qui se dit noble d'ancienne extraction envers les anoblis les mieux attestés juridiquement, dont l'exemple le plus connu se trouve dans les diatribes de Saint-Simon contre le « règne de vile bourgeoisie » (répétons que tous les ministres de Louis XIV étaient nobles); sentiment repris avec une sorte de contrition sadique par l'abbé de Choisy, dans un passage souvent cité de ses Mémoires :

> Ma mère, qui était de la maison de Hurault de l'Hospital, me disait souvent : Écoutez, mon fils, ne soyez point glorieux, et songez que vous n'êtes qu'un bourgeois. Je sais bien que vos pères, que vos grands-parents ont été maîtres des requêtes, conseillers d'État; apprenez de moi qu'en France on ne reconnaît de noblesse que celle de l'épée.

(CHOISY, François de, Mémoires, éd. Michaud-Poujoulat, p. 554).

Entendre une femme issue d'une vieille lignée de noblesse politique se rallier aux schémas les plus usés et les plus vivaces à la fois du racisme nobiliaire, voilà qui renseigne assez bien sur la position malaisée de beaucoup de « bourgeois » (ou prétendus tels) dans la « bonne société » d'Ancien Régime. Aristocratique, bien née, ou prétendant l'être, celle-ci accuse la bourgeoisie de petitesse, de mesquinerie, de grossièreté d'esprit. Dès 1635, Sorel faisait dire à l'un de ses héros, malmené par une bande turbulente de jeunes gentilshommes méprisants : « Bourgeois, c'est l'injure que cette canaille donne à ceux qu'elle estime niais ou qui ne suivent point la cour. » (SOREL, Charles, *Francion*, éd. 1635, p. 286). De là aux « philistins » moqués par les jeunes romantiques de la bataille d'Hernani, à l'exécution sommaire de Flaubert (« j'appelle bourgeois quiconque pense bas »), à celle de Gide en son journal (« le bourgeois a la haine du gratuit, du désintéressé ») et à d'autres plus récentes, la filiation dans le mépris est assez frappante.

Révérence chez qui est au-dessous de lui par l'état et la fortune, mépris hautain chez qui se croit au-dessus de lui par la naissance, le mode de vie, la culture (mais non forcément par la fortune), le bourgeois d'Ancien Régime (et nombre de ses descendants) paraît enserré entre des conceptions contradictoires et passionnelles. Il en existe d'autres.

Les représentations juridiques : le bourgeois comme survivance médiévale, l'urbain privilégié

Une bourgeoisie de statut, purement urbaine, s'est créée à partir du xiie siècle. Les statuts ont naturellement varié d'une ville à l'autre, les conditions à remplir pour jouir pleinement et légalement du titre de « bourgeois » et des privilèges attachés à ce titre étant tantôt fort étroites, tantôt plus généreuses. Du xiie au xviie siècle, ces règles anciennes et variables se sont plus ou moins relâchées; le titre de « bourgeois de... » telle ville, devenu parfois un ornement assez secondaire, a pu conserver aussi une réelle valeur : on restait fier de le porter, on se sentait un peu le « champion » de sa ville.

Si cette bourgeoisie de statut ne se trouve qu'en ville, tous les urbains ne sont pas des bourgeois de statut. Pour l'être, la résidence est toujours nécessaire; fréquemment une résidence ancienne, bien que l'« an et jour » suffisent parfois. Et pourtant, résider suffit rarement. Souvent, il faut être au moins un locataire suffisamment éloigné de la pauvreté pour participer aux charges de la ville, militaires et surtout financières. Souvent aussi, une condition plus restrictive s'impose : non seulement le bourgeois doit être propriétaire de sa maison, mais celle-ci ne doit pas se dissimuler au fond d'une cour, et au contraire avoir « pignon sur rue », ce qui concourt à expliquer bien des façades étroites et hautes, avec de longues et obscures « pièces de derrière ». Mieux encore, et cette condition longtemps draconienne fut plus fréquente hors du royaume, était vraiment bourgeois celui qui avait obtenu d'être inscrit sur le « livre de bourgeoisie » de la ville, moyennant à la fois espèces sonnantes et acceptation par les bourgeois en place (*cf.* à la fin de ce chapitre, texte no 47, le cas de Lille).

Même si, le xviiie siècle venu, le sens juridique ancien du vocable a paru s'estomper, ou être effacé par d'autres, il est sûr que ces bourgeois de statut ont continué de bénéficier de **privilèges** parfois considérables, plus considérables que ceux dont pouvait jouir l'ensemble des « habitans et manans » de leur ville. Là encore, une extrême variété est la seule loi générale. Ces privilèges appartenaient, à parts très inégales, aux domaines honorifique, juridique, administratif, financier. Ainsi, les bourgeois pouvaient n'être justiciables, pour certains cas et dans certaines villes, que de tribunaux désignés d'avance; ils étaient partiellement ou entièrement déchargés d'une ou plusieurs impositions, tailles, aides, droits d'entrées, francs-fiefs (que le fisc essayait de récupérer au moins partiellement par des voies obliques). Enfin, tant que les assemblées chargées de l'élection des échevins conservaient quelque liberté, les « bourgeois de statut » y participaient d'office, y tenaient habituellement le rôle principal, étaient parfois seuls éligibles.

Dès le XVI⁰ siècle, des textes qu'on ressassa longtemps avaient l'habitude de considérer que sous le vocable de bourgeois étaient compris « bons citoyens habitants des villes, soit officiers du roi, marchands, gens vivant de leurs rentes, et autres »[1]. Certes, il se trouva un peu plus tard, notamment à Paris, que des gens assez modestes aient droit au titre de bourgeois; il n'en reste pas moins que la triade évoquée ci-dessus énumère classiquement, presque paresseusement, le contenu approximatif du groupe juridique de la bourgeoisie de statut. En réalité, les officiers royaux, détenteurs d'une parcelle de l'autorité royale, imbus de leur formation juridique et de leur dignité, prétendirent très vite former un « corps » bien à part, supérieur, distinct de tout le reste du Tiers État. L'originalité professionnelle des marchands (qu'ils aient droit ou non au titre de bourgeois) était évidente. Enfin, le mot « bourgeois » avait pris en outre, dès le XVI⁰ siècle, un sens assez restreint : il désignait un mode de vie plus qu'un statut, et un mode de vie qui survécut longtemps, et à l'Ancien Régime, et à la Révolution.

La représentation sociale étroite : la bourgeoisie comme mode de vie, un type durable de rentiers

« Bourgeois de X... », « bourgeois vivant bourgeoisement », « bourgeois vivant de ses rentes sans travailler » : dénominations courantes au XVII⁰ et au XVIII⁰ siècle, et qui auraient pu valablement survivre jusqu'à l'effondrement du franc-or, après 1914.

De tels hommes, et de telles femmes (beaucoup de veuves et de « filles anciennes », qu'on devrait étudier), surgissent avec un tel naturel du fatras des archives qu'on serait tenté de camper leur portrait en pied, si Balzac n'était venu, à peine trop tard.

Ils ne tiennent ni atelier ni boutique; mais leurs aïeux en sont parfois sortis. Plus souvent, ces aïeux avaient pâli sur l'écritoire et sous le bonnet, avaient plaidé, ou jugé, ou rédigé des consultations, ou ramassé des fermages et des dîmes pour le compte de quelque puissant; le tout, sans y perdre. En

---

1. Remontrances du Parlement de Paris, 1560, citées par MARION, Maurice, *Dictionnaire des Institutions...*, v. Bourgeois.

était issue la bonne maison ayant pignon sur rue, chambre à l'étage, grenier plein de grain, cours et bâtiments pourvus de bois, de laine, parfois de volailles, cave bien garnie, y compris de piquette pour la servante. Car notre bourgeois « vivant bourgeoisement » est **toujours propriétaire** : au moins une maison, parfois plusieurs, louées soigneusement chambre après chambre, si possible payables d'avance quand les temps sont durs et les logements rares. Propriétaire aussi d'une ou deux bonnes fermes, partie pour la nourriture, le chauffage, la couverture, même le vêtement, partie pour le profit. D'une ou deux vignes aussi, données à façon, pour la boisson et la vente aux amis et aux cabarets, sans payer l'octroi.

Rentiers de maisons et rentiers de terres, mais surtout **rentiers... de rentes.** Malgré une législation tortueuse et des interdictions canoniques faciles à contourner, ce sont les prêts à plus ou moins longue durée et à intérêt plus ou moins légal (5 % à partir de 1665 dans la plupart des provinces, 6 %, 7 % et plus auparavant) qui tinrent longtemps la première place, surtout dans la majoritaire province. Ces rentes constituées dont le mécanisme a été démonté (*supra*, chap. VI) sont en effet « la rente » par excellence : les prêts aux particuliers, gagés sur des immeubles, aux intérêts tombant à date fixe, occupent principalement ce type assez neuf de bourgeois, apparu au XVIe siècle, prospère au XVIIe, promis à une longue vie séculaire. Leur amour des revenus fixes hésite souvent à s'accrocher à la rente d'État, à la « rente sur l'Hôtel de ville » (de Paris), créée au XVIe siècle, multipliée dans des conditions douteuses sous Louis XIII et Mazarin, trop souvent irrégulièrement payée, sujette à des « retranchements » et à des manipulations, qui ne paraissent pourtant pas avoir lassé l'obstination des amateurs, surtout parisiens. Les bourgeois plus avisés, ou mieux introduits, recherchaient plutôt les rentes que constituaient des institutions particulièrement solides : les états de Bretagne, ceux du Languedoc, les receveurs et les fermiers généraux, surtout le clergé, opulent et bien administré. Vers la fin du XVIIe siècle, au XVIIIe surtout, commencèrent à fleurir les rentes viagères et diverses combinaisons du type de la tontine. C'étaient là enrichissements tardifs (mais promis à un bel avenir) du système séculaire, bien assis, juridiquement sûr, de la bonne vieille « constitution », dont les échéances garanties par l'hypothèque tombaient si régulièrement... S'y ajoutait volontiers une dose variable de **discrète usure** : les lourds bahuts de nos rentiers cachaient souvent des draps, des pièces d'étoffe, des bijoux et même des croix d'or que des petites gens gênées avaient déposés en gage moyennant quelques écus. Soutenant le tout, une belle comptabilité confidentielle, d'épaisses liasses d'obligations, de reconnaissances de dettes, et de sentences.

Les plus avisés de ces hommes avançaient des dots, des « finances » d'offices et se mettaient au service de la noblesse de la province, pourvu qu'elle tienne encore des terres et des manoirs, gages ultimes d'un large remboursement. Les plus hardis « faisaient la recette » d'un prieuré, d'un couvent, d'une baronnie : infaillible facteur d'une ascension rapide qui projetterait leur descendance vers des dignités bien supérieures. Mais les vrais bourgeois rentiers n'osaient guère se lancer en de semblables aventures.

Ils préféraient attendre, dans leurs maisons bien garnies et bien closes, entre l'heure de la messe et celle du salut, la venue presque journalière du métayer, du vigneron, de la femme du tisserand, du petit officier, de l'écuyer, de douzaines de petits débi-rentiers. Ils garnissaient leurs cassettes, et recommençaient à prêter et à gager, tout en cueillant çà et là un lopin, une ferme, un manoir.

De tels personnages, installés avec discrétion dans une société qui ne pouvait se passer d'eux, étaient **les hommes de tous les conformismes et de toutes les stabilités.** Leur intérêt bien compris, c'était l'ordre politique, l'ordre économique, l'ordre social, l'ordre moral, l'ordre financier surtout; mais, jusqu'en 1726, les manipulations monétaires les gênèrent souvent. Seuls, les rentiers de l'État, assez maltraités aux périodes difficiles, manifestaient parfois leur colère, et allaient jusqu'à « descendre dans la rue », au moins durant quelques heures, surtout à Paris, lorsque le paiement des « quartiers » (sortes de « coupons » trimestriels) tardait trop, était rogné, ou franchement supprimé. Ils purent constituer quelques groupes hurlants lors d' « émotions » passagères et violentes, de la Ligue, de la Fronde, et même en juillet 1789.

Ce n'est pas au sein de ces bourgeoisies conservatrices, pieuses et mesquines, qu'il faut chercher les « bourgeois conquérants » dont ont glosé quelques historiens pressés. Et pourtant, ils eurent leur utilité, et ont constitué un groupe original, nombreux, typique d'un épisode long de la société française, entre le xvie et le xxe siècle.

Les sentiments des contemporains, les statuts et les rentes aident à appréhender quelques aspects de cette portion roturière, urbaine et aisée de la société à laquelle on appliquait alors le nom de « bourgeoisie ». Mais tous les bourgeois sont-ils là, et ceux qui comptent vraiment apparaissent-ils suffisamment? Il ne semble pas. L' « approche » par les contemporains se révèle ou trop globale, ou trop passionnelle, ou trop délimitée; enfin, elle démêle mal le petit gibier du gros. Quittant désormais ces témoignages précieux, mais étroits, il va falloir se dégager de la lettre et de l'immédiat, et, considérant la société dans son ensemble, y rechercher la place effective tenue par la seule « bourgeoisie » qui compte vraiment, la grande, celle qui organise, qui gère, qui tient les rouages, qui prévoit, qui accumule et qui peut-être investit; en gros, celle dont la fortune s'exprimait alors par un nombre d'au moins 6 chiffres, qui pourraient en faire 7 si l'on tentait de la traduire grossièrement dans l'unité inventée par la Ve République. Certes, la plupart de ces gens n'auraient pas été ravis, en leur temps, de se voir appliquer le seul titre de « bourgeois », parce qu'ils auraient pensé aux petits rentiers. Les querelles d'étiquettes sont subalternes; voyons-les plutôt agir, et vivre.

2 — Les bourgeois d'Ancien Régime vus du xxe siècle

Les bourgeois comme rouages du régime

Dans cette traditionnelle société rurale dominée par des rentiers, dont le plus grand et le seul sacré est le roi, des bourgeoisies diverses, mais volontiers apparentées, assurent les services administratifs, la cueillette de la rente foncière et de l'impôt, les transports et les échanges.

a) Les bourgeois dans le système administratif : les officiers

La présentation systématique du monde des administrateurs, surtout les officiers royaux, est renvoyée au tome 2, consacré principalement à l'État. On se contentera de souligner ici que les officiers, bien que divisés en « corps » et « compagnies » rivales, avaient conscience de former un « estat » qui visait depuis longtemps à se distinguer des autres, surtout du Tiers, dont ils s'écartaient avec une sorte de dégoût, bien que la plupart en fussent sortis. Au mieux, ils se considéraient comme l'émanation, la voix, la partie dominante de ce Tiers plein de gens ignares et non frottés de droit, qui devaient « marcher » loin derrière eux, humblement, comme il sied à de viles personnes. Plus souvent, les officiers prétendaient former un « quatrième estat »; les plus hardis allaient jusqu'à intégrer tous les officiers dans le groupe quasi-royal de « ceux qui commandent »[1] et à le mettre très au-dessus du « peuple qui obéit »[1], ledit « peuple qui obéit » comprenant les trois autres « ordres ou estats généraux de la France ».

De telles prétentions ne s'embarrassaient pas, au temps de Richelieu et Mazarin, d'une opposition systématique et concertée aux envoyés du roi,

---

1. LOYSEAU, Charles, *Traicté des Ordres...*, Advant-Propos, § 17.

commissaires et intendants; opposition qui ne fut jamais ni prolongée, ni héroïque. Hormis quelques épisodes, cette bourgeoisie robine, puissante en ses bailliages et ses provinces, se sentait habituellement fort à l'aise au cœur d'un système politique dont elle était une émanation, une voix, un organe, et qui d'ailleurs lui laissait des privilèges fort précieux, comme de nombreuses exemptions d'impôts. Ses velléités frondeuses (le plus souvent simplement verbales et « catégorielles ») tombèrent sous Louis XIV, et ne reprirent jamais sérieusement; au XVIIIe siècle, malgré quelques criailleries, les bailliages et les élections furent bien rarement les creusets des idées nouvelles, même si certains officiers s'y ralliaient à titre personnel.

Le monde des officiers s'est toujours subdivisé en plusieurs degrés : l'inférieur, fort modeste, celui des greffiers et des huissiers, ne dépassait pas le niveau des « médiocres », évoqués au chapitre précédent; le « strate » supérieur, celui des cours souveraines, n'appartenait pas à la bourgeoisie, mais à la noblesse, tantôt récente, tantôt fort ancienne (*cf.* chap. VIII).

Quant au niveau médian, celui du bailliage, il rassemblait de bons propriétaires aisés, tous apparentés, pères et frères de chanoines, qui avaient acheté des seigneuries dont ils allongeaient démesurément leurs patronymes, influents dans leur ville, habituellement présents à la mairie, prenant à l'occasion quelque bonne « recette », volontiers cultivés. Leur rêve habituel était la noblesse, et beaucoup thésaurisaient pour l'acheter, ou pour que leur fils puisse le faire.

Malgré quelques épisodes imprudents, mais anciens, rien de plus soumis au régime que ces officiers roturiers, si bien installés dans le système juridique, administratif, politique, social et même psychologique, puisqu'ils rêvent de noblesse, et que rien n'est alors plus bourgeois.

b) Les bourgeois dans le système économique fondamental : les ramasseurs de rente

Presque aucun des grands propriétaires seigneuriaux, laïques ou ecclésiastiques, ne trouvait le temps ou n'avait le goût de gérer ses terres, ses dîmages, ses droits « féodaux », tous les types de rentes énumérés au chapitre VI. D'habiles roturiers l'ont toujours fait à leur place, habituellement sans y perdre. C'était l'occasion d'enrichissements assez rapides, pour des hommes déjà à leur aise, courageux, intelligents, procéduriers; certains riches laboureurs, on le sait, tenaient aussi ce rôle, et ont pu mériter ainsi d'être rangés dans la « bourgeoisie rurale ». Il est à peine exagéré de dire qu'une bonne partie de la meilleure bourgeoisie d'Ancien Régime fut **préposée au ramassage** en même temps qu'à la gestion : ramassage des blés, des vins, des bois, des toiles, des écus, et aussi des impôts. Prélever, rassembler,

225

véhiculer, échanger, monnayer, transformer : l'essentiel peut-être de l'ancienne fonction bourgeoise était là.

Sauf accident, il en résultait une accumulation de capital souvent considérable. Que devenait-il?

De nombreuses monographies ont été rédigées sur ce sujet; aucune étude d'ensemble n'est disponible, et elle ne serait pas facile à réaliser; l'on est donc contraint de raisonner sur des collections insuffisantes d'exemples.

Il est clair que les grands « receveurs » d'évêchés, de chapitres ou de baronnies ont souvent commencé par se procurer hôtel en ville et corps de ferme à la campagne, pour la sûreté autant que pour la parade. Ce n'était qu'une étape. Les plus adroits des grands ramasseurs pouvaient choisir entre deux voies, et prenaient parfois les deux. Les uns s'engageaient dans les « affaires » du roi, c'est-à-dire qu'ils percevaient ses impôts et lui avançaient de l'argent : nous les retrouverons au paragraphe suivant. Les autres bifurquaient vers les offices importants; leurs descendants, après un « décrassage » plus ou moins rapide, accédaient au Parlement, puis aux grands emplois de l'État. Ne rappelons que deux exemples : les Dreux devenus marquis de Brézé après avoir « fait la recette » d'évêchés poitevins; l'illustre maison parlementaire et ministérielle des Lamoignon, sortie de la « recette » des biens de la maison de Nevers. C'est dire et c'est redire (*cf.* chap. VIII, *in fine*) que, tôt ou tard, la fortune issue des grandes « recettes » conduit infailliblement à la noblesse, et même aussi à la puissance.

c) Les bourgeois dans le système financier : ramasseurs d'impôts et banquiers du roi

L'examen du système financier de la royauté d'Ancien Régime trouvera place au tome 2. Mais chacun sait que là gisait l'un des points faibles du régime : les impôts étaient compliqués, multiformes, inégaux, difficiles à collecter, lents à rentrer. Le roi ne disposait pas d'un personnel assez nombreux, ni parfois assez compétent, pour assurer la perception et le transport de toutes les sortes d'impôts dans toute l'étendue du royaume. Il se trouvait donc contraint de déléguer à des compagnies de **« traitants »** (il signait avec eux un « traité ») la collecte d'une bonne partie des contributions, notamment celles que nous appellerions indirectes. Ces financiers étaient presque toujours des bourgeois puissants et avisés, souvent même les propres officiers de finances du roi, souvent aussi de grands receveurs de seigneuries importantes, d'états provinciaux, parfois de grands marchands. Leurs bénéfices ont été exagérés par les pamphlétaires et la malignité publique; il n'est pas douteux qu'ils aient été importants, et en général légaux. Aussi, de temps en temps, en partie pour calmer l'opinion, l'État proclamait qu'il allait « faire rendre gorge aux traitants » en organisant des chambres de justice, sortes de tri-bunaux d'exception (sous Colbert et en 1716 notamment), dont les récupé-rations n'étaient pas négligeables.

Sauf quand ils échouaient ou finissaient en prison, les traitants étaient promis aux plus brillantes destinées. Les plus riches familles parlementaires parisiennes du XVIIIᵉ siècle, F. Bluche l'a montré, eurent toutes pour ascen-dants, masculins ou féminins, des hommes de la finance; la finance donna même à la France une quasi-reine, Jeanne Poisson, devenue marquise de Pompadour.

Une partie de ces auxiliaires financiers de la royauté jouaient un rôle connexe, où ils n'étaient pas seuls. Souvent, surtout lorsqu'ils menaient la guerre, les rois avaient un besoin immédiat d'argent frais, en grande quantité. Les prêteurs pouvaient être les traitants eux-mêmes. D'autres fois, c'étaient de très grands négociants comme le malouin Magon ou le rouennais Le Gendre, à la fin du règne de Louis XIV. Plus souvent, il s'agissait d'hommes d'affaires de classe et de « surface » internationale, qu'on appelle habituel-lement **« banquiers »,** assez improprement, car le banquier du temps (qui fait le change et assure la circulation des effets de commerce) n'est pas for-cément un personnage de grande envergure.

Du XVIᵉ au XVIIIᵉ siècle, ces grands prêteurs ont souvent été des **étrangers.** Les rois du XVIᵉ siècle ne pouvaient payer leurs guerres qu'avec l'aide des banquiers de Lyon, presque tous italiens, souvent florentins, siennois ou lucquois. Richelieu leur adjoignit quelques Hollandais et quelques Allemands, les descendants des précédents banquiers étant devenus prélats (Gondi, Zamet, Bonzi, etc.). Mazarin revint naturellement aux Italiens : les Cenami, les Airoli, les Cantarini, un pied à Lyon l'autre à Paris, étaient en même temps ses banquiers personnels et ceux de l'État; lorsqu'ils fléchirent (en partie par sa faute), l'Allemand Hervarth, passé par la Suisse et par Lyon, monta au premier plan : c'est à lui qu'écrivait le jeune Louis XIV, Mazarin à peine décédé, pour obtenir quelques millions d'argent frais; il tenait aussi salon, et sa femme protégea La Fontaine. Après 1685, on utilisa presque sans discontinuer les services de grands négociants-armateurs-ramasseurs d'impôts et affairistes (tout cela à la fois) comme Le Gendre, Bernard, Demeuves, Crozat, les frères Pâris; puis, très vite, toute la série des grands banquiers protestants, suisses d'origine, souvent genevois, passés par Lyon : ces Tourton, Saladin, Mallet, Perrégaux, Hottinguer, Mallet, pour finir (provisoirement) par l'illustre Necker. Les activités complexes, toujours internationales, de ces familles et de bien d'autres ont déjà été exposées par Herbert Lüthy; beaucoup de découvertes, et de taille, restent encore à faire. Mais leur position par rapport au régime est assez claire néanmoins jusqu'en 1750.

La monarchie a besoin d'eux et paie largement leurs services, en hypothéquant les revenus futurs du royaume, tant qu'elle le peut. Réciproquement, ils ont besoin d'elle, puisqu'elle leur fournit de nombreuses occasions de fructueuses affaires, dans la ferme des impôts d'un pays riche, dans les fournitures de guerre et, moins directement, dans l'agiotage boursier et la spéculation immobilière. Et puis cette monarchie les anoblit, au moins dans leurs fils, qui seront comtes, marquis, présidents au Parlement, tandis que la plus ancienne noblesse se dispute leurs filles, fréquente leurs salons, souvent aussi brillants qu'éclectiques, les admet dans les siens, quand elle en a. Leur réussite a pu faire gronder quelques âmes pures et quelques gentilshommes grincheux, un La Bruyère, un Saint-Simon. En vérité, **à ces niveaux, il n'y a plus de distinctions de naissance, de caste, d'ordre ou de vanité.** Tous appartiennent, s'ils réussissent, à ce même milieu où toutes les origines se mélangent dans l'opulence, les tripatouillages, le luxe, le goût, le mécénat, l'esprit, la philosophie des Lumières parfois la plus hardie. L'antagonisme supposé de la noblesse et de cette « bourgeoisie » n'apparaît plus qu'épisodiquement, ou superficiellement. **Au sommet, les barrières sont abolies : l'élite financière, politique et culturelle est une.**

d) **Les bourgeois dans le système commercial : la bourgeoisie négociante**

Laissons les boutiquiers de partout dans le groupe des « médiocres », où nous les avons cantonnés au chapitre précédent. Le mot de « négociant » n'émergea vraiment qu'au temps de Louis XIV, spécialement quand Jacques Savary leur conféra une sorte de consécration en publiant son **Parfait Négociant,** en 1675. Mais la chose est bien antérieure.

Dans chaque ville de quelque importance, les meilleures fortunes bourgeoises sont souvent celles des **marchands,** des grands marchands. Un bon marchand d'Ancien Régime fut longtemps peu spécialisé; il a acheté et vendu de tout, ou presque. Certes, il l'est devenu peu à peu, mais jamais complètement. Il a noué des relations étroites avec des marchands d'autres villes, y compris des villes étrangères. Il a des correspondants attitrés, au xvie siècle, à Anvers; au xviie, à Amsterdam; bientôt aussi en plusieurs grandes places d'Europe. Il a forcément dû s'intéresser aux transports internationaux, donc à la marine; aux conversions et aux transferts de monnaies et de signes monétaires, donc à la banque internationale, d'abord italienne, puis allemande, hollandaise, suisse, anglaise, dont les agences se sont d'abord situées à Lyon, épisodiquement à Rouen, puis à Paris. Un « parfait négociant » est obligatoirement lié avec les contrées d'où viennent les espèces monétaires, les Indes de Castille (Amérique espagnole), d'où l'on accède à partir de Séville, puis de Cadix; avec les contrées où se font les plus merveilleux profits : toujours les Indes, puis les « Isles » (Antilles, Saint-Domingue avant tout), enfin la « mer du sud » (Pacifique). C'est dire que la mer appartient nécessairement à son horizon, même s'il habite Grenoble.

De telles liaisons et de telles activités imposent des **conditions de vie** très différentes de celles des « bons bourgeois », rentiers ou officiers : une éducation technique (où les Français ont tardivement excellé, malgré les modèles italiens, puis hollandais, puis anglais), une grande agilité d'esprit, une correspondance abondante et organisée, une rigoureuse comptabilité (où les Français furent également de tardifs élèves), la faculté de mobiliser des espèces et du crédit dans un cercle qui dépasse largement le cercle de la famille et de la cité (mais les « associations » ont trop souvent été timides, étroites, peu durables), la possibilité surtout de conserver des créances durant des mois et des années, tant était lente la rotation des convois, des espèces, des lettres de change. Si bien qu'il arrivait couramment que l'essentiel de la fortune d'un grand négociant « roule » à l'extérieur, et soit faite de papiers; il arriva même qu'un bon négociant fût un propriétaire assez modeste (une ou deux maisons, quelques terres, une seigneurie); il arriva surtout qu'un négociant ait connu successivement des profits miraculeux (certains « voyages aux Isles », la traite des nègres, doublaient largement le capital engagé) et le danger de ruine (pertes de cargaisons, mauvais payeurs, faillites retentissantes de débiteurs importants, guerre avec blocus efficace, révolutions monétaires, etc.). **Le capital du grand négociant, difficile à saisir, est mobilier, fluctuant, incertain.** De plus, malgré des livres et des ordonnances qui visent à rendre honorable et non dérogeant le « grand commerce », le « commerce de mer », la profession n'est pas toujours bien prisée, ni par la noblesse entêtée de sa « race », ni par les dévôts et les jansénistes, qui ne sont pas loin de considérer l'enrichissement comme un péché. Dans l'ensemble, la mentalité française à ce sujet est fort éloignée de l'italienne, de la hollandaise, et surtout de l'anglaise.

Ce type de riche bourgeois (comment lui refuser cette appartenance?) se situe, par son activité, son genre original de fortune, et sa mentalité (celle du risque) **aux antipodes du « bon bourgeois** vivant de ses rentes sans travailler »**, et assez loin aussi de l'officier, et même du ramasseur.** Sa descendance, pas toujours préparée à subir les aléas du commerce et le mépris plus ou moins nuancé dans lequel le beau monde le tient, a fréquemment tendance à abandonner, à rechercher la sécurité, ou un « estat » jugé plus brillant. Les enfants achètent des offices ou deviennent chanoines; les petits-enfants acquerront la noblesse et, pour lui donner du lustre, serviront à l'armée. La plus grande partie des familles marchandes s'est longtemps sentie mal à sa place dans le régime; pour mieux se conformer à ses canons, elles ont fini par épouser la considération « normale » qui s'attache à la possession de seigneuries, de charges importantes, du titre d'écuyer.

Il y eut pourtant **des exceptions,** et de moins en moins rares à mesure que vieillissait le régime. Issue de Savary et de quelques autres, une sorte de propagande visait à donner du lustre, et même un semblant de noblesse au grand négoce, auquel le gouvernement décernait de temps en temps, justement, des lettres de noblesse. On a déjà cité l'exemple de ces grands armateurs (et négriers) nantais anoblis qui continuèrent cependant à vendre du sucre et des esclaves jusqu'aux orages révolutionnaires (dans lesquels ils ne furent jamais du côté du « mouvement »); mais, sans la Révolution, leurs descendants eussent-ils persisté? D'autres, même anoblis, élargirent le champ de leurs affaires : du négoce, ils passèrent aux « affaires du roi » aux compagnies de traitants et aux associations de prêteurs (le roi, d'ailleurs, leur imposait des prêts, en confisquant par exemple une partie des « piastres » importées d'Amérique, et en donnant du papier à la place). Les armateurs du Ponant, les Lyonnais, les Parisiens s'entendaient assez à multiplier les activités, à mêler la finance aux expéditions lointaines et au commerce de gros; ils prenaient place alors parmi ces compagnies d'auxiliaires financiers du régime dont il a été précédemment question.

Et pourtant, ce fut dans ces milieux marchands que prirent naissance certaines **formes d'opposition** au régime économique, et, partant, politique. En substance, une critique de la politique protectionniste et autoritaire que symbolise le nom de Colbert, feutrée et polie tant que le ministre vécut, qui pourtant arrivait difficilement à recruter des actionnaires pour les compagnies de commerce qu'il avait créées. Celui-ci disparu, une campagne ouverte se déclencha contre son « système ». Le point essentiel, c'est que les négociants du royaume ne concevaient leurs affaires que dans la liberté. A plusieurs reprises, surtout à partir de 1700, leurs chambres de commerce et leurs « députés du commerce » le firent savoir hautement; dans la pratique des affaires, la réglementation tracassière et mal adaptée était souvent violée, et les agents du pouvoir fermaient parfois les yeux. Tout cela allait couramment à la fraude, jamais à la révolte. Mais ces appels à la liberté en rejoignaient d'autres, qui dénonçaient certaines formes de « despotisme », et qui pourtant ne venaient pas précisément des milieux bourgeois : le groupe Fénelon et les grands députés du commerce, comme le nantais Descazeaux, furent contemporains.

Malgré des exceptions comme celle-là, l'ensemble des groupes bourgeois fort divers que nous venons de passer en revue — administrateurs, receveurs, traitants, négociants — étaient à l'aise dans cette société et ce régime, qu'ils contribuaient beaucoup à faire fonctionner. S'ils étaient modérément fortunés, ou sages, ils coulaient de paisibles existences familiales et provinciales dans la propriété tranquille, la rente assurée, occupés de bons mariages, de belles successions, et de potins de paroisse. Avaient-ils de l'ambition, et des moyens, que la noblesse finissait toujours par leur ouvrir ses portes, à eux ou à leurs descendants, puisque la plus grande partie de ces bourgeois vivaient les yeux fixés sur elle. Plus adroits ou plus chanceux, ils parvenaient beaucoup plus haut. Ils s'intégraient dans cette élite de l'argent, de la réussite, de l'ostentation, du luxe, souvent aussi de la culture et de l'esprit qui, toutes lointaines origines familiales mêlées ou courtoisement oubliées, faisait des affaires de plus en plus complexes, subventionnait philosophes et artistes, intriguait à la cour, s'étourdissait de plaisirs, d'argent et d'idées. Quant à ceux qui échouaient, ils retombaient dans la médiocrité des petites bourgeoisies ou au fond des massives couches populaires, dans l'oubli.

Sauf cas d'espèce, il n'y a pas antagonismes entre ces bourgeoisies et ce régime, au moins jusque vers 1750.

En fut-il ainsi pour toutes, et toujours?

Des bourgeoisies en marge du système?

Des groupes d'hommes importants, généralement urbains, opulents ou intelligents, se sont progressivement sentis mal à l'aise dans le régime, soit par la nature de leurs activités, soit par leur réflexion. Les « idéologues » (pour emprunter le terme à Napoléon, qui les connaissait bien), les hommes d'affaires internationaux et, peut-être, les nouveaux capitalistes voués à l'industrialisation ont pu, inégalement, critiquer ou gêner ce régime, soit de l'intérieur, soit de l'extérieur. Bien que leur « contestation » ait intéressé surtout la seconde moitié du xviiie siècle, il faut poser au moins le problème du caractère « bourgeois » ou non de ces malaises et de ces offensives.

a) Les idéologues

Dans les livres, les brochures, les libelles d'une page, la critique contre le gouvernement — plus que contre le régime — a toujours été une réalité; et cette critique a, par moments, abouti à des complots, à des « émotions », à des mouvements plus ou moins dangereux. Mais on a bien du mal à retrouver leur « signification » sociale, jamais claire, presque toujours contestée par les historiens. On sait bien aujourd'hui que l'opposition huguenote du xvie siècle n'eut aucune coloration sociale spéciale, en tout cas sûrement pas « bourgeoise ». De l'opposition que rencontrèrent Richelieu et surtout Mazarin, l'aspect « bourgeois » ne saute pas non plus aux yeux; certains l'interprètent en termes de « soulèvements populaires », d'autres de révolte nobiliaire; si certains officiers y ont participé, ce fut avec une hardiesse prudente, et jamais jusqu'au bout, quelques individus exceptés. Quant aux « idéologues » qui ont pu préparer, soutenir ou justifier ces mouvements, où les classer socialement? Les hommes de plume sont, ou bien des domestiques gagés, ou bien des indépendants dont le seul point commun est la culture; les qualifier de « bourgeois » n'ajoute rien à leur personnalité, et souvent ils n'appartiennent même pas juridiquement au Tiers État.

On peut également douter du caractère « bourgeois » du mouvement des « lumières ». Du côté des écrivains, de Fénelon à Montesquieu et au baron d'Holbach, la noblesse dominerait plutôt. En revanche, du côté des lecteurs et des disciples, l'attention se porte de plus en plus sur l'apparition d'un groupe nouveau, celui des **« gens à talents ».** Fils de petits officiers, de marchands devenus rentiers, neveux de chanoines, ils ont étudié sous les bons pères, lu et discuté à perte de vue, pénétré encore tout jeunes dans le barreau, le métier de feudiste, les sociétés de pensée et les salons accueillants. Cette jeune classe d'intellectuels hardis constitue-t-elle une fraction nouvelle de la bourgeoisie, et bientôt une faction? Il semble pourtant que les jeunes nobles, surtout de robe, y soient assez nombreux. Cette élite du talent ne dépasse-t-elle pas les subdivisions habituelles? Ne va-t-elle pas constituer la **future « classe politique », toutes origines mêlées**? La Révolution et ses suites le diront.

b) **Des hommes d'affaires internationaux**

Il est bien connu que la Révolution sortit, dans l'immédiat, d'une longue crise financière. Au-delà des très vieilles insuffisances du système financier, la dérobade progressive des habituels prêteurs de la royauté a très proba-blement joué un rôle décisif. Même par l'intermédiaire de Necker, **les groupes de financiers internationaux qui prêtaient au roi de France n'ont plus eu confiance,** et leurs mandants non plus. Les premiers signes de découragement étaient anciens, mais s'accentuèrent avec la guerre d'Amérique. A la même époque, les grands armateurs du Ponant — on le sait déjà pour les Nantais — préféraient s'assurer ou se réassurer à Londres. Malgré les travaux de Lüthy, il faudrait connaître mieux encore ces groupes financiers si souvent helvé-tiques et protestants pour avancer hardiment qu'un groupe capital de grands bourgeois de la finance ont, à partir d'une certaine date, parié contre le régime; on trouverait d'ailleurs, étroitement mêlés dans ces groupes de financiers et de banquiers, nobles et roturiers, clercs et laïques, régnicoles et étrangers. Déjà, le XVIIIᵉ siècle finissant annoncerait le XIXᵉ... D'autant qu'il faudrait vérifier ce qui paraît trop clair : à savoir que la grande banque qui aurait joué contre le régime vieilli du faible Louis XVI, aurait soutenu bientôt les hommes forts qui lui succédèrent tardivement. Les Mallet, les Delessert, les Perrégaux, les Hottinguer, les Lecoulteux et les Périer, « jeunes » générations bancaires contemporaines de Louis XVI, ne se sont-elles pas retrouvées pour fonder et « régenter » la Banque de France?

Ces bourgeoisies-là ne devinrent-elles pas plus fortes que l'Ancien Régime, après l'avoir servi, et s'être servies de lui?

c) **Une bourgeoisie « capitaliste » industrielle**

Économistes et historiens ont essayé de découvrir, au cours du xviiiᵉ siècle, les origines et les premières étapes d'une économie nouvelle, reposant sur l'industrie, préparant le **« décollage »**, le **« take-off »**. Le franchissement de ce seuil suppose une mobilisation de capitaux et d'intelligence qu'une « bourgeoisie nouvelle » aurait seule été capable de réunir. Adopter des techniques nouvelles, souvent d'origine anglaise; promouvoir l'industrie de la houille, du fer, des nouveaux textiles; moderniser l'agriculture en augmentant ses rendements; faire circuler plus loin et plus vite les capitaux et les produits, — tous ces efforts ont été décrits assez précisément. Mais quels groupes d'hommes ont participé aux phases préparatoires de ce « décollage », de ce début de la rupture avec l'économie rurale traditionnelle, seigneuriale et rentière — s'il y eut rupture?

Du côté des prémices de la **« révolution des transports »,** il est assuré que le corps des Ponts et Chaussées (créé dans sa première forme sous la Régence) a joué le rôle moteur. Les frères Trudaine, Péronnet et tous les ingénieurs paraissent appartenir à cette élite de l'intelligence née au contact de la bourgeoisie technicienne et de la meilleure noblesse; la plupart du temps, ils furent soutenus par les grands administrateurs éclairés, presque tous nobles depuis plusieurs générations, qui peuplaient les intendances, les services du Contrôleur général, et même le ministère. L'opposition la plus farouche à la « révolution routière » vint des paysans, qui la payaient d'ailleurs de leur peine et de leurs deniers, sans en apercevoir l'utilité.

Du côté des améliorations importantes proposées (et plus rarement apportées) à **l'agriculture,** rien n'apparut de sérieux avant 1750, année où Duhamel du Monceau publia la traduction d'un agronome anglais, Tull. Puis fleurit la physiocratie. A quel milieu appartenait-elle? A tous les milieux de la culture; mais les nobles, et les plus grands, furent les champions et les hérauts de ce renouveau bruyant : un Mirabeau, un La Rochefoucauld, pour s'arrêter aux plus fameux. Les rares applications des idées développées dans les salons mondains et anglomanes furent le fait de la noblesse plus souvent que de la bourgeoisie. Dira-t-on qu'ils acquéraient une mentalité « bourgeoise » parce qu'ils tentaient enfin de tirer plus de bénéfices de leurs immenses domaines? Quesnay ne s'y trompait pas, qui parlait de la « classe propriétaire » sans s'attarder aux vieilles distinctions...

Restent **les grandes entreprises à caractère « industriel »**. Beaucoup des plus anciennes furent effectivement dirigées par de grands entrepreneurs roturiers : drapiers, teinturiers, apprêteurs, blanchisseurs, le plus souvent négociants qui concentraient les commandes, rassemblaient à la fois la matière première et la marchandise préparée dans des ouvroirs dispersés, et assuraient à leur profit (et à leurs risques) l'expédition et la vente à l'intérieur et à l'extérieur, très loin parfois (pour les toiles de lin, très tôt, Espagne et Amérique espagnole). Les descendants de ces grands entrepreneurs continuaient, ou non, la tradition familiale; certains s'évadaient vers la rente, assortie ou non d'un office, si possible anoblissant; d'autres entraient dans le négoce sur mer et les expéditions aux « Isles », sortant donc de l'entreprise manufacturière. Les échecs et les médiocrités exceptées, tous rejoignaient la noblesse. Rien que de normal.

Après des tentatives antérieures, souvent subventionnées par l'État pour des raisons militaires, apparurent successivement au xviiie siècle de grandes entreprises d'extraction de la houille, de sidérurgie, de verrerie, de cotonnades, de toiles peintes, qui comportaient une nette concentration des capitaux, du travail, des travailleurs et des compétences. D'un accord presque unanime, les historiens de toutes opinions ont longtemps attribué à « la bourgeoisie » le mérite de la création de ces heureuses et décisives nouveautés, — à moins qu'ils ne décident de décerner le nom de « bourgeois » à tous ces animateurs, d'où qu'ils sortent.

Des études enfin approfondies permettent de nuancer fortement ces jugements. Rappelons avec Pierre Léon que, sur 603 maîtres de forges recensés en 1771 et 1788, 304 appartenaient à la noblesse, souvent la meilleure, et 57 au Clergé; que les ducs de Penthièvre et de Béthune-Charost, le prince de Croy et le marquis de Cernay, le maréchal de Lorges et le comte d'Orsay figurent en tête de ce palmarès sidérurgique; que la première entreprise française, Saint-Gobain, était dominée par les Ségur et les Montmorency. Certes, d'authentiques rejetons de la bourgeoisie se sont installés et illustrés dans l'entreprise nouvelle; les meilleurs y ont très vite conquis la noblesse, comme les Wendel lorrains et les Gradis bordelais, pour ne citer que ces exemples. Une forte portion de la noblesse, ancienne ou récente, s'est donc installée très tôt dans l'économie de l'avenir, et a préparé son « décollage ». Même économique, le progrès n'a pas été l'apanage d'une classe qui lui était antérieure; au plus a-t-il pu contribuer à en former une nouvelle, dont les orages révolutionnaires devaient quelque peu perturber la maturation.

Autour et au sein des manufactures, et des premières « machinofactures » modernes, n'apparaît pas de lutte entre une aristocratie nobiliaire « féodaliste » et une bourgeoisie « capitaliste »; les « féodalistes » sont ailleurs, ou se révéleront sous la pression d'événements nouveaux. La fortune, le mode de vie, la culture, l'esprit de renouveau, le désir commun de réformes même politiques unissaient fortement des groupes importants de la soi-disant aristocratie et de la soi-disant bourgeoisie. Sauf dans quelques provinces grincheuses et attardées, **la véritable « coupure » ne se situait pas entre la grande bourgeoisie et la vieille noblesse, rompues l'une et l'autre aux affaires. La « coupure » était entre cette élite mixte et le reste des Français, qu'au fond elle méprisait.**

L'étude des réalités culturelles de l'Ancien Régime va d'ailleurs confirmer amplement cette élémentaire constatation, sur laquelle on n'a pas assez souvent insisté.

TEXTES

44. Définitions de « bourgeois » et « bourgeoisie » : un dictionnaire du XVIIe siècle

Bourgeois, *s.m.* Celui qui est habitué dans une ville. Un gros bourgeois...

Ce mot parmi les ouvriers veut dire celui qui met en œuvre (travailler pour le bourgeois. Le bourgeois veut cela). *(Familier)* : Cela est du dernier bourgeois. C'est-à-dire, peu poli, peu galant.

. . . .

Bourgeois, bourgeoise, *adj.* qui est pour le bourgeois, qui est de bourgeois (pain bourgeois, caution bourgeoise).

(Familier) : Qui n'a pas l'air de Cour, qui n'est pas tout à fait poli, trop familier, qui n'est pas assez respectueux.

. . . .

Bourgeoisie, *s.f.* Le corps des bourgeois, tous ou presque tous les bourgeois d'une ville.

Dictionnaire françois tiré de l'usage et des meilleurs auteurs de la langue par P. Richelet, Genève, 1679, pp. 88-89.

45. La capitation de 1695 et les « bourgeois » : une conception rentière étroite

Pour la perception de cet impôt nouveau, les Français avaient été divisés sommairement en 22 « classes »; les « bourgeois » figurent nommément à trois endroits :

13e classe (taxée à 60 livres) : Les lieutenants de roi et majors des places, présidents et lieutenants criminels des élections et greniers à sel, maires des villes de second ordre, les bourgeois des grosses villes vivant de leurs rentes.

. . . .

15e classe (40 l.) : Les prévôts des maréchaux, gentilshommes possédant fiefs et châteaux, contrôleurs des rentes de l'Hôtel de Ville de Paris, bourgeois des villes de second ordre vivant de leurs rentes.

. . . .

19e classe (6 l.) : Capitaines et majors d'infanterie, gentilshommes n'ayant ni fief ni château, notaires et bourgeois des petites villes, cabaretiers...

Tarif de la capitation, publié par Marion Marcel, *Les Impôts directs sous l'Ancien Régime principalement au XVIIIe siècle,* Paris, Ed. Cornély, 1910, 434 p., p. 245.

46. Définitions de la bourgeoisie

1. Ernest Labrousse : une définition large

Définir le bourgeois? Nous ne serions pas d'accord. Allons plutôt reconnaître sur place, dans ses sites, dans ses villes, cette espèce citadine, et la mettre en état d'observation. Il ne s'agit que d'une opération préalable, provisoire, conservatoire. Le danger est de faire trop petit, de découper en-deçà des frontières possibles. La consigne sera, dès lors, d'inclure dans l'enquête le plus grand nombre de cas, à partir d'un signalement sommaire, fondé, notamment, sur la profession, combinée avec le niveau social... D'abord, l'enquête. D'abord, l'observation. Nous verrons plus tard pour la définition.

... De bonne prise, ici... le groupe des officiers... des commis, des fonctionnaires remplissant une tâche de direction... dont on gardera ce qui n'est pas consolidé dans la noblesse. De bonne prise, le propriétaire, le rentier vivant bourgeoisement, à ne pas confondre avec tel « bourgeois » des livres de bourgeoisie, qui pourra ne devoir sa qualité qu'à un certain temps de résidence dans la ville, et n'être tout bonnement qu'un compagnon. Bourgeoises aussi, naturellement, les professions libérales, au sens de toujours.

Toutes ces variétés supérieures sont sorties de l'innombrable famille des chefs d'entreprise, qui constitue numériquement le gros de la classe : qui, propriétaire ou gestionnaire de moyens indépendants de production servis par un travail salarié, en tire ses principaux moyens de subsistance et s'adjuge notamment le profit commercial et industriel. Famille multiple, depuis le financier, l'armateur, le manufacturier, le négociant, le marchand, jusqu'aux derniers rangs des petites catégories, jusqu'au patronat de boutique et d'atelier, jusqu'à l'artisanat indépendant qui travaille sa matière première avec de la main-d'œuvre salariée et vend directement à la clientèle le produit élaboré chez lui...

Une classe n'a jamais été un groupe homogène, ni total. Ce qui n'empêchera pas, ici, l'ensemble de la classe, née originairement du profit d'entreprise, de se sentir, dans cette société d'Ancien Régime qui ne prendra fin, en Europe occiden-

tale et centrale, qu'entre 1789 et le milieu du XIXe siècle, face à d'autres classes ou à d'autres groupes sociaux, solidaire de certaines valeurs.

LABROUSSE, Ernest, *Voies nouvelles vers une histoire de la bourgeoisie occidentale aux XVIIIe et XIXe siècles, 1700-1850.* in X *Congresso Internazionale di Scienze storiche*, Roma, 1955, *Relazioni*, vol. IV, Firenze, Sansoni, pp. 367-369.

2. PIERRE VILAR : LA DÉFINITION MARXISTE PRÉALABLE

... Je sais que notre histoire n'a pas de vocabulaire. Son « bourgeois » — Eustache de Saint-Pierre ou Henri Ford, le président Molé ou le crèmier du *Bon Beurre*[1] — ne se dégage encore que du talent descriptif des historiens, stade que les autres sciences ont dépassé depuis quatre siècles. Pourtant, quand E. Labrousse demande aujourd'hui de remettre « après enquête » le temps des définitions, je me demande si sa prudence n'est pas excessive... Toute analyse de la réalité part d'un minimum de systématisation, qui donne aux savants un commun langage... Il existe une première approximation de la matière historique. Il n'est que de l'employer. Au surplus, ses succès d'action, ses succès pratiques, ne sont pas étrangers au destin historique du mot « bourgeois ». J'ajoute que cette systématisation est pratiquement la seule. Ses adversaires ne lui en opposent point d'autre, mais un refus de systématiser, de considérer l'histoire comme pensable. Aussi bien quand il s'est agi de saisir le bourgeois dans son origine, et dans sa masse statistique, E. Labrousse l'a-t-il fait en termes marxistes : « celui qui, propriétaire ou gestionnaire de moyens indépendants de production... » (etc. voir ci-dessus)...

---

1. Roman célèbre de l'après-guerre, qui fustige les profits des « crémiers » durant l'occupation allemande.

Nous voilà bien ici devant des critères :

1. Disposer librement des moyens de production. 2. Y appliquer, par libre contrat, une main-d'œuvre qui ne dispose que de sa force de travail. 3. S'adjuger, de ce fait, la différence entre la valeur réalisée par la marchandise et la rémunération de la force de travail appliquée.

N'est pas bourgeois qui ne vit pas, directement ou indirectement, du prélèvement social ainsi défini... Méfions-nous donc d'une conception trop « citadine » de la bourgeoisie... Les professions libérales, parce qu'elles assurent, dans n'importe quelle société, certains services rémunérés par les hautes classes, ne me paraissent pas spécifiquement « bourgeoises ». Et quant aux bourgeois-officiers, aux bourgeois-commis et (sous certaines conditions) aux bourgeois-rentiers, ils ne sont que des bourgeois en sursis. Une belle carrière les fera nobles. Une dévaluation les ruinera...

Le marchand même, le bourgeois-type du Moyen Age est, en un sens, l'antithèse de notre bourgeois. Sa fortune fut aventurière, monopoliste, usurière? Or, le capitalisme ne s'est épanoui qu'en détruisant, par l'extension du marché, ces occasions (limitées d'ailleurs) d'enrichissement. Certes, les dernières aventures du capital marchand fondent l'« accumulation primitive » du capital moderne. Mais l'investissement, aussitôt, change de nature.

Ainsi la définition est d'autant plus nécessaire que le même mot désigne des types contradictoires, et qui se sont mutuellement détruits. Le rapport de production capital-salariat domine notre dynamique sociale... Sans définition et sans théorie, aucune description ne fonderait de science.

Vilar Pierre,
dans *Atti del X Congresso internazionale...* 1955, Roma, pp. 518-520.

47. Bourgeoisie de statut : l'exemple de Lille

Juridiquement les Lillois étaient divisés en deux catégories : les bourgeois et les manants. La bourgeoisie s'achetait auprès de l'échevinage, qui pouvait la refuser, moyennant un droit de 15 livres parisis au XVIIe siècle. Elle était héréditaire à condition que les fils « relèvent » cette bourgeoisie un an après leur mariage *(vraisemblablement en payant une nouvelle taxe, réduite à 10 livres)* ; elle était incompatible avec l'état clérical, mais un noble pouvait être bourgeois de Lille. Cette qualité conférait des privilèges politiques et civils, dont les principaux étaient l'éligibilité au Magistrat *(l'échevinage)*, le droit d'être jugé uniquement, au civil comme au criminel, par les

échevins, l'impossibilité d'être arrêté pour dettes, l'interdiction de saisir les biens et meubles du bourgeois. Ces privilèges, fort prisés au Moyen Age, n'étaient plus beaucoup recherchés à la fin du XVIIe siècle, sauf par les étrangers... (L'on) évalue à un vingtième environ de la population le nombre des bourgeois à cette date. Les manants étaient les autres habitants, sans droits particuliers.

Lottin, Alain, *Vie et mentalité d'un Lillois sous Louis XIV*, Lille, Raoust, 1968, p. 13.

(Les passages entre parenthèses ont été résumés).

48. Deux fortunes d'officiers normands

Chez les officiers des Elections, noble homme Jean de Houtretot, président en celle de Caudebec, avait, le 25 novembre 1618, par son contrat de mariage, 36 615 livres ou journées de travail [1] : son office, que nous pouvons estimer 8 000 livres; une maison à Caudebec que son père lui donnait pour y loger : estimons-la par analogie à 300 livres de revenu et à 6 600 livres de capital; environ 70 acres de terre affermées 9 livres 15 sols l'acre, rapportant donc 682 livres 10 sols qui faisaient 15 015 livres de capital. Son futur beau-père donnait 7 000 livres (dont)... 3 500 livres qui devaient être constituées en 250 livres de rente... Le revenu de Jean pouvait donc être de 2 082 livres : 800 livres au moins de l'office, 682 livres 10 sols des terres, 300 livres de sa maison, 500 livres des sommes reçues de sa ferme. C'était un joli début pour ce jeune homme...

. . . . .

(En 1619), Noble homme Charles Mayne, lieutenant général aux eaux-et-forêts de Normandie, laissait à ses filles peut-être 103 631 livres dont 67 490 livres de biens fonciers (65 %) en maison à Rouen, vavassorerie à Guenouville, quatre fermes d'une superficie totale de 177 acres (valeur inconnue), 12 131 livres en rentes (12 %) : l'office qui peut être estimé 24 000 livres (24 %). Son revenu aurait donc été de 6 978 livres ou journées de travail. Les biens fonciers lui auraient rapporté 3 385 livres (50 %); les rentes étaient de 1 013 livres (15 %); l'office fournissait peut-être 2 400 livres (35 %).

MOUSNIER, Roland, *La Vénalité des offices sous Henri IV et Louis XIII*, Rouen, Maugard, s.d., XXXII-690 p.
pp. 451-454.

49. Un contrat de mariage bourgeois en 1648
(Analyse succincte)

Le futur époux : Jean Borel, 30 ans, receveur général de l'Évêché de Beauvais à partir de 1650, plus tard « chef de panneterie de la Maison du Roi ».

Son père : Pierre Borel, marchand d'étoffes, maire de Beauvais, lui donne 16 000 livres dont 6 868 « comptant en espèces d'or et d'argent ».

Ses quatre oncles : Toussaint Foy, élu en l'Élection, receveur de l'Évêché de Beauvais depuis 1635, des abbayes de Saint-Quentin et Saint-Symphorien depuis 1629

et 1638; Nicolas Gaudoin, élu en l'Élection; Germer Brocard et Toussaint Gueullart, officiers du Grenier à Sel.

La future épouse : Marguerite Pocquelin, 18 ans (aucun rapport avec Molière). Son père, Louis, décédé depuis peu, marchand, bourgeois de Beauvais, échevin et juge-consul; sa mère, Claire Flouret, lui constitue 14 000 livres en dot (dont 6 000 argent comptant).

Ses quatre oncles : Pierre Gavois, mar-

---

1. Cette journée de travail est celle d'un compagnon du bâtiment à Rouen, à la même date; il s'agit d'un des plus élevés parmi les salaires d'ouvriers (*op. cit.*, p. 341).

chand, futur échevin, futur juge-consul; Guy Pocquelin, marchand et bourgeois de Paris « demeurant rue du marché Pallu en la Cité »; Eustache Flouret, chanoine de la cathédrale; Romain Flouret, écuyer, exempt des Gardes de la Reine.

« Articles de mariage » du 11 octobre 1648, minute André Hanyn, Arch. dép. de l'Oise, dépôt de Me Jouan.

50. Ascensions de marchands bordelais

XVIe SIÈCLE : LES PONTAC

... Un Estève de Pontac était potier d'étain à la fin du xve siècle, mais le véritable fondateur de la dynastie est Arnaud de Pontac, bourgeois et marchand de Bordeaux, affréteur en 1496 d'un navire breton, exportateur de vins et de pastel, voire de miel et de plants de vigne, importateur de draps. Il s'était rendu acquéreur au Taillan d'un excellent cru, très apprécié des Anglais. Maire de Bordeaux en 1505, fermier de l'issak et contrôleur de la comptablie, seigneur d'Escassefort en Agenais, l'« honneste homme », puis l'« honorable homme » des années 1500 était « noble homme » en 1504. Une seule vie de marchand avait suffi pour réaliser le passage du négoce aux honneurs.

... Dans le livre de raison de (l'un de ses fils), Jean,... fermier de la Grande Coutume, figurent, en plus d'un pullulement de redevances foncières, parfois minuscules, éparpillées de Belin à l'Entre-Deux-Mers, trois maisons nobles ou seigneuries (dont) Haut-Brion, acheté en 1533... pour 2 650 francs bordelais... Il est le véritable créateur du Haut-Brion...

A la fin du xvie siècle, les biens épars des Pontac s'étendaient de l'Agenais et des rives du Ciron jusqu'aux « pinhadars » de Buch et aux vignes de Saint-Estèphe. Ils avaient fait entrer dans leur patrimoine (douze) seigneuries et maisons nobles... Ils n'étaient pas moins riches en charges et offices profitables et anoblissants : fermiers (d'impôts)... rece-veurs de tailles... notaires, greffier... plusieurs conseillers en Parlement, dont le premier (date de) 1543... deux présidents qui préparent l'apothéose parlementaire d'Arnaud de Pontac, premier président en 1653. La famille donnait aussi à l'Église deux chanoines et un savant prélat : Arnaud, évêque de Bazas.

BERNARD, J. dans *Bordeaux de 1453 à 1715*, t. IV de l'*Histoire de Bordeaux*, Bordeaux, 1966, 562 p., pp. 177-179.

XVIIe SIÈCLE : LES DARRIBAU-DALON

Raymond Darribau le père n'était encore qu'un marchand de la Rousselle et n'avait obtenu qu'en 1616 ses lettres de bourgeoisie : marchand à l'aise puisqu'il donne 20 000 livres à chacun de ses deux fils au moment de leur mariage. Par des prêts heureux à la grosse aventure et d'autres opérations, Raymond Darribau le fils, « bourgeois et banquier », consolide cette fortune. Il marie sa fille unique, dotée de 60 000 livres en espèces et en immeubles, à Raymond Dalon, conseiller du roi au Parlement de Bordeaux. Quelques mois plus tard, en avril 1662, il reçoit ses lettres d'anoblissement en récompense de sa fidélité pendant la Fronde... Son petit-fils Romain Dalon devint premier président du Parlement de Bordeaux.

GITEAU, Françoise, dans *Bordeaux de 1453 à 1715*, *op. cit.*, p. 496.

XVIIIe SIÈCLE : LES GRADIS

... Le grand-père, Diego Rodrigues, n'était qu'un modeste marchand, établi à Toulouse; il en fut chassé et revint à Bordeaux, où il était né, en 1685. Sa fortune n'atteignait pas 10 000 livres de capital lorsqu'il la laissa à ses fils en 1695. David reçut 5 100 livres, beaucoup plus que ses frères, afin de continuer le négoce. Malgré [1] la guerre de Succession d'Espagne, il fit rapidement fortune dans le commerce des vins, eaux-de-vie, toiles et autres marchandises. En 1715, il supporta aisément une perte de 150 000 livres de traites et n'hésita pas à partir de 1717 à faire le commerce des Iles, armant pour cela trois bateaux. Le « Système » lui coûta 115 800 livres, sans que son commerce fût entravé, ni son crédit ébranlé. En 1723, il envoya aux Pays-Bas son fils Abraham pour développer son instruction commerciale et nouer des relations fructueuses. Il l'associa à ses affaires en 1728... En 1731, David Gradis devint bourgeois de Bordeaux : seuls deux de ses coreligionnaires l'étaient devenus depuis 1679. A sa mort, en 1751, âgé de 86 ans, il laissait une fortune personnelle de 400 000 livres, plusieurs biens immobiliers et une maison de commerce en pleine prospérité.

Abraham était depuis longtemps le chef véritable de la maison. Il savait nouer des amitiés influentes : le baron de Rochecouart, M. de la Porte, chef du service des Colonies en 1738; M. de Rostan, commissaire général de la Marine; les d'Harcourt, Berryer... Le maréchal de Richelieu, le duc de Lorges, le maréchal de Conflans furent ses débiteurs... Abraham Gradis prit goût aux armements du roi durant la guerre de Succession d'Autriche. Les avantages en étaient multiples : diminution très forte des risques de perte, certitude d'une rémunération très appréciable, surtout consécration et accroissement de sa réputation commerciale, car, bien sûr, il n'abandonnait pas ses autres affaires. Ces armements demandaient de gros moyens financiers, les paiements étant très lents. Ainsi... en 1755... il obtint... que les envois nécessaires pour approvisionner les magasins de Québec fussent faits par sa maison — ce qui l'obligea en 1758 à expédier 14 bâtiments, dont un seul revint — il lui fallut plusieurs années pour rentrer dans ses fonds... : la somme énorme de 2 700 000 livres. Sa fortune... à son décès en 1780... devait dépasser 10 millions de livres... Pendant sa maladie, « les jurats défendirent de faire sonner la cloche et tirer le canon... pour que le bruit ne l'importunât pas, car sa demeure était voisine de l'Hôtel de Ville ». Il était resté un très bon israélite très pratiquant... Son train de vie était considérable, comprenait une importante domesticité noire, et marqué par de fréquents séjours aux eaux de Bagnères comme à Paris, où il se montrait à l'Œil-de-Bœuf.

POUSSOU, J.-P., dans *Bordeaux au XVIIIe siècle*, t. 5 de l'*Histoire de Bordeaux*, Bordeaux, 1968, 723 p., pp. 348-349.

---

1. Ou grâce à cette guerre.

LECTURES COMPLÉMENTAIRES

Les textes et les travaux qui touchent à la bourgeoisie appartiennent souvent à des études urbaines globales, dont une liste a été donnée à la fin du chapitre précédent ; on en retiendra principalement quelques chapitres de livres récents souvent cités, portant sur Amiens, Beauvais, Bordeaux, Dijon, Orléans, etc.

Les problèmes, surtout théoriques, souvent formels, plus souvent encore polémiques (et la polémique n'a aucune place dans le présent ouvrage) ont été abordés par presque tous les historiens ayant un tempérament systématique. Deux vues différentes, mais sereines, ont été exposées dans les Textes qui précèdent : celles de E. LABROUSSE et de P. VILAR (lors du Xᵉ Congrès international des Sciences historiques, à Rome, en 1955). On peut négliger l'ouvrage très surestimé de SOMBART, Werner, *Le Bourgeois*, trad. française, Payot, 1926, 486 p., mais non pas le pénétrant essai de GROETHUYSEN, déjà cité, *Origines de l'esprit bourgeois en France, l'Église et la bourgeoisie*. On peut prendre une vue sommaire de la conception défendue par R. MOUSNIER et ses collaborateurs dans un certain nombre d'articles et d'ouvrages :

● MOUSNIER, R., LABATUT, J.-P., DURAND, Y., *Problèmes de stratification sociale. Deux cahiers de la noblesse pour les États Généraux de 1649-1651*, Paris, P.U.F., 1965.

● MOUSNIER, Roland, *Les Hiérarchies sociales de 1450 à nos jours*, Paris, P.U.F., coll. SUP, 1969, 196 p.

— Sur la partie bourgeoise du monde des **officiers**, nombreux exemples, surtout normands et parisiens, dans la thèse citée de :

● MOUSNIER, Roland, *La Vénalité des offices...*, Rouen, Maugard, s.d.

— Sur le monde des marchands, une remarquable petite synthèse (européenne) :

● JEANNIN, Pierre, *Les Marchands au XVIᵉ siècle*, Paris, Le Seuil, 1957, 192 p.

Parmi d'autres, deux exemples locaux dans :

● GOUBERT, Pierre, *Familles marchandes sous l'Ancien Régime, les Danse et les Motte, de Beauvais*, Paris, S.E.V.P.E.N., 1959, 192 p.

— Sur le monde de la **finance** et de la **banque**, trois ouvrages :

— une brève synthèse :

● BOUVIER, Jean et GERMAIN-MARTIN, Henry, *Finances et financiers de l'Ancien Régime*, Paris, P.U.F., Que sais-je ?, nᵒ 1109, 1964, 128 p.

— un travail ancien, fort évocateur, sinon rigoureux :

● GERMAIN-MARTIN, Louis et BEZANÇON, Marcel, *L'Histoire du crédit en France sous le règne de Louis XIV*, t. I (seul paru) *Le Crédit public*, Paris, Sirey, 1913, 244 p.

— une « somme », difficile d'accès, mais d'exceptionnelle qualité :

● LÜTHY, Herbert, *La Banque protestante en France, de la révocation de l'édit de Nantes à la Révolution*, Paris, S.E.V. P.E.N., 2 vol., 1959-1961.

On renverra enfin à la mise au point de :

● LÉON, Pierre, sur les « nouvelles élites », dans l'ouvrage à paraître aux P.U.F., *Histoire économique et sociale de la France moderne*, t. II, *1660-1789*.

CHAPITRE XI

MENTALITÉS ET CULTURES : LES NIVEAUX ET LES BARRIÈRES

La plus difficile et la plus passionnante, donc la plus dangereuse des terres à défricher dans l'histoire des siècles d'Ancien Régime, c'est l'histoire **des** cultures, et non de **la** culture, l'histoire des sensibilités, des imaginations et des rêves — ce qu'il est convenu d'appeler sans élégance l'histoire « des mentalités ». Au-delà des élucubrations d'un Michelet et des essais de quelques précurseurs, le pionnier en ces provinces fut Lucien Febvre, qui marqua durablement notre meilleur spécialiste, Robert Mandrou, à qui ce chapitre doit presque tout. En ce genre de recherche encore jeune, deux dangers guettent l'historien : la fragilité des sources, la subjectivité du commentateur. Quelques lignes d'ensemble paraissent tout de même assurées.

Deux barrières, l'écriture courante et le latin, parquaient les Français en trois groupes très inégaux ; et ces trois groupes culturels divisaient profondément le royaume, plus peut-être que les autres facteurs. Nous nous attacherons surtout au plus nombreux des trois.

1 — La culture des analphabètes ————————

Extension de l'analphabétisme

Depuis longtemps, des sociologues qui s'ignoraient, des curieux, des professionnels de l'enseignement ont tenté de mesurer ce qu'on appela, tardivement, l'instruction primaire. La méthode employée, peu contestable, consistait à étudier et dénombrer les obligatoires signatures des nouveaux époux apposées dans les actes de mariage paroissiaux à partir du règne de Louis XIV : le curé devait indiquer qui ne savait pas signer. Une enquête inégalement satisfaisante, mais qui toucha près de 16 000 communes, fut même entreprise au temps de Gambetta et de Jules Ferry par un recteur cultivé, Maggiolo. Ses résultats globaux peuvent se résumer en quelques remarques simples :

1. Les quatre cinquièmes des Français étaient parfaitement analphabètes vers 1685 (exactement 78,7 %, calcul fait sur 219 047 cas);

2. Les femmes étaient beaucoup plus ignares que les hommes (86 % pour les épouses au lieu de 71 % pour les époux); ce qui aide à ratifier l'opinion banale, celle de Chrysale;

3. L'Ouest, le Centre et le Midi étaient beaucoup plus défavorisés que le Nord et l'Est, à l'exception des régions protestantes, dont le taux d'alphabétisation rejoignait ou dépassait celui de la Picardie ou de la Champagne : le protestantisme ne s'accommode jamais de l'ignorance totale;

4. Un assez net progrès a été réalisé entre 1685 et 1785 (l'analphabétisme recule globalement de 79 % à 63 %); mais il intéresse presque uniquement les régions déjà favorisées, de la Normandie à la Lorraine.

L'interprétation de ces résultats solides pose encore plus de problèmes que l'enquête elle-même. Tout paraît lié à l'existence ou a l'absence d'**écoles de villages.** Celles-ci fonctionnent (sans obligation de fait) dans presque toutes les paroisses des diocèses « instruits », au moins pour les garçons; elles sont de trois à dix fois plus rares ailleurs. Comme ces écoles étaient payées beaucoup plus par les usagers (individuellement et collectivement) que par le clergé, on est contraint d'alléguer à la fois la richesse des provinces instruites et la volonté de leurs habitants de donner au moins à leurs enfants (en profitant du « repos » hivernal) les éléments et si possible la pratique de la lecture et de l'écriture.

Faut-il ajouter que **le contour social de l'analphabétisme correspond aux délimitations majeures de ce que nous avons appelé les « groupes dominés »,** avec une importante péjoration rurale? Dans l'ensemble, à niveau social comparable, la ville est moins ignare que la campagne : le petit boutiquier et l'artisan aux franges de l'indépendance ne peuvent se passer de rudiments. Seuls, quelques opulents laboureurs ou « ménagers » ruraux les possèdent.

L'historien n'a pas à déplorer cet analphabétisme massif, mais à le comprendre. Il convient d'abord de considérer qu'un analphabète, sauf s'il s'entoure de conseillers sûrs, qui atteignent au moins le niveau de l'écrivain public (rare en campagne), est une proie toute désignée pour les malins alphabétisés qui participent à sa domination : le patron, le bailleur de terre, le prêteur, l'agent du seigneur et du décimateur, le collecteur d'impôts, parfois le curé. Même méfiant, il lui faudra bien « signer » (d'une croix, d'une initiale tremblée, du dessin d'une fourche ou d'un marteau) ce qu'on voudra lui faire signer. Devant l'homme de loi, l'homme de finance, le juge, il sera d'avance désarmé, d'avance vaincu. La malhonnêteté n'est certes pas générale; elle est pourtant trop fréquente. Les petites gens illettrées sont les victimes désignées des cours de justice, qui ont d'ailleurs pour principe de « proportionner la peine à la qualité », — c'est-à-dire que les humbles et les misérables sont toujours punis plus sévèrement.

A part quelques bonnes âmes, quelques pieuses personnes qui désirent préparer de futurs prêtres, l'opinion générale des milieux cultivés, ou simplement alphabétisés, est tout à fait hostile à l'instruction du peuple : Voltaire lui-même veut des souillons et des journaliers. Les efforts d'éducation constatés çà et là au xviiie siècle, ou bien ne visent que les classes aisées, ou bien n'ont en vue que le recrutement du clergé — avec quelques exceptions et quelques désirs de « promotion » par l'instruction dans la France du Nord. **Il est nécessaire que le peuple soit ignorant.**

Mais il est évident qu'analphabétisme ne signifie ni sottise, ni vide mental. Tous ces illettrés sont des chrétiens, qui bien entendu ignorent les querelles sur la grâce; ils baignent dans une mentalité régionale et sociale dont les racines plongent dans un très lointain passé; tous reçoivent une « culture » orale et même, par l'intermédiaire d'un lecteur ou d'un conteur, livresque, puisque toute une littérature imprimée, de loin la plus importante de tout l'Ancien Régime, leur est spécialement destinée : le colporteur la vend deux sous la pièce, et elle est tirée à des centaines de milliers d'exemplaires.

Le christianisme des analphabètes

La « foi des siècles passés » a été, est encore de nos jours un beau thème d'homélies. Il convient sûrement d'y insister : tous ces hommes ont vécu sous le signe de la croix, du baptême au dernier sacrement, sous la croix du clocher, entre les croix-frontières de leur village. La messe dominicale et la communion pascale rassemblent au moins tous les adultes valides; ce sont les rendez-vous unanimes, et d'ailleurs obligatoires, de ce peuple chrétien. Qui s'y soustrait sans raison acceptable risque au moins les plus fermes remontrances. Mais le dimanche est aussi le jour des rencontres paroissiales, de l'échange des informations (le prêtre diffuse, sans joie, les plus sérieuses, que lui transmet le pouvoir civil), des réunions de la communauté et de la fabrique, le jour aussi des cabarets, de la boule, du tamis, de la paume, des palets — et de la danse, quand elle est permise.

La fréquentation de l'église conserve longtemps une familiarité goguenarde : on parade, on bavarde, on interpelle le prédicateur s'il s'embrouille ou parle de ce qu'il ignore, le mariage par exemple, on crache à terre et on amène son chien. Fruste familiarité que les réformateurs sourcilleux parviendront à faire reculer, sans habileté souvent.

Christianisme sommaire, bien que fervent, qui ne dépasse guère le Credo, et ne va pas toujours jusqu'au paiement consciencieux de la dîme et des frais de fabrique. Et surtout, malgré les méritoires efforts d'un clergé et de laïcs sensibles à la réforme catholique (dans les villages, guère avant la fin du XVIIe siècle), **christianisme mêlé de pratiques jugées tardivement « superstitieuses »**, et plus souvent douteuses. D'innombrables saints, Lucifer et ses esprits malins, le monde de la sorcellerie et celui de la magie s'y mêlent étrangement, et durablement.

On rassemblerait sans peine, puisé dans les témoignages les plus naïfs comme les plus savants, tout un corpus ou un sottisier sur le cu te de saints douteux, aux reliques inattendues, aux vertus imprévues, invoqués durant des processions aux rites singuliers, faisant suite à des pèlerinages interminables, s'achevant parfois en beuveries. Jusqu'à la fin du XVIIe siècle, bon gré mal gré, une partie de l'Église a été contrainte d'assumer ces restes du paganisme rural, et de sanctifier apparemment telle source, tel arbre, telle pierre miraculeuse. Des statues de saint Médard furent trempées dans des fontaines pour provoquer la pluie, et des guêpes excommuniées jusqu'au temps de Voltaire.

Partout est dénoncée et attestée **la présence du Malin,** et les moines qui prêchent contre lui ne doutent pas qu'il règne sur une partie de l'univers. Certains hommes, on peut s'en assurer, portent son « signe » : il faut les repérer, les dénoncer, exorciser leur influence. Toute **la sorcellerie,** brûlée avec délices jusqu'au milieu du XVIIe siècle, est liée à Lucifer. Le sabbat existe. Qui n'a rencontré et secrètement fréquenté la sorcière du village, capable de jeter des sorts et d'envoûter, mais aussi de livrer des médications propres à guérir le tour de reins, la calvitie ou la stérilité? Tout berger, qui vit parmi les bêtes, loin des sédentaires et la tête tournée vers les cieux, passe pour détenir une science mystérieuse, et mieux déchiffrer le « livre » de la nature. Tout signifie et présage : la configuration des astres, les couleurs du ciel, la forme des nuages où dansent d'étranges bêtes, parfois des armées, les aspects changeants de la lune; la vie des plantes, des bêtes, des hommes, est préparée là-haut (sous l'autorité de Dieu, ajoutera-t-on prudemment).

Venue des Chaldéens à travers des millénaires, **l'essentielle astrologie,** présente jusqu'à la cour (au moins jusqu'à Louis XIII, « Juste » parce que né sous le signe de la Balance) gouverne les destinées. Les signes du Zodiaque surmontent tous les mois du calendrier. Les « ciels » de naissance décident, si les saints patrons protègent et sauvent. Malgré les nouveaux prêtres, sortis un peu tard des séminaires jansénistes, toutes ces croyances font bon ménage. Personne, dans le monde de l'analphabétisme, ne ressent vraiment les contradictions : qui croit à Jésus et à Marie croit au Diable et aux sorcières, aux guérisseuses et aux « jeteux » de sorts, à Nostradamus et aux pluies de sang. Le monde est effrayant, mystérieux, non soumis à la volonté humaine. La peur règne.

Venue du fond des temps, la peur des fléaux naturels, des conquérants barbares, des gabelous armés, des pestes et des disettes a saisi, non sans raison, ces hommes compliqués et proches de la terre, plus sensibles aux bruits et aux rumeurs qu'au témoignage des yeux et à la raison raisonnante. Organismes rudes, tannés par les épreuves, irrégulièrement nourris, avec des alternances de privations et de bombances, de tension et de relâchement, de pauvres nerfs qui craquent parfois : de la peur à la violence il n'y a qu'un pas.

Les violences des analphabètes

Les injures, les poings et les bâtons entrent facilement en danse, le dimanche au sortir du cabaret (en ville, le lundi), ou le samedi au retour du marché. Querelles d'ivrognes, mais aussi de mauvais voisins (un mur mitoyen, une vache qui vagabonde) qui remplissent les registres de police des justices seigneuriales, et montent parfois jusqu'au bailliage. Il n'est pas rare qu'on s'estropie et qu'on s'essorille, en ville comme à la campagne; des duels de manants peuvent se hisser jusqu'à la bataille collective : une parentèle contre une autre, un village contre un autre, un quartier urbain contre un autre, une bande de jeunes contre une autre, un métier contre un autre, un compagnonnage contre le compagnonnage adverse, et cela jusqu'en plein XIXe siècle. A-t-on vu, comme en Calabre au siècle dernier, des villages s'entr'égorger

pour la gloire disputée de leur saint patron respectif? La chose surprendrait
à peine.

Beaucoup plus graves, les **flambées de colère sauvage**, les « fureurs » qui
peuvent saisir des régions entières à l'annonce, même fausse, d'une grosse
« crue » de taille, d'un impôt nouveau, par exemple sur les nouveau-nés,
comme le bruit en a couru à plusieurs reprises au temps de Louis XIV. Brutales
colères, qui peuvent aller jusqu'au meurtre, à la mutilation rituelle, voire
à l'anthropophagie. Les grandes révoltes du XVIIe siècle, surtout dans l'Ouest
et le Midi, partaient de tels déchaînements. Mais les plus durables, qui requé-
raient une organisation et des chefs, ne trouvaient là qu'un de leurs points
de départ : des meneurs, ou des exploiteurs, bien alphabétisés ceux-là, s'en
mêlaient. Autres fureurs, celles des ouvriers des villes contre leurs employeurs;
celles des femmes qui constataient l'élévation soudaine des cours sur le marché;
celles des bandes craignant plus la famine que vraiment affamées, qui arrêtaient
les charrettes et les bateaux de grains partant ravitailler les provinces voisines.
Le plus fréquemment, des archers, une « milice bourgeoise », quelques compagnies de l'armée régulière ramenaient le calme en montrant leurs armes,
souvent aussi en s'en servant; quelques bonnes pendaisons clôturaient
l'affaire, l'État pouvant rarement supporter que « la canaille » tienne les
rues ou batte la campagne plus de quelques semaines. Fréquentes jusque
vers 1675, sévèrement réprimées sous Louis XIV, les manifestations de cette
violence d'abord populaire perturbèrent souvent des provinces ou des fractions
de provinces, jamais tout le royaume en même temps. Au XVIIIe siècle,
malgré quelques brèves échauffourées, on les crut vouées à disparaître.
Leurs résurgences tardives, que presque personne n'avaient prévues, inflé-
chiront la Révolution imminente ou commençante.

La littérature des analphabètes

Oubliée par tous les historiens de la littérature minoritaire — la « grande »,
celle qui avait le moins de lecteurs — la littérature imprimée pour le peuple
par quelques commerçants avisés, dont les Troyens sont les plus connus,
livre l'image presque fidèle du public qu'elle visait.

Pour quelques sous, les colporteurs distribuaient dans les campagnes,
par dizaines de milliers, des brochures minces et mal imprimées, lues probablement à la veillée où se trouvait au moins un homme capable de le faire,
et répandues par la mémoire bavarde et fidèle des illettrés.

Les thèmes, étonnamment constants du XVIe au XXe siècle, ressortent de
l'éternelle et assez écœurante **littérature d'évasion**, propre à l'abrutissement

à peine involontaire des portions majoritaires d'une société dominée, donc aliénée.

« Superman » d'abord : le paladin qui fend les Sarrazins d'un coup d'épée ; le preux croisé qui va délivrer Jérusalem, et en passant « Babylon » aussi ; le saint ou la sainte qui opère les miracles les plus stupéfiants, et achève en portant sa tête d'une main, sa palme de l'autre ; le bon géant Gargantua qui décroche imperturbablement les cloches de Notre-Dame ; les habiles redresseurs de tort, tantôt blancs et tantôt noirs, Lancelot ou Scaramouche ; toujours triomphants, les bons enchanteurs et les puissantes fées, dont les miracles passent presque ceux des saints ; et le champion des champions, le roi invincible, Charlemagne ou Louis.

Après les Fierabras et les puissants de ce monde et de l'autre, les inévitables sciences « occultes ». Calendriers et almanachs étaient peuplés de signes du Zodiaque. Les « prognostiquations » et les horoscopes régnaient partout, qu'ils concernent le temps de l'amour, de la greffe, de la chicane ou de la guerre : certains prétendaient couvrir sept, douze, quinze, dix-neuf années, et rivalisaient de complications et de contradictions habilement balancées, obscurcies à dessein. Des signes cabalistiques et des calculs mirifiques servaient à déchiffrer l'avenir, comme la forme du nez et la couleur des cheveux permettaient de déchiffrer les « complexions », les vices et les vertus, les jours fastes et néfastes, la descendance et la destinée. Et si les présages étaient trop sombres, on s'en remettait à la « conjureuse », à la « désen-voûteuse », et même à la bonté divine. En gros, les astres et les sorciers déci-daient de tout, avec la permission du bon Dieu.

Et si ce monde est vallée de larmes, la littérature « orale-écrite » avalée par le peuple doit lui fournir toutes les évasions, dans le passé, dans l'espace, dans la « science certaine », dans le crime et le scandale également délectables. Histoire ramenée à la légende de Charlemagne, à la Croisade contre l'affreux Infidèle, au bon saint Louis, au bon roy Henry avec, pour les lointains, le légendaire Pharamond et ce Clovis, quinze ans roi païen avant que la Sainte Ampoule descendît du Ciel exprès pour lui. Géographie réduite à de vieilles listes déformées de provinces antiques, accrues de noms médiévaux, listes inchangées durant des siècles et qui, Louis XIV régnant, n'avaient pas entendu parler de l'Amérique une fois sur vingt! L'important était de rêver sur des noms bizarres, avec des peuples étranges qui s'endormaient toujours à l'ombre de leur pied. Évasion encore par la pseudo-science, mélange de Pline, d'Aristarque, de la Kabbale et de Tycho-Brahé, avec des restes de pierre philosophale — et qui bien entendu ignore Galilée, Pascal, Harvey, et Newton. Évasion encore par le culte du fait divers horrifique : bons gros crimes chantés en des complaintes interminables, à un sou la feuille, incendies sans fin, étoiles à crinière, maux bizarres et contagieux... tout cela a toujours occupé utilement les rêvasseries des pauvres diables, en les dispensant de songer à leurs soucis, et d'essayer de comprendre le monde.

L' « aliénation » des analphabètes

Ce n'est pas rendre un hommage de circonstance à telles doctrines du second XXe siècle que de souligner ici que cette ignorance, que cette littérature et que ces mentalités magiques ont été (et sont toujours) effectivement, objectivement (et volontairement?) favorables à la tranquillité des groupes dominants. L'ignorance et le merveilleux maintiennent la « vile populace » dans le travail et l'obéissance habituels. Les imprimeurs et la maréchaussée la cantonnent dans le respect apparent et les rêveries sans danger. L'Église elle-même, une fois qu'elle s'est assurée, avec l'aide d'Henri IV, le paiement régulier des dîmes (mal en point au XVIe siècle), après avoir cantonné puis théoriquement expulsé ce qu'elle appelait hérésie, s'est contentée d'expliquer que les astres étaient régis par Dieu, que beaucoup de « superstitions » et presque toutes les sorcières étaient « fausses ». Elle a fait reculer l'astrologie dans les almanachs, et insérer quelques recettes de civilité qui assurent à peu près le silence des assistants et la propreté des lieux durant la messe. Peut-être a-t-elle commis une erreur en réagissant trop rigoureusement contre les superstitions populaires. Paysans et petites gens des villes n'ont pas toujours goûté ces réformes, qui faisaient ressembler les manifestations de la foi à des exercices sages et tristes, sans effusion profonde et sans familiarité. Ce dressage prématuré a pu écarter des sanctuaires, au moins de cœur, quelque peu de petit peuple urbain et de campagnes attiédies, préparant les futurs « pays de mission » : du moins ces hypothèses ont-elles été présentées.

Bien d'autres signes attestent une convergence dans la « mise en condition » des classes populaires : tous ces impôts et ces rentes systématisés et de mieux en mieux perçus; l'habituelle conduite d'une justice toujours dure aux humbles et qui, Louis XVI régnant, condamnait encore à mort le vol domestique; cette littérature avilissante; ce mépris constant — avec l'exception de quelques belles âmes. Dans ce monde aliéné, les plus avisés tentaient de s'ouvrir une voie d'évasion par l'instruction, si quelque parent ou parrain les aidait; les plus impatients ne pouvaient que reprendre les révoltes collectives, moins aveugles que par le passé aux approches de 1789.

2 — Des alphabétisés aux lettrés : les strates et les conflits

Il faudrait de longues enquêtes, et beaucoup de finesse, pour parvenir à retracer, au-dessus du seuil de l'écriture courante, les niveaux inégaux, l'évolution et les conflits qui purent travailler, pendant trois siècles, quelques centaines de milliers d'hommes, qui presque tous appartenaient aux classes dominantes. Un examen global de la production de livres, de brochures et de feuilles, qui accorderait plus d'attention aux tirages et aux clientèles qu'au talent; un examen continu du contenu des diverses bibliothèques, et pas seulement des plus fameuses; une analyse des méthodes d'éducation à tous les niveaux, qui rassemblerait les nombreuses monographies éparses; un regroupement des correspondances, même les moins géniales; un nouvel intérêt porté aux « livres de raison », d'où qu'ils viennent; des recherches sérieuses sur les diverses formes de spectacles, qui ne se réduisent pas à des ratiocinations sur le théâtre « classique », mais considèrent aussi les saltimbanques et Tabarin; une descente à l' « Enfer » de la Bibliothèque nationale, et à quelques autres, qui mettent enfin au jour ces livres que de vieilles pudeurs prétendent exclure de la publicité... On n'en finirait pas d'énumérer tout ce qui reste à faire, outre ce qui a été fait, pour connaître mieux les mentalités et les cultures de ceux qui lisaient, épisodiquement ou inlassablement. Au moins cet aspect de l'Ancien Régime va se trouver exploré et révélé dans un avenir proche. En attendant, dégageons au moins quelques traits parmi les plus assurés.

Les niveaux d'alphabétisation

a) Le milieu lettré

Qui a acquis, au collège ou par précepteur, la pratique courante du latin appartient à un milieu effectivement privilégié, où les références, les renvois et les allusions forment l'un des codes de la culture; latin profane ou latin chrétien, les deux habituellement mêlés, plus un peu de grec pour les plus courageux. Cette imprégnation latine explique d'ailleurs que tant d'hommes de vaste savoir n'aient compris leur siècle et perçu l'avenir que par constante référence aux Anciens. De ces références accrues de pédantes gloses, ils farcissent leurs traités et leur correspondance, avec une dilection qui leur est comme une seconde nature. Théologiens, juristes, écrivains « politiques », témoins prétendus de leur temps, ils ne le voient qu'à travers Augustin et Ulpien ; à peine différents, les médecins soignent par Hippocrate et Galien, et interdisent au sang de circuler.

Heureusement, dans ces sociétés de penseurs qui marchent à reculons, des esprits indépendants se lèvent de temps en temps ; Montaigne, Descartes, Bayle ont tout de même fini par trouver des disciples.

Les querelles nées dans ces cercles qui se croyaient savants emplissent tant de traités traditionnels que nous y renvoyons tous leurs héritiers.

b) Le niveau utilitaire

Le « parfait négociant » n'a que faire du latin, écrivait en substance Jacques Savary en 1675, au scandale des traditionalistes. Et de fait les hommes d'action s'en souciaient peu. Une bonne arithmétique, quelques « barèmes » et tables de conversion, des textes d'ordonnances royales et des coutumes, un ou deux livres de piété à l'occasion, tout cela suffit longtemps. Quand les liaisons marchandes s'élargissaient, on achetait volontiers des « descriptions » de pays étrangers, des relations de voyages, qui unissent un peu de rêve à beaucoup d'utilité : renseigner, par exemple, sur ce qu'on pouvait vendre à « Honduras » ou à « Mississipi » ; le neveu de Savary, en éditant à partir de 1723 le *Dictionnaire du commerce* — instrument de premier ordre — sut satisfaire ces curiosités pratiques. Il était naturellement indispensable que tout bon marchand eût un usage suffisant de la correspondance commerciale courante, en un temps où l'on écrivait beaucoup.

En d'autres domaines, la pratique de beaucoup de petits juges, de notaires, de bourgeois rentiers ne requérait pas une somme d'ouvrages bien élevée, ni bien diversifiée. La coutume du lieu et des lieux voisins, une « conférence » (comparaison méthodique) de coutumes, des recueils d'ordonnances sur des sujets spécialisés (publiés sous forme de dictionnaires), un recueil d'arrêts « fameux », de la jurisprudence, des « consultations » d'avocats en renom, quelques factums, — plus quelques souvenirs de collège, et de la piété. C'est pourtant dans ce milieu que des curiosités étrangères à la profession apparaissaient volontiers ; elles étaient surtout religieuses, et il était bien rare que les essentielles affaires jansénistes n'occupent pas des rayons entiers de bibliothèque.

c) Le niveau rudimentaire, rural et urbain

Savoir lire, écrire et compter, pour un patron d'atelier, un maître maçon, un fermier seigneurial : nécessité presque journalière, mais non pratique incessante. Ces gens devaient pouvoir vérifier un bail, un mémoire, une commande. Leur écriture est difficile, leur lecture non habituelle, mais leurs calculs moins inexacts que bien d'autres. Ces instruments de travail qu'ils dominent avec peine ne modifient guère leur mentalité sociale. Les gros fermiers participent des mentalités traditionnelles de la campagne. Mais les urbains, par leur résidence, sont atteints et influencés par toute une littérature de nouvelles à la main, de feuilles volantes, de « canards », de pamphlets, sans compter les chansons, les rumeurs, les bonnes histoires et les lazzi colportés de bouche à bouche, et qui nous sont assez mal parvenus. Les uns et les autres aidèrent à l'agitation de rue dans les moments difficiles : la Fronde et ses milliers de mazarinades en constituent l'exemple le mieux connu.

En ces domaines aussi, la ville l'emportait sur la campagne, par l'abondance, la diversité et la vivacité de l'information orale et écrite, qui aida à propulser certaines troupes d'émeutiers, puis de révolutionnaires.

Conflits culturels et querelles globales

L'histoire des conflits culturels dépasse celle des conflits d'idées; mais si celle-ci paraît faite (pour l'essentiel), celle-là ne l'est pas. Elle mettrait en cause des oppositions de sensibilités, d'imaginations, de consciences et d'inconsciences collectives, qui ne se ramènent pas forcément à des superstructures. Quelques conflits, à vrai dire élémentaires, peuvent au moins être rappelés : leur banalité n'enlève rien à leur acuité.

a) Le conflit villes-campagnes

Il oppose grossièrement les plus privilégiés aux moins privilégiés, les plus riches aux plus malaisés, la résidence de la plupart des « dominants » à la résidence de la grosse masse des « dominés ». Que l'argent, les récoltes et les hommes montent souvent vers la ville, et en reviennent rarement, cette évidence est bien ressentie. Des attitudes urbaines collectives aggravent les choses : l'homme de la ville méprise habituellement le paysan, plus mal vêtu, plus grossier, plus ignorant, plus lent, plus traditionaliste, et le lui dit, avec beaucoup de grossièreté. Ce sentiment, et sa réciproque, ne mourut certes pas avec l'Ancien Régime : les révoltes anti-révolutionnaires en sont en partie issues, y compris la Vendée, et les pénibles affrontements nés du maximum et de la déchristianisation.

Deux mondes longtemps irréconciliables, avant que la ville, de nos jours, absorbe progressivement la campagne.

b) **Le conflit Paris-province**

Les originalités linguistiques, parfois ethniques, la survivance ou le souvenir (et la reconstitution partielle sous Louis XVI) d'institutions provinciales originales et assez indépendantes (les états), l'opposition des coutumes, le maintien d'élites de qualité en quelques capitales régionales brillantes, autant de facteurs qui expliquent que **le royaume de France fut toujours profondément fédéraliste.** Or, si le roi est indiscuté, ses administrateurs et ses ramasseurs d'impôt sont diversement appréciés, souvent honnis; et ce n'est pas uniquement parce qu'ils prétendent commander et percevoir. C'est parce qu'ils sont vraiment des **étrangers**; des étrangers qui parlent une langue dure et « pointue », dont l'extension fut lente; des « barbares nordiques », diront les plus exaltés. Bien des émeutes contre les commissaires et les intendants s'aggravèrent du fait que la plupart étaient parisiens de naissance ou d'adoption. Et même d'une province à l'autre, on ne se comprenait pas toujours, et l'on ne tenait pas tellement à se comprendre : des fiertés et des hostilités se heurtaient, se heurtèrent longtemps. C'est pourquoi l'unité du royaume, puis de la république, fut un idéal nécessaire et obstinément poursuivi par les rois, les assemblées révolutionnaires, et l'Empire plus encore.

Parmi ces oppositions, celle du **Midi** n'était pas la moins accusée. Elle découlait de la nature des choses : le climat, la langue, les mœurs, les lois (nous l'avons constaté à tout moment, même dans le monde rural), un certain esprit indépendant, s'ajoutaient à de cuisants et vivaces souvenirs (trop de croisades prétendues religieuses dans le Midi des cathares, des huguenots et de l'habituelle liberté) pour soutenir une incompatibilité d'humeur dont les traces ne sont pas toutes effacées. La carte des résistances et des révoltes coïncida assez souvent avec celle de la langue d'oc, ou du droit romain.

c) **Autorité contre liberté**

Aux yeux de certains historiens épris d'originalité à tout prix, il est devenu presque ridicule de reprendre les exposés anciens qui exaltaient la naissance de l'esprit critique, du doute méthodique, le renforcement des sentiments et des aspirations complexes de liberté, qui n'ont pas seulement caractérisé les élites du savoir. Exalter tout cela n'est sûrement pas affaire d'historien; les ignorer, moins encore. L'autorité de l'Église et celle de la royauté prétendue absolue furent principalement visées.

Dans un pays resté catholique, on a rarement le courage d'insister assez sur ce fait que l'**Eglise romaine de France** demeura le champion inébranlable d'une conception globale du monde — la nature, les hommes, la science, l'éducation — où tout était imperturbablement fixé d'avance, au moins depuis saint Thomas. Cette conception rigoureuse, proclamée la seule exacte, obligeait l'Église à nier toutes les autres, à les poursuivre et à les détruire si possible, par tous les moyens. Rappeler ces faits n'est qu'œuvre simple d'historien. De la Ligue pro-espagnole à Tartufe, les excès des dévôts ont eu contre eux de fort grands esprits, qui durent longtemps se masquer ou se terrer sous la délation, mais que de grands seigneurs protégeaient, et, un moment, Louis XIV jeune; ils constituaient des minorités lettrées, dont on ignore quels échos ils rencontraient dans le petit peuple; mais on sait pourtant que, dans le petit peuple urbain, les compagnonnages étaient furieusement poursuivis par l'Église et le bras séculier unis, qui aussi désiraient « épurer » les manifestations les plus naïves de la foi; il est possible que cette répression ait produit les résultats habituels. La persécution des huguenots, la persécution des jansénistes plus encore firent passer du côté de Bayle et de ses disciples bien des esprits cultivés, et des âmes droites. A tout le bas-clergé, mis sous la coupe des évêques dès 1695, mieux préparé dans les séminaires enfin créés (bien après 1650), on s'obstina à faire signer, durant plus de cent ans, un « formulaire » condamnant Jansénius de la manière la plus inexacte et la plus maladroite qui fût, sur des « propositions » qui ne figuraient pas dans ses œuvres, que d'ailleurs il était interdit de lire. Beaucoup de curés, qui par ailleurs n'avaient pas d'illusions sur les évêques, et qui vivaient au contact du peuple, tournaient les yeux vers l'Encyclopédie, s'apprêtaient à battre leurs supérieurs aux élections du printemps 1789, donc à préparer leur jonction avec le Tiers, qui seule permit, en juin, à la Révolution d'avancer. L'immobilité, la magnificence et les prétentions de l'Église cristallisèrent des oppositions, préparèrent des attiédissements de la foi dans plusieurs villes et provinces, et expliquent des ruptures profondes : il faut avouer que Voltaire et ses épigones eurent la partie belle.

L'autre despotisme, plus souvent dénoncé, était celui de l'**État** qui se voulait absolu. Nous aurons l'occasion de montrer, au volume suivant, que cet « absolutisme » était plus une tendance qu'une réalité, et que le « despotisme » parfois dénoncé avait ses faiblesses, et même ses lâchetés. Il n'empêche que de nombreux esprits et groupes sociaux, déjà repérés çà et là, avaient le sentiment qu'ils souffraient sous un autoritarisme borné, au moins celui des « bureaux » et de l' « administration », honnie parce que centralisée, paperassière et, encore une fois, trop « parisienne ». Des cercles libéraux, qui ne se rejoignaient pas toujours, se manifestaient en de nombreux domaines. Nous avons déjà rencontré les **négociants** et les **armateurs,** champions de la « liberté » commerciale, se disant ligotés par des règlements tâtillons, qu'en fait ils violaient, parfois avec l'accord tacite de l'administration; les **vieux aristocrates** attachés à leur « race », mariés à leurs généalogies et à leurs blasons, qui réclamaient que le roi les consulte dans tous les cas, et espéraient que l'Age d'Or du gouvernement aristocratique, qu'ils croyaient avoir brillé dans un lointain passé, mérovingien ou « carlovingien » (les champs de mai ou de mars, les pairs...), allait revenir illuminer le royaume; juristes et grands voyageurs, comme Montesquieu, qui cherchaient à fonder une **science politique,** rapportaient l'exemple de la sagesse anglaise, voulaient appeler au gouvernement les « corps intermédiaires », eux-mêmes; **rares républicains** à la Rousseau, dont la nombreuse postérité devait venir au bord du pouvoir; rêveurs d'un **agrarisme virgilien,** transmutés en champions déjà tardifs d'une « agriculture nouvelle », alors que l'avenir était à la machine à vapeur; hommes des villes et parfois des champs que les proverbes, les images, certains contes poussaient à s'identifier aux gueux ou au «bonhomme Misère », et qui espéraient leur bonheur du bon Roi guérisseur et sacré, contre ses propres agents... Toutes ces gens, en bien des milieux, pensaient, écrivaient, espéraient ou rêvaient au nom d'**une liberté dont ils ne croyaient pas jouir, mais que leurs aïeux avaient connue** (au temps des « libertés » provinciales, communales, villageoises — supposées) et dont leurs descendants jouiraient. Qu'on sourie, ou non, de ces naïvetés, de ces prétentions, de ces illusions, et même de ces habiletés à habiller d'idéal de simples aspirations matérielles, — il n'empêche que la plupart de ces hommes ont cru mener, ou rêver un grand combat contre le « despotisme ».

C'est évidemment au xviiie siècle, après les semi-clandestinités du temps de Louis XIV, que ces idées et ces luttes apparaissent au grand jour. La partie la plus brillante des classes dominantes — anciens nobles, nobles parlementaires, nobles « politiques », financiers, banquiers, hommes de cabinet, juges, avocats, prêtres même — prend parti très tôt, pour ou contre, le plus souvent pour, avec bien des nuances et des coteries. L'histoire de ces salons, de ces académies et de ces « sociétés de pensée » a été cent fois racontée, de toutes les manières, y compris les plus mauvaises. Parmi ceux qui parlaient le plus haut, et surtout qui portaient en eux la plus forte conviction, se trouvaient des groupes nombreux de jeunes gens, élèves des bons pères, lecteurs et causeurs infatigables, installés sur des « strapontins » dans les hiérarchies du temps, et qui s'y rongeaient. Cette **jeunesse impatiente,** gonflée par la montée démographique, les progrès de l'aisance et ceux de l'instruction, irritée quelque peu par le conservatisme ferme et aimable des gens en place, n'a-t-elle pas saisi décidément les premiers rôles, épaulée par de rares « anciens », aux dernières années du vieux régime? Faut-il **réinterpréter la Révolution en termes de conflits de générations**?

Il faut sûrement y réintroduire les conflits culturels, les luttes de mentalités collectives, la pesée des brutalités ancestrales, des rancœurs et des espoirs trop longtemps déçus, de tout un inconscient — des inconscients plutôt —

comprimé depuis des siècles. **On ne peut plus racornir la Révolution à la victoire d'on ne sait quelle « bourgeoisie capitaliste » montante sur on ne sait quelle « aristocratie féodaliste » condamnée par l'industrialisation. La réalité est beaucoup plus complexe, beaucoup plus nuancée, beaucoup plus mal connue.** Se dégager des poncifs pour s'attacher à la découvrir sera l'œuvre de la jeune génération d'historiens des mentalités, attentive à ce qu'a de meilleur l'apport des sociologues, des psychologues, des psychiatres et des linguistes, mais toujours soucieuse de se replonger inlassablement dans l'océan des témoignages, de tous les témoignages, en essayant de les sonder dans toutes leurs dimensions, d'y chercher même l'inexprimé.

La société d'Ancien Régime, pour être vraiment connue et comprise, a désormais plus besoin d'équipes chaleureuses et multi-disciplinaires que de théoriciens préfabriqués, quelle que soit leur estampille.

257

TEXTES

51. La langue française et les langues des Français

A la mort de Louis XIV, le français, devenu depuis longtemps la langue du roi, de l'État, de la loi, de la cour, de la bonne société, des académies, des lettres, pouvait paraître la langue de la France; il ne l'était pas encore. A Paris même, il lui restait des conquêtes à faire, il n'avait pas converti et attiré tous les lettrés, il commençait seulement à s'imposer à la considération des professeurs et des étudiants et à leur paraître digne de leur rang et de leur science. Pis que cela, sitôt qu'on s'éloignait de la région de France où il s'était formé, le peuple des campagnes et même des petites villes l'ignorait ou l'entendait tout au plus, sans le parler. Alors qu'il conquérait l'Europe presque d'un élan, il gagnait péniblement la France, province par province. Il lui restait dans le royaume des concurrents et presque, à certains endroits, des rivaux... L'Ancien Régime finit avant que le français fût maître incontesté de tout le territoire, avant même qu'il eût été établi officiellement dans son rôle de langue souveraine.

... l'éclat de la cour sous le « grand Roi » donne à ceux qui la contemplent une sorte d'éblouissement qui rend leurs yeux à peu près incapables d'apercevoir les réalités, assez misérables, du reste du royaume. On parlait si bien à Versailles qu'il semble qu'on ait dû parler ainsi partout, et nous oublions qu'il fallait un interprète à Marseille, ou que Racine en voyage était incapable de se faire apporter un vase de nuit.

Louis XIV ne s'inquiétait guère d'ailleurs qu'à quelques lieues de Paris on le haranguât en patois picard. Jamais ses successeurs ne prêtèrent la moindre attention à un détail de si peu d'importance qui ne diminuait en rien la soumission des sujets ni les forces de la monarchie. Personne de ceux qui administrèrent au XVIIIe siècle n'imagina qu'il y eût un intérêt moral à unir les Français dans la langue du Roi. On en parlait bien dans quelques formules d'Ordonnances, mais c'était une phrase de style et qui ne tirait pas à conséquence...

Ferdinand BRUNOT, *Histoire de la langue française des origines à 1900*, t. VII, *La propagation du français en France jusqu'à la fin de l'Ancien Régime*, Paris, Colin, 1926, Introduction, pp. 1-2.

52. L'enquête de Maggiolo sur « le nombre des conjoints qui ont signé l'acte de leur mariage » (vers 1877-1879)

RÉSULTATS GLOBAUX :

DATE DE L'ENQUÊTE	NOMBRE DE CAS ENVISAGÉS	POURCENTAGE DE NON-SIGNATURES	
		Hommes	Femmes
1686-1690	219 047	71,26 %	86,03 %
1786-1790	344 220	52,55 %	73,12 %
1816-1820	381 504	45,63 %	65,53 %
1872-1876	500 836	23,05 %	33,00 %

Quelques résultats régionaux (par départements actuels) pour 1686-1690

— Résultats pour les hommes, départements ayant le taux d'analphabétisme le plus bas (taux arrondis à l'unité)

Hautes-Alpes : 36 % (cas particulier d'une montagne qui « fabrique » des maîtres d'école);
Marne : 39 %;
Calvados : 50 %;
Meuse : 49 %;
Aisne, Ardennes, Oise : environ 45 %;
De 50 à 59 % : Aube, Eure, Meurthe-et-Moselle, Moselle, Seine-et-Oise, Seine-et-Marne.

— Départements comptant plus de 90 % d'illettrés hommes :
Ain, Ariège, Haute-Garonne, Landes, Lot-et-Garonne, Morbihan, Nièvre, Pyrénées-Orientales, Haute-Vienne.

D'après l'*État récapitulatif et comparatif...* publié par le Ministère de l'Instruction publique , 8 p., s.l.n.d., cote B.N. : 4º Lf 242-196.

Des cartes d'ensemble ont été publiées dans l'article de Fleury, Michel et Valmary, Pierre, « Les Progrès de l'instruction élémentaire de Louis XIV à Napoléon III, in *Population*, 1957, nº 1, pp. 71-92.

53. Croyances populaires

1. Le gouvernement de la lune

La Lune est la mère nourrice, la régente et gouvernante de toutes les humidités qui sont aux corps terrestres. Par quoi... le fermier bien avisé ne tuera jamais les porcs, moutons, bœufs, vaches et autres bêtes de la chair desquelles veut faire provision pour la nourriture de sa famille au décroît de la Lune; car la chair tuée au défaut de la Lune diminue de jour à autre... N'achètera les bêtes chevalines et autres qui ont eu naissance sur le décroissement et vieillesse de la Lune, d'autant qu'elles sont plus imbéciles et faibles que les autres... Châtrera ses verrats, béliers, jeunes taureaux quand la Lune décroîtra...

Sera soigneux d'observer quelle puissance ont chaque jour de la Lune, non seulement sur les bêtes et plantes, mais aussi sur la disposition du gouvernement de l'homme, pour s'en servir en cas de nécessité en temps et lieu, suivant l'observation assurée et continuée que nos pères en ont eu...

Au premier jour de la Lune, Adam fut créé; si à ce jour quelqu'un tombe malade, la maladie sera longue, toutefois le patient guérira; les songes que la personne fera la nuit se trouveront en joie; l'enfant qui naîtra ce dit jour sera de longue vie.

Au second jour, Eve fut créée; à ce jour, fait bon entreprendre voyage tant par mer que par terre, et sera le voyageur heureux en tous les logis et hôtels où il séjournera; ce dit jour est bon pour croître lignée...

Au troisième jour naquit Caïn. En ce jour l'on ne doit entreprendre aucune besogne...

Estienne, Charles et Liebault, Jean, *L'Agriculture et maison rustique*, 1re éd., 1564, 1, 9 (rééditions nombreuses jusqu'au xviiie siècle).

2. Excommunications agraires

En juin 1681, les paroissiens de la Madeleine obtiennent un monitoire *contra vermes* et font une procession pour le fulminer; au mois d'août, on demande au vicaire général une excommunication contre les guêpes qui faisaient de grands dégâts; en juin 1684, l'excommunication est renouvelée contre les vermisseaux; ces exemples sont aussi fréquents que les supplications aux reliques de saint Prothade pour obtenir la pluie ou le beau temps.

FOHLEN, Claude, et collaborateurs, *Histoire de Besançon*, t. II, p. 108.

3. Présence du Malin

(d'après la chronique du lillois Pierre-Ignace Chavatte, texte de base du livre de LOTTIN, Alain, *Vie et mentalité d'un lillois sous Louis XIV*, Lille, Raoust, 1968, 444 p.) (nous avons légèrement modifié le texte original pour le rendre intelligible).

— *Le loup-garou :* (en 1683)

... « On ne faisoit que parlé d'un certain loup garou sur le chemin de nostre dame de grâce, lequel batois plusieurs personnes, et mesme des religieux, ils n'esparnois personnes, et mesmes menoit avec luy une certaine beste avec un petit cordeau, et le tenoit avec sa main, et ceste petite beste estoit comme une taupe; on croyoit plustost que c'estoit un diable, et le 6 jour d'aoust fut pris à Messine, trois lieues d'icy. »

— *Le diable et la jeune fille* (1664)

... « Une jeune fille se plaindoit à une de ses compagnes (qu') il ne viendroit jamais un amoureux, et elle dit une mauvaise parole : quand ce seroit un diable ou bien un diable d'amoureux... je me promenerois avec luy... En ce mesme jour, il luy vint un beau joly courtisan très bien ajusté à merveille... *(Ils engagent la conversation, et le galant propose une promenade)*... elle va avec lui bien promptement sans se douter de rien, se devisant bien de choses et d'autres comme un courtisan doit faire envers sa chère maîtresse; et quand vint à passer une place envers le petit buquet, elle regarde à ses pieds, et sitost elle devint toute palmée... *(Il s'agissait)* d'un diable qui s'évanouit arrière d'elle... »

— *Les sorcières auprès de Lille*

1679 : « les feuilles des arbres tomboient et se seichoient et les fruicts demeuroient dessus, et voyoit-on courir dessus les arbres des bestes comme souris... sans oreilles, et on croyoit que c'estoit maléfice de sorcières... Le 20 jour de septembre sortirent trois sorcières hors du village d'Espinoy, lesquelles les paisans les ont poursuivies à coups de pierre jusque envers Seclin, en tuèrent une là... et puis ont poursuivi les autres jusque envers les moulins de Lille à la Porte des Malades, et elle estoit presque toute meurtrie et toute deffiguree de coups de pierre qu'elle ne se pouvoit presque remuer... »

1683 : *exécution de six sorcières à Lille*

... « et voicy les cruautées qu'elles ont faictes... on m'a dit qu'elles sont trouvèrent bien à 200 ou 300 meurtres, et puis elles ont confessé qu'elles ont mangé des cœurs d'enfants pour estre plus sanguinaires, et elles ont faict des plus cruelles affaires qui n'estes pas à raconter... Trois sont pendues, deux au gibet (où) elles furent estranglées, et l'autre sur une roue près du gibet, et tout le marché estoit plein de soldats... »

LOTTIN, *op. cit.*, pp. 265-271.

4. « Prognostiquations » météorologiques

Prognostiquera la pluie si la lune récemment nouvelle a ses cornes obscures... Prognostiquera la longueur de l'hiver quand il verra que les chênes seront abondants en fruits, ou que le canard aura la poitrine rougeâtre, ou que les frelons avant la fin d'octobre apparaissent... Jugera grande chaleur d'été s'il voit que les béliers et vieilles brebis s'accouplent souvent durant le printemps...

ESTIENNE et LIEBAULT, *op. cit.*, 1, 10

5. REMÈDES « NATURELS »

... Contre douleurs de dents, quelques-uns tiennent pour un secret que porter au col la dent d'un homme enfermée dans un nœud de taffetas, ou une fève trouée où il y a un pou enclos, ôte la plus grande douleur de dent qu'on pourrait endurer.

Pour une douleur de colique, rien n'est plus souverain que de porter sur soi un anneau ou boîte d'argent où soit enfermé quelque morceau du nombril d'un enfant nouveau-né...

Pour la dysenterie,... recueillez la fiente d'un chien qui pour l'espace de trois jours n'ait rongé que des os, faites-la sécher pour en faire poudre, et de cette poudre donnez à boire deux fois par jour au dysentérique avec lait, auquel aurez éteint plusieurs cailloux de rivière fort chauffés à feu ardent...

Pour ôter la puanteur des pieds, mettez dans vos souliers écume de fer.

Pour rendre féconde la femme qui ne peut concevoir, prenez une biche pleine de son faon, tuez-là, tirez hors du ventre la multre où gît le faon; jetez-en hors le faon et, sans la laver, faites-là sécher au four... *(la suite peut se deviner : il s'agit en somme d'un « transfert » de caractère magique).*

ESTIENNE et LIEBAULT, ibid, 1, 12.

54. Mentalité des paysans auvergnats au XVIIIᵉ siècle : superstitions et brutalités

Les paysans auvergnats restent largement perméables aux croyances hétérodoxes entachées de sorcellerie ou de magie : dans la plus grande partie de la province, le curé doit bon gré mal gré laisser ses paroissiens sonner les cloches à toute volée pour écarter la menace de grêle en cas d'orage; les vaches à poil rouges sont plus recherchées que les autres parce qu'elles ont la réputation d'engraisser plus facilement; la foi en la « baguette divinatoire » est profonde, et on l'utilise pour la recherche des trésors cachés; les curés eux-mêmes paraissent peu rassurés lorsque des paysans leur rapportent un grimoire « dangereux » (un traité de sorcellerie) à baptiser pour en accroître le pouvoir; aussi ne

faut-il pas s'étonner de la haine générale contre les « jeteurs de sort », qu'il s'agisse des géographes venus procéder aux levés de la carte de Cassini et qui, considérés comme des sorciers attirant la foudre et la grêle, sont pris en chasse par les paysans de la région de Maringues, ou de cet habitant de la paroisse de Marsac, déjà détesté comme chasseur impénitent et grand trousseur de jupons, qui noue aussi l'aiguillette aux nouveaux mariés[1] et répand ses maléfices sur la contrée...
.....
L'indulgence paraît assez grande pour les violents, la brutalité étant monnaie courante : les bagarres et les rixes, sous le nom général de « carillon » sont extrêmement fréquentes entre villageois de

---

1. Rite magique très répandu, qui consiste à nouer un lacet durant la bénédiction nuptiale... afin que les futurs époux ne puissent consommer leur mariage.

paroisses rivales, en foire après boire, ou aux fêtes « baladoires »... Pour se débarrasser des plus encombrants, il est en temps de guerre un excellent expédient qui est d'en faire d'office des miliciens... Le recours à la brutalité pure, les « homicides » ou les coups et blessures... paraissent emporter bien moins nettement la vindicte publique, la mise au ban de la société rurale, que l'atteinte aux biens, le préjudice causé aux patrimoines d'autrui. On pend toujours dans l'Auvergne du XVIIIe siècle pour de simples vols domestiques [1], et la complicité dans le vol à main armée suffit pour encourir la peine capitale, alors que les atteintes aux personnes se soldent généralement par des transactions notariées avec stipulations de dommages et intérêts fondés sur les honoraires dus aux chirurgiens... En sondant les archives criminelles du bailliage de Pont-de-l'Arche, en Normandie... (on) a entrevu une mutation de la délinquance qui amènerait au premier plan au XVIIIe siècle les atteintes directes ou non à la propriété; des recherches analogues entreprises dans les dossiers fournis par les subdélégués à partir de 1760 à l'intendance, montreraient au contraire la persistance en Auvergne d'un type archaïque de délinquance, caractérisé par l'importance toujours prépondérante des actes de violence corporelle, coups et blessures, rixes, guets-apens ou meurtres.

Poitrineau, Abel, *La Vie rurale en Basse-Auvergne au XVIIIe siècle*, Paris, P.U.F., 1965, pp. 617-619.

55. Un sorcier en Vendée

Un exploitant agricole de la T... avait perdu en quelques semaines douze porcs et plusieurs vaches... Le cultivateur... fit venir une radiesthésiste pour savoir qui lui avait jeté le mauvais sort. Pendule en main, la radiesthésiste explora les coins de la ferme. N'ayant rien trouvé, elle étala sur la table le plan de la commune, et le fit passer lentement au-dessus de chaque maison. Elle prononçait en même temps le nom du propriétaire. Lorsqu'on entendit appeler Abel F..., le pendule se mit à tourner... Aussitôt, Abel F... devint le sorcier.

Son atelier de charronnage et son café furent désertés. Le paysan était rassuré, ses animaux ne mourraient plus...

Il y eut un jour un enterrement; devant la porte du café F..., le corbillard s'arrêta et refusa de partir. Les hommes du cortège durent le pousser jusqu'au cimetière... Lorsque les gens revinrent du cimetière, la voiture démarra de nouveau.

Cette situation provoque une véritable catastrophe pour les époux F... Sur les conseils du maire, ils ont porté plainte...

Les bruits continuent de courir, et un jeune garçon qui est pris par l'ambiance a même déclaré : « Le sorcier se déguise en bête, il met une peau sur sa tête et il se promène dans le bourg. C'est mon papa qui me l'a dit ».

Ce trait de mentalité d'Ancien Régime se rapporte à l'année 1966. *Le Monde*, 18 mars 1966.

---

1. Également à Paris, d'après les recherches effectuées dans les archives du Châtelet par un groupe d'étudiants de Nanterre et de Paris.

LECTURES COMPLÉMENTAIRES

Ces questions figurant parmi les plus neuves, les plus mouvantes, les plus controversées, on ne citera que les meilleurs travaux, ou les plus excitants pour l'esprit.

Ouvrages fondamentaux

● BRUNOT, Ferdinand, *Histoire de la langue française des origines à 1900*, Paris, A. Colin, en cours de réédition (fondamental).

● FEBVRE, Lucien, *Le Problème de l'incroyance au XVIᵉ siècle, la religion de Rabelais*, Paris, Albin Michel, 2ᵉ éd., 1947.

● FEBVRE, Lucien et MARTIN, Henri-Jean, *L'Apparition du livre*, Paris, Albin Michel, 1958, 557 p.

● MANDROU, Robert (outre les œuvres déjà citées).
— *Introduction à la France moderne, essai de psychologie collective, 1500-1640*, Paris, Albin Michel, 1961, 400 p.
— *De la Culture populaire en France aux XVIIᵉ et XVIIIᵉ siècles*, Paris, Stock, 1964, 223 p.
— *Magistrats et sorciers en France au XVIIᵉ siècle*, Paris, Plon, 1968, 532 p. (ces ouvrages et leurs bibliographies sont, pour le moment, les meilleurs).

● DUPRONT, Alphonse, et collaborateurs, *Livre et société dans la France du XVIIIᵉ siècle*, Paris et La Haye, Mouton, 1965, 240 p.

● MARTIN, Henri-Jean, *Livre, pouvoirs et société à Paris au XVIIᵉ siècle (1598-1701)*, Genève, Proz, 1969, 2 vol., 1091 p. (étude approfondie et appelée à devenir classique)

Ouvrages intéressants ou utiles

(outre ceux qui ont été cités dans les « Textes »).

● AGULHON, Maurice, *Pénitents et francs-maçons de l'ancienne Provence*, Paris, Fayard, 1968, 452 p.

● BLOCH, Marc, *Les Rois thaumaturges, étude sur le caractère surnaturel attribué à la puissance royale, particulièrement en France et en Angleterre*, Paris, 2ᵉ éd., A. Colin, 542 p.

● CHAUNU, Pierre, *La Civilisation de l'Europe classique*, Paris, Arthaud, 1966, 706 p.
(Ouvrage aussi passionné que passionnant, aussi lyrique qu'historique, mais fourmillant d'idées, et plus encore d'hypothèses).

● DAINVILLE, François de, « Effectif des collèges et scolarité aux XVIIᵉ et XVIIIᵉ siècles dans le Nord-Est de la France », dans *Population*, 1955, pp. 455-488. Id., « Collèges et fréquentation scolaire au XVIIᵉ siècle, *ibid.*, 1957, pp. 467-495.

● ESTIVALS, Robert, *Le Dépôt légal sous l'Ancien Régime*, Paris, Rivière, 1961, 141 p.
Id., *La Statistique bibliographique de la France sous la monarchie au XVIIIᵉ siècle*, Paris et La Haye, Mouton, 1965, 460 p.

● FERTÉ, Jeanne, *La Vie religieuse dans les campagnes parisiennes, 1622-1695*, Paris, Vrin, 1962, 454 p. (très consciencieuse monographie).

● FOUCAULT, Michel, *Histoire de la folie à l'âge classique*, Paris, Plon, 1961, 673 p. (excitant, souvent profond, parfois un peu rapide).

● GRAND-MESNIL, Marie-Noelle, *Mazarin, la Fronde et la presse, 1647-1649*, Paris, A. Colin, coll. Kiosque, 1967, 308 p. (intelligent et évocateur).

● GROETHUYSEN, B., *Origines de l'esprit bourgeois en France : l'Église et la bourgeoisie*, Paris, 4ᵉ éd., 1956, 301 p. (particulièrement intelligent).

MENTALITÉS ET CULTURES

● HAZARD, Paul, *La crise de la conscience européenne, 1680-1715* Paris, nouv. éd. Fayard, 1961, 430 p. (plus brillant que profond, mais évocateur).

● LOTTIN, Alain, *Vie et mentalité d'un Lillois sous Louis XIV*, Lille, Raoust, 1968 444 p. (excellente monographie).

● MAGGIOLO (cf. texte n° 52).

● MOUSNIER, Roland, *Fureurs paysannes*, Paris, Calmann-Lévy, 1967, 354 p. (pour la 1re partie).

● PLATELLE, Henri, *Journal d'un curé de campagne au XVIIe siècle*, Paris, éd. du Cerf, 1965, 208 p. (excellente monographie).

● ROTHKRUG, Lionel, *Opposition to Louis XIV*, Princeton University Press, 1965, 533 p. (quelques chapitres assez neufs).

● SÉGUIN, Jean-Pierre, *L'Information en France avant le périodique, 517 canards imprimés entre 1529 et 1631*, Paris, Larose, 1961, 132 p.

● SAINTYVES, Pierre, *L'Astrologie populaire*, Paris, 1937, 470 p. (utile vulgarisation).

Il arrive que de brefs *articles* soient bien meilleurs que des synthèses hâtives, par exemple :

● BILLACOIS, François, « Pour une Enquête sur la criminalité dans la France d'Ancien Régime », dans *Annales E.S.C.*, mars-avril 1967, pp. 340-349.

● FURET, François, « Pour une définition des classes inférieures à l'époque moderne », dans *Annales E.S.C.*, mai-juin 1963, pp. 459-474.

TABLE DES TEXTES

TABLE DES TEXTES

TABLE DES MATIÈRES

bètes. — Les violences des analphabètes. — La littérature des analphabètes. — L' « aliénation » des analphabètes.

Le tome 2 de cet ouvrage traitera de l'État d'Ancien Régime, considéré
dans la même période que l'a été la société dans le tome 1 : 1600-1750. Sous
une forme ou une autre seront aussi mis en lumière les changements profonds
qui affectèrent la période 1750-1789, notamment la discordance accrue entre
la Société et l'État.

Achevé d'imprimer
sur les presses
des Imprimeries Oberthur
à Rennes en Juillet 1969
Dépôt légal 3e trimestre 1969 : 8932
No d'ordre A. Colin 4886